67

योग द्वारा
स्वस्थ जीवन

योग द्वारा स्वस्थ जीवन

बी.के.एस. आयंगार

प्रभात प्रकाशन, दिल्ली
ISO 9001:2008 प्रकाशक

VZ121049S7

प्रकाशक • **प्रभात प्रकाशन**
4/19 आसफ अली रोड,
नई दिल्ली-110002

सर्वाधिकार • सुरक्षित

संस्करण • प्रथम, 2012
अनुवाद • डॉ. दुर्गा दीक्षित
मूल्य • चार सौ रुपए
मुद्रक • भानु प्रिंटर्स, दिल्ली

YOG DWARA SWASTHA JEEVAN *by* B.K.S. Iyengar
Published by Prabhat Prakashan, 4/19 Asaf Ali Road, New Delhi-2
by arrangement with Rohan Prakashan, Pune
ISBN 978-93-5048-094-6 Rs. 400.00

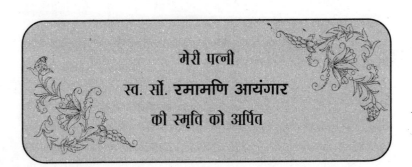

मेरी पत्नी

स्व. सौ. रमामणि आयंगार

की स्मृति को अर्पित

भूमिका

'**यो**ग द्वारा स्वस्थ जीवन' पुस्तक को पाठकों के समक्ष रखते हुए मुझे अत्यंत प्रसन्नता हो रही है। योग साधना के अध्ययन और अध्यापन के अपने अब तक के जीवन में मैंने जो शहद पाया, उसकी यह एक बूँद भर है। अध्यापन के दौरान छात्र अपने साथ ऐसे प्रश्न लाया करते थे, जो मेरे लिए चुनौती बन जाते थे। स्वस्थ शरीर का, निरोगी व्यक्ति शायद ही कभी मिलता। और अगर कभी मिलता भी तो भीतर कहीं-न-कहीं वेदना की टीस होती ही थी, अड़चनें होती ही थीं। उनमें से कइयों के लिए उठना-बैठना, चलना-हिलना असंभव-सा हो जाता था। कुछ वृद्ध बिस्तर पकड़े होते थे। दवा या शल्य-क्रिया (ऑपरेशन) का भी असर न होनेवाली कुछ बीमारियाँ होती थीं, जिनमें कसरत कर पाना संभव नहीं होता। ऐसे में उनका स्वतंत्र रूप से योगासन करना तो असंभव ही होता। और जरूरी नहीं कि ऐसा रुग्ण एक ही बीमारी से पीड़ित हो। उदाहरण के लिए, रीढ़ की चकती सरक गई हो (स्लिप डिस्क) और उच्च रक्तचाप या साइटिका का दर्द एवं सिर दर्द सब एक साथ हों। अब यदि स्लिप डिस्क हो अथवा साइटिका हो तो शरीर को आगे की तरफ झुकाया नहीं जा सकता (पश्चिम प्रतन)। और यदि सिर दर्द व उच्च रक्तचाप हो तो शरीर को पीछे झुकानेवाले आसन (पूर्व प्रतन) मना हैं। इस प्रकार परस्पर विपरीत बीमारियाँ लेकर आए व्यक्तियों पर आसनों का एक साथ इलाज कैसे किया जाए, यह यक्ष प्रश्न हुआ करता था। हृदय रोग, मधुमेह और ऑस्टियो अर्थराइटिस के शिकार साठ-सत्तर से अधिक उम्रवाले व्यक्ति आएँ तो उनका इलाज किस तरीके से किया जाए? बीमार के लिए एकाध आसन निश्चित रूप से उपयुक्त एवं प्रभावकारी सिद्ध होने वाला है, यह जानते हुए भी यदि उसके लिए वह करना संभव नहीं है और न वह उसे कर पाने में सक्षम हो तो उसके लिए कौन सा अलग उपाय किया जा सकता है? किसी का शरीर सख्त होता है तो किसी को योगासन करने में अधिक रुचि नहीं होती। पर कोई अन्य चारा न होने से करना पड़ रहा हो, तब

उसके शरीर से केवल कवायत ही नहीं बल्कि मन को भी कैसे कसरत करने के अनुकूल बनाया जाए, इस बारे में सोचकर उपाय करने पहुँचे ?

शारीरिक बीमारी के कारण अति हताशा आदि मानसिक बीमारियों से पीड़ित, कुछ भी करने की इच्छा न होनेवाले हठवादी और दुराग्रही मरीजों का भी अंतर्भाव इसमें हुआ करता था। इनमें से कई ऐसे भी हुआ करते थे, जो अलग-अलग ध्यान पद्धतियों का अनुसरण करके उनसे कोई लाभ न होने पर अंतत: इस उपचार-पद्धति की ओर मुड़ते थे।

आरंभ में जब मैं पढ़ाता था, तब मेरे ध्यान में आता था कि मैं इन्हें जो कुछ भी करने के लिए कहता हूँ, वह इनसे नहीं किया जाता और कर न सकने के कारण अपेक्षित परिणाम भी नहीं होता, उलटे इन्हें अपनी खामियाँ और सदोषता का अहसास होने पर पीड़ा होती थी। इस प्रकार की गलतियों और पीड़ा को टालने के लिए उन्हें सहारा देने पर उसका उनपर अनुकूल परिणाम दिखने लगा। धीरे-धीरे मेरे सहारा देने की पद्धति में निश्चितता और अचूकता आने लगी। रोगियों को क्या तकलीफ है ? उनकी बीमारी कौन सी है ? उनके शरीर का गठन कैसा है ? योगासन करने की अवधि में कौन से दोष अथवा त्रुटियाँ उनमें रह जाती हैं ? उसके लिए उनसे कौन सा आसन करवाया जाए, जिससे कि उन्हें आराम होगा ? आदि के बारे में मेरे मन में निरंतर विचार, ऊहापोह चलता रहता। मेरा मन इसी विचार-मंथन में निरंतर डूबा रहता। लेकिन यह सही है कि इन सभी समस्याओं से मैंने बहुत कुछ सीखा। कई वर्ष पुरानी बीमारियों से पीड़ित या दुर्घटना के कारण विकलांग बने लोगों से यह कहने में कोई लाभ नहीं कि तुम अपने आप योग करो अथवा 'जितना बन सकता है उतना करो'; क्योंकि यह बात मेरी समझ में आई थी कि वे अपने आप कुछ भी करने वाले नहीं हैं। ऐसे लोगों के लिए उपाय खोजने की जरूरत मुझे महसूस होने लगी। उनकी व्यथा मुझे बेचैन करती थी।

यम-नियम बताए जा सकते हैं, समझाए जा सकते हैं, उन तत्त्वों का अहसास भी कराया जाता है। सुननेवाले भी उसका महत्त्व समझते हैं। बार-बार बताते रहने पर किसी व्यक्ति का मानसिक झुकाव यम-नियमों की ओर अंशत: ही सही, बनाया तो जा सकता है, उसका दिशा-निर्देशन किया जा सकता है; लेकिन उनका परिपालन करना, सलाह करना, समझदारी के साथ-साथ अमल में लाना पूर्णत: उस व्यक्ति पर निर्भर होता है। योगासन की बात वैसी नहीं होती, उन्हें कराना पड़ता है। सिर्फ बताने से समझ में नहीं आता। ऐसी स्थिति में आसन करवाने ही पड़ते हैं। इसका कारण यह है कि शरीर प्रत्यक्ष दिखाई देता है। प्रत्यक्ष दीखनेवाले साधन को हम उचित दिशा में मोड़ या झुका सकते हैं, दृश्यता का उपयोग कर सफलता पा सकते हैं।

एक योग-शिक्षक के नाते जब मैं उन्हें सिखाने लगा तब मुझे अपनी नैतिकता

दो स्तरों पर सँभालनी पड़ी—अपने आचार को शुद्ध रखना, छात्रों को हाथ लगाते समय विशुद्ध हेतु हो और उनके शरीर को कोई चोट न आए। जिस योग-शिक्षक का स्वयं पर विश्वास नहीं हो, जिसका मन काबू में न हो, चरित्र शुद्ध न हो, उसे दूसरे के शरीर को स्पर्श करने, हाथ लगाने का अधिकार नहीं; बल्कि योग-शिक्षक होने का भी अधिकार नहीं।

मैं जब विद्यार्थियों को सहायता करने के लिए हाथ लगाकर सिखाने लगा, तब कुछ लोगों ने उसे आपत्तिजनक बताया। पर मेरे मन का भाव विशुद्ध था, जिसके कारण मैं जरा भी आतंकित नहीं हुआ। इस संदर्भ में मुझे हमेशा योगेश्वर श्रीकृष्ण और कुब्जा का स्मरण होता था। कंस-वध के लिए मथुरा जाने पर श्रीकृष्ण और कुब्जा की जब भेंट हुई, तब सिकुड़ी हुई, टेढ़ी बनी और पीठ में कूबड़ निकली कुब्जा को श्रीकृष्ण ने उसके पगों पर पैर रखकर हाथों से ऊँचा करते-करते सीधा किया। हम नहीं जानते कि कुब्जा निश्चित रूप से किस बीमारी से पीड़ित थी। हो सकता है कि उसे वात रोग, स्पॉण्डिलाइटिस, आर्थराइटिस या अन्य कुछ हुआ हो। उसे सीधा करना योगेश्वर की लीला थी, इसमें कोई दो राय नहीं। पर मैंने इससे यह जरूर सीखा कि मैं भी किसी एकाध को मदद का हाथ देकर सीधा कर सकता हूँ।

मैं अपने पूर्ववर्ती सभी छात्रों का—जिनमें छोटे-बड़े, युवक-युवतियाँ, नारी-पुरुष, गृहस्थ-संन्यासी, वयस्क-वृद्ध सभी हैं—आभारी हूँ। मैं जब उन्हें आधार देकर आसन कराने लगा, तब भीतर से होनेवाला परिवर्तन और परिणामकारी असरदार क्रिया कौन सी है, इस बात को वे समझने लगे। वे जानते थे कि अपने शरीर की लचक और क्रिया की भीतर तक पहुँच कैसे हो सकती है; पर भीतर से प्रतीत होनेवाला खुलापन और उसके कारण होता परिवर्तन अधिक स्पष्टता से समझ में आने लगा। शरीर का व्यवस्थापन और मन का अंदर से खुलापन क्या होता है, यह भी समझ में आने लगा।

एकाध को हाथ लगाकर उसके शरीर के निश्चित हिस्से को ऊँचा उठाना, सीधा करना, मांसपेशियों को लंबा तानना, जोड़ों को लंबा करते हुए या मोड़ते हुए खोलना, तनाव देना, तनाव निकालना, दबाव देना, विपरीत तनाव देना, मांसपेशियों को सक्रिय करना, उनका आकुंचन-प्रसारण सुनिश्चित दिशा में करना आदि आसान नहीं होता। उसके लिए उस आसन विशेष के क्रिया-कलाप, हिलना-डुलना, चलना, क्रिया और स्थिति कैसी होनी चाहिए, उससे निश्चित रूप से क्या साध्य करना है आदि बातों का ज्ञान आवश्यक होता है। इसके लिए मुझे वह आसन बार-बार करके उसकी बारीकियाँ ध्यान में रखनी पड़ीं। अपने लिए जानना एवं अभ्यास करना अलग और अन्य व्यक्तियों की अड़चनें ध्यान में लेकर उन्हें क्या-क्या महसूस होता है, इसकी कल्पना करके तथा उनके लिए कौन सी पद्धति अनुकूल होगी, सोचकर इसका अपने पर प्रयोग करके देखना

अलग बात है। इससे कई लाभ हुए। यह बात समझ में आई कि लोगों की सहायता निश्चित रूप से कैसे, कब और कहाँ की जाए।

पाश्चात्य लोगों को योग सिखाते समय तो इनसे अलग कई कठिनाइयों का सामना करना पड़ा। उनका आहार-विहार, रहन-सहन, आदतें, वातावरण तथा जीवन के बारे में उनकी धारणा सबकुछ भिन्न होती है; मनोरचना भी भिन्न। वहाँ भी बीमारियों की कमी नहीं थी। गठिया, आमवात, हृदय रोग, रीढ़ की बीमारियों जैसी विभिन्न प्रकार की बीमारियाँ थीं। वे जमीन पर नहीं बैठ सकते थे और न पैरों को मोड़ सकते थे। शरीर कड़ा और मन भी सख्त। आज वे लोग कुछ अभ्यस्त हो गए हैं। पर आरंभ में मुझे दीवार, कुरसी, तकिए, पलंग, जोड़ों में पैडिंग आदि का इस्तेमाल करना पड़ता था। इस प्रकार के साधनों का इस्तेमाल करने पर कइयों ने आपत्तियाँ उठाईं। स्वयं योगासन करते समय मैं इन बातों का अध्ययन किया करता था कि अपने घुटने, पैर, सीना, रीढ़ आदि शरीर का प्रत्येक हिस्सा उस आसन विशेष में कैसे रखता हूँ! उन्हीं क्रियाओं को रोगियों से कराने के लिए अपने हाथ-पैरों का इस्तेमाल उन्हें सहारा देने के लिए कुशलता से करता था। मेरे इन प्रयोगों और अन्यों को आधार देने अथवा आसन कराने की शिक्षा से मुझे उपकरणों (साधनों) का ज्ञान हुआ।

आज मुझे इस बात की प्रसन्नता है कि रोगों से पीड़ितों को भी ये साधन, उपकरण सहारा देनेवाले और सुविधाजनक लगे। अपने घरों में कई लोगों ने घर बनाते समय जैसे ठाकुरघर बनवाते हैं, उस तरह योग-साधना के लिए स्वतंत्र कक्ष बनवाकर उसमें इन साधनों को सजाया है। साथ ही जो विद्यार्थी होनहार शिक्षक हैं, वे इन साधनों का इस्तेमाल करके अन्य लोगों को सरल और अचूक तरीके से सिखा सकते हैं। इनसे रोगियों को उनपर होनेवाले सुपरिणाम का अहसास होता है। पर उससे भी अधिक महत्त्वपूर्ण लाभ यह कि अन्य लोगों की बीमारियों को 'अपने जिम्मे' लेते समय मुझे जो शारीरिक परिश्रम उठाना पड़ा, इस कारण जो दुष्परिणाम भोगने पड़े, वे उनकी किस्मत में नहीं होंगे।

पोलियो या स्कॉलिओसिस जैसी बीमारियों से पीड़ित छोटे बच्चे या मानसिक बीमारी से, अतीव हताशा से ग्रस्त अथवा दुर्घटना के कारण अपाहिज बने, लकवा या पार्किंसन रोग के कारण जिनके लिए अपने शरीर या उसके कार्यकलापों पर नियंत्रण रखना ही असंभव हो गया है, ऐसे लोगों के लिए ये साधन आज महान् वरदान बन गए हैं।

इस पुस्तक के जरिए साधनों के इस्तेमाल से किए जानेवाले आसन किस प्रकार किए जाएँ, किस प्रकार होनेवाली गलतियों को टाला जा सकता है और अधिकतम लाभ पाया जा सकता है, इन बातों को आम लोगों तक पहुँचाने का प्रयास किया गया है। फिर भी, मेरा आग्रहपूर्वक कहना है कि हर अध्येता अपनी असाध्य बीमारी, पीड़ा को मात

देने पर अथवा असाध्य बीमारी से उबरते समय, कुछ प्रगति होने पर, धीरे-धीरे इन आधारों या सहारों से मदद लेना कम करता जाए। और कुछ आसनों को तो स्वतंत्र रूप से करके देखना आवश्यक है। आधार देनेवाले साधनों पर हमेशा निर्भर रहने की मनोवृत्ति पर धीरे-धीरे काबू पाना आवश्यक है।

असंभव स्थिति में आशा की किरण दिखानेवाले साधन योग-साधना में सहायक बनते ही हैं, साथ ही योग के मार्ग पर मार्गदर्शक बननेवाले गुरु प्रमाणित होते हैं।

ये सुविधाएँ आज लोगों के लिए उपयुक्त सिद्ध हो रही हैं। इनके सहारे अभ्यास करने में लोगों की रुचि उत्पन्न हुई है। साधनों के आधार से, स्वयं प्रेरणा से कुछ करने की इच्छा उनमें जग रही है, यह निश्चित रूप से आनंददायक है। भगवान् मुझसे जन-सेवा के रूप में अपनी सेवा करा रहा है, इसी में मुझे संतोष है।

आसनों की आकृतियाँ (चित्र) बनाने के लिए कई विद्यार्थियों ने अपने छायाचित्र लेने की अनुमति दी और सोनी स्टूडियो के श्री चंदू मेलवानी ने वह कार्य किया तथा श्री एस.एम. वाघ ने उन छायाचित्रों के रेखाचित्र बनाए। इसके लिए मैं उनका आभारी हूँ।

—बी.के.एस. आयंगार

रमामणि आयंगार मेमोरियल योग इंस्टीट्यूट
1107 ब/1, हरेकृष्ण मंदिर पथ,
चित्तरंजन पार्क के पास, मॉडल कॉलोनी,
शिवाजी नगर, पुणे-411016

पुस्तक की रचना एवं तत्संबंधी सूचनाएँ

'योग द्वारा स्वस्थ जीवन' पुस्तक की उपयुक्तता मुख्यत: व्यवहार्यता को ध्यान में रखते हुए है। योगाभ्यास से होनेवाले लाभ पाना इसका मूल उद्देश्य है। इसका प्रत्येक अध्याय व्याधियों का किस प्रकार से उपचार किया जाए, इस दृष्टिकोण को सामने रखकर लिखा गया है।

अध्यायों का विभाजन सर्व-परिचित बाह्यांगों को ध्यान में रखकर किया गया है। जिस प्रकार छोटे बच्चों के शरीर की पहचान स्थूल दृष्टि से हाथ, पैर, पेट, पीठ, सीना, सिर इस प्रकार कराई जाती है, उसी प्रकार आम आदमी को बीमारी की पहचान बाह्यांगों से ही होती है। इसलिए ये विभाग अर्थात् हाथ, पैर, पीठ, पेट (पाचन संस्थान), सिर, सीना (श्वसन संस्थान) बनाए गए हैं। हाथ मुख्यत: बाह्यांग होने पर भी हाथ से संबंधित गरदन, कंधा, बगल, कुहनी, कलाई, हथेली, उँगलियाँ—इन सभी अंगों से जुड़ी व्याधियों पर इस अध्याय में उपाय सुझाए गए हैं। उसी प्रकार 'पैर' विभाग में जंघा के जोड़, संधि, घुटनों, टखनों, तलवों, एड़ियों, पैरों की उँगलियों; 'पीठ' विभाग के अंतर्गत पेट; 'सिर' विभाग में सिर, आँखें, माथा (कपाल) तथा 'श्वसन संस्थान' अध्याय में सीने से संबंधित बीमारियों पर उपाय सुझाए गए हैं। इससे पाठकों को जिस भाग (अंग) में पीड़ा होगी, उससे संबंधित अध्याय को पढ़ने से पीड़ा का स्वरूप क्या है और उसके इलाज के लिए क्या करना होगा—आदि बातों का मार्गदर्शन मिलेगा। प्रत्येक अध्याय में उल्लेखित आसनों के नाम, चित्र, क्रिया और परिणाम के संदर्भ में जानकारी मिलेगी।

पुस्तक का उपयोग करना आसान व सरल हो, इस दृष्टि से पुस्तक के अंत में दो परिशिष्ट दिए गए हैं। परिशिष्ट 1 में आसन क्रमांक और आसनों के नाम देकर उनका वर्गीकरण भी प्रस्तुत किया गया है। यह वर्गीकरण उत्तिष्ठ (खड़ी स्थिति), उपविष्ट (बैठी स्थिति), उपाश्रयी (टेक लिये स्थिति), सुप्त (लेटी स्थिति), पश्चिम प्रतन (आगे झुकी हुई स्थिति), अधोमुख (पेट के बल लेटी स्थिति), परिवृत्त (मोड़ी हुई

स्थिति), पूर्व प्रतन (पीछे मुड़ी स्थिति), विपरीत (उलटी स्थिति)—इस प्रकार हैं। जब-जब किसी बीमारी पर फलाँ वर्गगत आसनों का पूर्णत: निषेध बताया गया है, तब-तब इस वर्गीकरण को देखने पर निश्चित रूप से किसे वर्ज्य किया जाए (निषेध किया जाए), यह बात ध्यान में आ जाएगी। साथ ही जो संबंधित वर्गगत आसन उपयुक्त बताए गए हों, उनका भी समावेश किया जा सकेगा। आसनों के नाम ध्यान में रखने के लिए उन्हें कंठस्थ भी किया जा सकता है। किसी भी अध्याय में यदि आसनों का सिर्फ नामोल्लेख हो तो उन आसनों की क्रिया किस अध्याय में दी गई है, यह भी इस परिशिष्ट से ध्यान में आएगा।

प्रत्येक आसन के आगे स्तंभ-सूची दी गई है। पुस्तक में कुछ आसनों की अर्ध स्थिति, मध्य स्थिति, पूर्ण स्थिति अथवा आधार-रहित स्थितियाँ दी गई हैं। व्याधियों पर उपाय सुझाते समय कभी-कभी फलाँ स्थिति के आसन करने की सूचना दी गई है। साथ ही वह आसन किस अध्याय में है, इस बात की जानकारी के लिए अध्याय क्रमांक और चित्र क्रमांक दिया गया है। उदाहरण के लिए, सातवें अध्याय का पहला चित्र। इस प्रकार संबंधित आसनों का संदर्भ तुरंत मिलेगा।

परिशिष्ट 2 में किसी बीमारी पर आसन समूहों का चयन कैसे किया जाए, इसका संदर्भ मिलेगा। आसनों के नाम भी आसन क्रमानुसार दिए गए हैं। इसलिए आसन क्रमश: तरीके का इस्तेमाल करके ही उपयोग में लाने हैं। इस परिशिष्ट 2 में भी तीन स्तंभ-सूचियाँ हैं, जिनका उल्लेख चरण 1, चरण 2 और चरण 3 में किया गया है। नौसिखियों को अपनी बीमारी के अनुकूल आरंभ में चरण 1 के आसन कम-से-कम छह महीने करके, फिर चरण 2 के आसनों का अंतर्भाव पहले चरण के आसनों में करना होगा और क्रमश: उसी तरीके से चरण 3 के आसनों का समावेश अगले छह महीनों में चरण 1 और चरण 2 के आसनों में करके उचित तरीके से नियमित अभ्यास करना होगा। इससे अभ्यास को धीरे-धीरे क्रमश: किस प्रकार बढ़ाया जाए और किस आसन विशेष का समावेश निश्चित रूप से कब और कहाँ करना होगा, यह भी ध्यान में आएगा।

इस व्यावहारिक पुस्तक के उचित एवं अचूक इस्तेमाल करने के संबंध में ये मार्गदर्शक सूचनाएँ दी गई हैं।

□

क्रम-सूची

1

सिद्धता

1

निरामय जीवन की दिशा में

श्री रामानुजाचार्य को अपने गुरु गोष्ठीपूर्ण से दीक्षा और शिक्षा पाने के लिए बहुत प्रयत्न करने पड़े। उनके शिष्यों के साथ वे तिरुकोट्टियूर गए। ज्ञान-दान के लिए गुरुदेव ने बहुत आना-कानी की। कई बार परीक्षा देने के पश्चात् गुरु ने रामानुजाचार्य से कहा, "कल तड़के तुम अकेले आना। मैं तुम्हें एकांत में जो ज्ञान दूँगा, हृदय में उसका जाप करते रहना। वही मंत्र तुम्हें मोक्ष-प्राप्ति तक पहुँचाएगा।" दूसरे दिन तड़के रामानुजाचार्य अपने गुरु के पास गए। गुरुजी ने 'ॐ नमो नारायण', यह अष्टाक्षरी मंत्र दिया। रामानुजाचार्य ने उसको स्वीकार किया। वे बाहर निकले। गाँव के नरसिंह मंदिर के गोपुर पर चढ़े और उन्होंने सब ग्रामवासियों को आवाज दी। सब ग्रामवासी इकट्ठे हो गए। रामानुजाचार्य ने जोरदार आवाज में वह मंत्र सबको कहने के लिए कहा। उसी क्षण गुरु महोदय दौड़ते हुए वहाँ पहुँचे और बोले, "अरे रामानुज, यह क्या किया तुमने? तुमने गुरुमंत्र देकर आज्ञा भंग की! अब सिर्फ नरक ही तुम्हारा स्थान होगा।" रामानुज तत्काल बोले, "गुरु महाराज, मुझ अकेले के लिए स्वर्ग का द्वार भले बंद हो, पर ये सब तो पहुँचेंगे ना? भगवान् जैसे मेरा, वैसा क्या उनका नहीं है?" इस प्रकार रामानुजाचार्य ने सबको भक्तिमार्ग की प्रेरणा दी।

जनसाधारण की अपेक्षाएँ भी क्या होती हैं? उनकी कठिनाइयों, मुसीबतों, पीड़ा-वेदना पर कौन सांत्वना देगा? उन्हें करुणा की धार मिले, यही न? इसी में उनका सुख संचित होता है।

सन् 1936 की बात है। तब मैं धारवाड़ में रहता था।। सत्रह साल का था। योग के विषय में अभी बालक था। अभी-अभी खड़ा होना सीखा था। एक दंपती मुझे ढूँढ़ते हुए आए। उन्होंने कहा—विवाह हुए दस वर्ष बीत गए, पर संतान नहीं हुई। क्या

योगाभ्यास से कुछ हो पाएगा ?' मैं भी इसका क्या उत्तर देता ? घर-परिवार, संतान आदि के संबंध में पूर्णत: अनाड़ी और योग विषय में भी अज्ञानी। मैं चिंता में पड़ गया। लेकिन चेहरे पर जरा भी नहीं दरशाया और बेहिचक उन्हें यकीन दिलाया कि 'हाँ, योगाभ्यास से अवश्य ही संतान-प्राप्ति होगी।' आश्चर्य की बात यह कि उस दंपती को भी मुझ पर विश्वास हो गया। दूसरे दिन से वे मेरे शिष्य और मैं उनका गुरु बन गया। मैंने उन्हें आसन सिखाना शुरू किया। मैं जो कुछ जानता था, उन्हें सिखा रहा था। मुझे यह भी मालूम नहीं था कि उन दोनों में किसमें दोष है और वह दोष क्या है। ऐसा भी नहीं था कि उस दोष को समझने पर भी मैं कुछ खास कर सकता था। पर मैं जो कुछ भी कर रहा था, उसपर मेरा पूरा विश्वास था, साधना पर पूरी आस्था थी। मेरे मन की धारणा थी कि योगाभ्यास से सबकुछ साध्य हो सकता है। डेढ़-दो वर्ष के बाद जब उनके घर में पलना झूला, तब कितनी खुशी हुई थी! मैंने मन-ही-मन ईश्वर को धन्यवाद दिया और मन की दृढ़ता से योगाभ्यास से जुड़ा रहा; बल्कि मैं इस अनुभव से बहुत कुछ सीखता गया। अनुभव को वैज्ञानिक अधिष्ठान मिला। निश्चित रूप से क्या करना चाहिए, समझने लगा।

बाद में मैं पुणे पहुँचा। भाषा नई, कुछ भी समझ नहीं आ रहा था। योग में आस्था रखनेवाले, योग सीखने की इच्छा रखनेवाले और साथ ही जिनके पास जाना जरूरी था, जिनसे पहचान बनाए रखना जरूरी था, उन्हीं लोगों से मेरा यहाँ संपर्क रहा—जैसे सैलून में बाल काटनेवाला, लकड़ी-कोयला बेचनेवाला, पंसारी आदि। उनमें से कई लोग मुझे 'मास्टरजी' के रूप में जानते थे। मैं क्या करता हूँ ? योग करता हूँ, यानी निश्चित करता क्या हूँ ? जीविका की समस्या कैसे हल करता हूँ ? किसलिए योग सिखाता हूँ ? जैसे कई प्रश्नों की झड़ी मुझ पर लगी रहती। मैं अपने तरीके से उन्हें उत्तर दे देता। फिर उनकी ओर से भी पूछा जाता—हाथ में दर्द है, पैरों में दर्द है, पिंडलियाँ दुखती हैं, सुबह पेट साफ नहीं होता, कमर भारी हो जाती है—और भी कई प्रश्न। मामूली बीमारियाँ, लेकिन उनके कारण जीना दूभर हो जाता। फिर मैं उन्हें वहीं दुकान में खड़े-खड़े या बैठे-बैठे यह बता देता कि इसमें क्या करना चाहिए। कुछ लोगों की बीमारियाँ मेढक की छलाँग जैसी झट दूर हो जातीं। लेकिन कुछ लोगों के रोग ठीक होने में देर लग जाती। इस दौरान भी बहुत कुछ ध्यान में आता रहता। दु:ख-दर्द की जड़ ढूँढ़ने में आनंद का अनुभव होने लगा। जितने व्यक्ति उतनी उनकी प्रकृति वाली बात का अहसास होने लगा। प्रत्येक का शरीर, उसका कद, अलग लहजा, उठने-बैठने का तरीका, चलने का ढंग, हर एक का व्यवसाय, रहन-सहन, उसके कारण अनुभव होनेवाला फर्क आदि के निरीक्षण का जैसे जुनून ही सवार हुआ। उनके प्रत्येक क्रिया-कलाप में अप्रत्यक्षत: उनका मन भी झाँकने लगता। शरीर और मन के स्वभाव में कहीं तो निकटता है, संबंध है, यह ध्यान में आने लगा। मन संवेदनशील और भावुक है तो शरीर की प्रतिक्रिया भिन्न होती है। आगबबूला होनेवाले

अति गुस्सैल लोगों का शरीर भी चिड़चिड़ा होता है। आदमी यदि ऊपर से शांत पर भीतर से अशांत हो तो उसकी प्रतिक्रिया भिन्न होती है। चाहे नए आदमी से, बदलती जलवायु या स्थितियों से समायोजन संभव है, लेकिन जिद्दी शरीर और मन के साथ समायोजन कैसे किया जा सकता है? एक शिक्षक के नाते मुझे भी अपने स्वभाव में, तात्कालिक ही सही, बदलाव लाना पड़ा। सबको एक ही भाषा में, एक ही शैली में, एक ही रूप में बताया नहीं जा सकता; सभी से एक ही भाषा में बोलना संभव नहीं। इसलिए रोगी को समझ में आए, कर सकें और उसका अहसास भी करें, इस तरीके से नए रास्ते ढूँढ़ने होंगे—यह बात समझ में आई।

आगे चलकर अर्थात् जीविका का प्रश्न सुलझने पर यथासंभव, यथाशक्ति, यथावकाश योग के ग्रंथों का वाचन आरंभ हुआ। इसके पीछे मेरा उद्देश्य सिर्फ ज्ञान-प्राप्ति तक सीमित नहीं था बल्कि यह देखना-खोजना था कि मैंने अनुभव से जो जाना है, उसमें से इसमें क्या-क्या बताया गया है। यदि योगाभ्यास के प्रति रुझान, रुचि व आकर्षण हो और आलस्य न हो तो उसपर आचरण करने के बीच में आयु को सीमा, व्याधि, दुबलापन, स्त्री-पुरुष आदि लिंगभेद या वर्णभेद कुछ भी नहीं आता। फिर आवश्यकता किस चीज की है? साधना की, जबरदस्त लगन की। दरअसल, इसमें अनधिकारी कोई भी नहीं। अधिकारी बनने की योग्यता, अर्हता प्राप्त करनी होती है। उसके लिए साधना व परिश्रम करने ही पड़ते हैं। फिर विचार की प्रक्रिया में कई बातों का समाधान एवं स्पष्टीकरण होने लगा। चाहे अपने घर आनेवाली नौकरानी हो अथवा प्रातः समाचार-पत्र लानेवाला कोई छात्र, उन्हें भी मामूली बीमारियाँ होती ही हैं। फिर, वे यदि उपाय खोजने के लिए योग की ओर आकर्षित हो जाएँ तो क्या गलत है?

पश्चिमी देशों में खेलों और कसरत की पद्धतियों की कहीं भी कमी नहीं। प्राचीनतम कसरत-प्रणाली से लेकर आधुनिक जिम और एरोबिक्स तक सर्वत्र सहजता से उपलब्ध हैं। महिलाएँ, बच्चे, युवक और वृद्ध सभी तो कसरत करते ही रहते हैं। दरअसल ये लोग हेल्थ कॉन्शस होते हैं। लेकिन वहाँ भी बीमारी-दर्द आदि का अभाव नहीं है। सबकुछ उपलब्ध होते हुए भी उनके योग की तरफ आकृष्ट होने का क्या कारण हो सकता है? यह नहीं कि अध्यात्म के विषय में वे कुछ समझते नहीं। वे भी आरंभ में बीमारी व दर्द आदि दूर करने के लिए ही इस क्षेत्र की ओर मुड़े। योग का क्षेत्र-विस्तार रोग-मुक्ति से भी परे है, इस बात को समझने में उन्हें भी प्रयास करने पड़े। आज ऐसे कई लोग हैं, जो आंतरिक रूप से अध्यात्म की ओर आकृष्ट हैं; लेकिन उसके लिए उन्हें अपने जीवन में परिवर्तन लाना पड़ा।

अर्जुन डरपोक नहीं था। ऐसा नहीं कि युद्ध से होनेवाले लाभ-हानि, परिणाम-दुष्परिणाम, जीना-मरना वह नहीं जानता था या यह भी नहीं कि भाइयों के आपसी कलह

से वह कभी परिचित नहीं था; किंतु वह भी संभ्रमित हुआ। आजकल भी ऐसे कई 'अर्जुन' हैं। न्याय और अन्याय के बीच की सीमा रेखा इतनी अस्पष्ट है कि 'क्या करें और क्या न करें' का समझना आसान नहीं होता। खासकर युवा वर्ग के प्रति विशेष चिंता महसूस होती है। उनका अंतर्मन अमुक काम करना गलत बताता है; लेकिन आसपास घटित होनेवाली स्थितियाँ और घटनाएँ उनके मन में हलचल मचाती हैं। निश्चित रूप से क्या करना चाहिए, समझ में नहीं आता। उनके ऊँचे ध्येय सँभालना और मार्गदर्शन करना बड़ों का काम है। तनावों का आरंभ यदि बचपन से, अर्थात् छात्र जीवन से ही हो तो तनाव-मुक्त होने के बारे में वे किससे पूछें ?

व्यवस्थापन विज्ञान ने प्रत्येक क्षेत्र में, अर्थात् उद्योग, शिक्षा, परिवार, होटल, अस्पताल आदि क्षेत्रों में प्रवेश किया है; लेकिन स्वयं अपना व्यवस्थापन कैसे किया जाए, इस बात को समझ लेने का प्रयास कोई नहीं करता। आम आदमी दिन भर अपनी जीविका के लिए बड़ी मशक्कत करने के बावजूद रात को सो नहीं पाता। ऐसे लोगों की शिकायतें, कठिनाइयाँ, बीमारियाँ, बेचैनी आदि सबकुछ देखने पर मेरे ध्यान में आया कि जहाँ श्रीकृष्ण के ही आर्ती, अर्थार्थी, जिज्ञासु और ज्ञानी जैसे चतुर्विध भक्तगण हैं तो योग-साधकों में चतुर्विध भक्त क्यों नहीं होंगे ? कोई व्याधि-मुक्त होने के लिए तो कोई दु:ख से छुटकारा पाने के लिए, कोई सिर्फ जिज्ञासावश तो कोई योग जानने के लिए आते हैं। आजकल तो लोग योग शिक्षा आरंभ करने के पूर्व ही प्रमाण-पत्र के बारे में पूछते हैं। उन्हें विदेश जाना होता है। विदेश जाकर सिखाने के अवसर को क्यों गँवाएँ ? सो जाने के पूर्व जैसे-तैसे एक महीने में कुछ तो सीख लें, यही उनका उद्देश्य होता है। विद्यार्थी होने से पूर्व अर्थार्थी होने की इच्छा उनमें ज्यादा बलवती होती है। कभी-कभी लगता है कि प्रेरणा मिली है तो प्रोत्साहित किया जाए। पर धीरे-धीरे उन्हीं के ध्यान में आने लगता है कि जितना बेहतर समझते हैं, यह उतना सरल नहीं है। फिर उन्हीं के विचारों में बदलाव आने लगता है। अर्थार्थी फिर विद्यार्थी बनने लगते हैं।

तब मुझे मोक्ष द्वार सबके लिए खोलनेवाले रामानुजाचार्य की याद आई। मेरे कहने से यदि कुछ थोड़े व्यक्तियों, चाहे वे आर्ती, अर्थार्थी, जिज्ञासु या ज्ञानी हों—को लाभ पहुँचता हो तो उत्तम। अंतत: यह मार्ग सबके लिए खुला है और मोक्ष द्वार भी सबके लिए खुला है। सबको सुखी होने का, निरामय जीवन जीने का अधिकार है।

❑

2

योग : एक तपस्या

हमारे समय की पाठशाला, अध्यापक और शिक्षा-पद्धति आज की शिक्षा, अध्यापन और शिक्षा-प्रणाली से भिन्न थी। अध्यापकों की धाक, उनका कड़ा अनुशासन, कठोर सजा, अध्यापन-पद्धति देखने पर कभी ऐसा नहीं लगा कि अध्ययन आसान भी हो सकता है। आज शिक्षा-पद्धति बदल गई है। अध्यापकों के स्वभाव में भी अंतर आया है। वे भले क्रोध न करते हों, पर उनमें छात्र के प्रति अपनापन कितना है, कहा नहीं जा सकता। यह सच है कि पहले अध्यापकों के गुस्से में भी प्यार होता था। पाठशाला और अध्यापकों के प्रति हमारे मन में जितना आदर और भय था, उतना आज के छात्रों में नहीं। सहज-सुलभ अध्यापन-पद्धति के साथ ही शिक्षा की सीमा का विस्तार हो गया है। यहाँ तक तो सबकुछ ठीक लगता है, पर क्या यह वाकई इतना सीधा है? पाठशाला में प्रवेश पाने से लेकर जाँच, परीक्षा एवं साक्षात्कार होने तक बालक एवं अभिभावक दोनों विशेष चिंता के कारण तनावग्रस्त और पीड़ित रहते हैं।

शिक्षा का बढ़ा हुआ स्तर, पद्धति में सुधार और नए रास्ते सामने आने पर भी उनका मन पर कहाँ तक असर हुआ, इसे आजमाना आवश्यक है। इस बात को नकारा नहीं जा सकता कि शिक्षा के कारण बौद्धिक स्तर बढ़ता हुआ दिखने पर भी मानसिक दौर्बल्य बढ़ रहा है। क्या शिक्षा का मन पर उचित परिणाम और संस्कार होना आवश्यक नहीं है?

मैं पुणे की कई शिक्षा संस्थाओं में स्कूल और महाविद्यालयीय स्तर के छात्रों को सन् 1937 के आस-पास में सिखाता था। उस समय शिक्षा के क्षेत्र में 'योग' सिखाने के संबंध में अनुकूल विचार नहीं था, बल्कि योग न सिखाने पर बल देनेवाला विचार-प्रवाह था। खुशी की बात है कि आज शिक्षा के क्षेत्र में योग विद्या को मान्यता प्राप्त हुई है।

लेकिन कोई भी बात बहुत सरल बनाई जाने पर वह सरल हो जाती है और फिर गंदगी होने में देर नहीं लगती। एक सीमा के परे सरल बनाए जाने पर तो उसका महत्त्व ही नहीं रहता, उसके नीरस होने का खतरा भी रहता है।

सभी क्षेत्रों में आगे जाने की चाह रखनेवाले, प्रगति साधनेवाले 'योग' जैसे विषय की ओर मुड़ने में क्यों हिचकते हैं, यह गंभीर समस्या है। इससे भी अधिक आश्चर्य तब होता है, जब 'आसन आदि करने के पचड़े में मत पड़ो' जैसी सलाह देनेवाले कई महान् जीव देखे जाते हैं। समझ में नहीं आता कि अन्य खेल, कसरत आदि को सहजता से स्वीकारते हुए आसनों को अस्वीकार क्यों किया जाता है? बौद्धिक खेल की सीमाओं का विस्तार करते समय इस विजय को सीमा में बाँधे रखने की प्रवृत्ति क्यों है? इसके पीछे शायद कई कारण हो सकते हैं। एक तो यह कि आसन भले सरलता से बताए जाएँ, पर सरलता से की गई क्रिया दोष-युक्त और गलत नहीं होनी चाहिए। साथ ही धीरे-धीरे सीखते हुए भी सतर्क रहना एवं सजग होना आवश्यक होता है। अत: आसन सरल होने के बावजूद उसकी प्रत्येक क्रिया को लेकर साधक का संवेदनशील होना आवश्यक होता है। पतंजलि ने 'अष्टांग योग' बताते समय ध्यान को सातवीं सीढ़ी कहा है। आज पहले छह अंगों को टालकर एकदम ध्यान पर छलाँग लगाई जाती है और इस प्रकार ध्यान करनेवाले आसन-प्राणायाम करने से डरते हैं, यह वास्तविकता है। परंतु यह डर कैसा? किससे? क्या ध्यान इतना सहज व आसान है कि उससे पहली कड़ियाँ आसन-प्राणायाम करने से भय प्रतीत हो? जहाँ शरीर और मन को संयमपूर्ण मुक्त स्थिति में लाना होता है, तब इन अंगों को टालकर आगे बढ़ना कैसे संभव है?

'कठोपनिषद्' में मनुष्य की बढ़िया उपमा दी गई है। शरीर एक रथ है। आत्मा रथी है। बुद्धि उसका सारथि (रथ चलानेवाला) है। मन लगाम और इंद्रियाँ घोड़े हैं। रथी को इष्ट स्थान पर पहुँचाने में रथ, सारथि, घोड़े सभी स्वस्थ, सुरक्षित और रथी के काबू में रहने जरूरी हैं। साथ ही रथ का उचित मार्ग से जाना भी आवश्यक होता है। अत: यम, नियम, आसन, प्राणायाम, प्रत्याहार, धारणा आदि ध्यान के पूर्व रथ, घोड़े तक सबको नियंत्रण में रखने के लिए हैं। उन्हें काबू में रखकर सही मार्ग पर न ले जाकर सिर्फ ध्यान से मंजिल तक पहुँचने की इच्छा करना अनुचित ही है। इस प्रकार शरीर, मन और इंद्रियाँ क्षोभित हो सकते हैं।

शरीर एक ऐसा माध्यम है कि हमें उसके संबंध में सुख-संवेदना या दु:ख-संवेदना प्रतीत होती है। शरीर में दर्द होने पर मन में भी पीड़ा होती है अथवा शरीर सुखी होने पर मन को भी सुख मिलता है। सामान्यत: शरीर-मन के संबंधों के बारे में लोगों की समझ यहाँ तक ही होती है। सब जानते हैं कि शरीर के सुख-दु:ख के साथ मन का सुख-दु:ख जुड़ा रहता है। आसन करते समय वे कितने सुखकर या दु:खकर हैं, यह

प्रश्न समस्या पैदा नहीं करता या आसन करते समय दर्द नहीं हो रहा, इसलिए सब ठीक है, ऐसा भी नहीं है। शरीर के हर हिस्से को हम अंदर से महसूस कर रहे हैं, हर अंग से संपर्क स्थापित कर सकते हैं या नहीं—यह महत्त्वपूर्ण है। मन और शरीर का आपस में संपर्क होना, उनके संदेश एक-दूसरे तक पहुँचना महत्त्वपूर्ण है। आसन और प्राणायाम के जरिए शरीर और मन को अंतर्मुख करना जरूरी होता है। नश्वर शरीर केवल त्याज्य है— इस प्रकार का नकारात्मक दृष्टिकोण रखकर शरीर को नजरअंदाज नहीं करना चाहिए; बल्कि उचित स्थिति में धारण करने के बाद शरीर सुखकर नहीं और दु:खकर भी नहीं, इस बात का अहसास कर शरीर को सकारात्मक तरीके से भूलना है।

आसन क्रिया के जटिल अंश को समझना ही आवश्यक होता है। जटिलता समझ में आने पर आसान हो जाती है और उसे सुलझाना भी संभव होता है, फिर बात सरलता से समझ में आती है। समझ में नहीं आता कि पहेली सुलझाने में आनंद लेनेवाला व्यक्ति योग की जटिलता को सुलझाने से क्यों कतराता है? अत: आसन सरल हैं या कठिन, उन्हें कर पाना संभव है या मुश्किल—ये बातें महत्त्वपूर्ण नहीं। एकाध आसन बड़ा कठिन है, उसमें जटिलता है—इस प्रकार की धारणा हो जाना मन की कमजोरी है। आसन से हमें निश्चित रूप से क्या हासिल करना है और उस दृष्टि से हमें क्या करना चाहिए, इन बातों का ध्यान रखना महत्त्वपूर्ण है। उदाहरण के लिए, मांसपेशियों में मरोड़ आने पर या पैर में मोच आने पर कौन से आसन किए जाने चाहिए, यह बताना किसी रोग को ठीक करनेवाली औषधि का नाम बताने जितना आसान हो सकता है; लेकिन निश्चित स्थान पर इष्ट परिणाम पाने के लिए जो आसन करना जरूरी है, उसपर ध्यान देना जरूरी है। इसके लिए क्रिया और उसके परिणामों का जायजा लेना पड़ेगा। यही कारण है कि यह सब बड़ा जटिल प्रतीत होता है। व्यावहारिक दृष्टि से भले ही 'कठिन-सुलभ, आसान- जटिल' जैसे शब्दों का प्रयोग किया जाता है, लेकिन आसनकर्ता, उसकी क्रिया और उस क्रिया का अपेक्षित दिशा अथवा फल आदि में सामंजस्य बिठाना अधिक महत्त्वपूर्ण होता है।

छोटे से बिरवे की ठीक से देखभाल न करने पर वह मर जाता है या ठीक से देखभाल न किए जाने के कारण पौधे का विकास रुक जाता है। इसी प्रकार यदि गलत आसन किया जाए तो मांसपेशियों का बढ़ना रुक जाता है, धमनियाँ सिकुड़ जाती हैं, हड्डियों के जोड़ कड़े हो जाते हैं। छोटे पौधे की तरह वे सूख सकते हैं। किसी भी तरीके से आसन करने का हठ करने पर आसन का असर अंट-शंट बढ़ने व फैलने वाले जंगली पौधे की तरह हो सकता है। अत: उसे सुधारना और संस्कारित करना आवश्यक होता है।

पाँच साल के ध्रुव को उसकी सौतेली माँ ने दुत्कारा और पिता की गोद में बैठने का छोटे बच्चे का अधिकार तक छीना, तब उसने अपने मन में लगी चोट को तपस्या

करके ठीक किया। ऐसा नहीं है कि उसके रास्ते में उसकी आयु, बचपन आदि कुछ भी नहीं आया। ध्रुव ने उसी से मार्ग ढूँढ़ा। उत्तानपाद राजा और सुरुचि के शब्दों ने उसके मन को बेध दिया। उनकी क्रिया से वह दु:खी हुआ, पर साथ ही पूरा चौकन्ना और सुजान बना, मानो सुनीति द्वारा 'अटल पद' प्राप्ति का आदेश मिलने पर उसके अंत:करण की उच्च ध्येयासक्ति जाग्रत् हुई! उसकी तपोसाधना करनेवाली भावना ने उसे खोज के लिए प्रेरित किया। तप करने की सलाह उसे किसी ने नहीं दी, न तप-साधना का मार्ग किसी ने बताया। उसके अपने भगीरथ प्रयास थे। ध्यान के लिए आसन भी उसे करने पड़े। वह आँखें बंद करते ही ध्यान नहीं लगा पाया होगा। अंतर इतना ही था कि उसकी कोशिश के प्रदीर्घ वर्णन के अभाव में हमें लगता है कि आँखें बंद करके और द्वादशाक्षर का जाप करने पर वह ध्यानरत हुआ। योग करना तपस्या है। आसन-प्राणायाम भी बिना भय, लगातार व्यवस्थित और निश्चित तरीके से करना तपस्या ही तो है।

सुलभ आसन भी ठीक ढंग से, समझदारी से करना आवश्यक होता है। जो थोड़ा-बहुत हम करें, उसे ठीक ढंग से करना आवश्यक होता है। मन की कमजोरी पर विजय पाना जरूरी होता है।

☐

3

चाहिए केवल मन की तैयारी

नदी का पानी कल-कल करता बहता रहता है, इसलिए साफ रहता है। रुका हुआ अस्वच्छ हो जाता है। ऐसे पानी के कारण रोग फैलने में समय नहीं लगता। शरीर और मन का स्वास्थ्य बनाए रखना है तो शरीर का प्राण बहते रहना जरूरी होता है, स्वास्थ्य की नदी का बहते रहना आवश्यक होता है।

जैसे शरीर क्षण-क्षण बदलता जाता है, वैसे ही मन भी बदलता है। शरीर घिसता है, उसी तरह मन भी घिस जाता है। शरीर एवं मन के स्वास्थ्य की देखभाल हमेशा करनी पड़ती है। एक बार प्राप्त स्वास्थ्य की पूँजी हमेशा वैसी ही नहीं रहती। परिश्रम से कमाए धन को उचित तरीके से खर्च करने और बचाने से उसमें बढ़ोतरी होती है। इसी तरह स्वास्थ्य की देखभाल भी बहुत सतर्कता से करनी होती है।

शरीर और मन के स्वास्थ्य की रक्षा करना अपने आप पर विशेष संस्कार करना ही होता है। रोग को दूर हटाना ही स्वास्थ्य नहीं होता। शरीर और मन का परस्पर प्रभाव पड़ता है। स्वास्थ्य बिगड़ने में अधिक समय नहीं लगता, पर स्वास्थ्य-संपादन में अधिक समय लगता है और उसे बनाए रखने के लिए भी समय देना पड़ता है।

बहुत कम लोग अपनी रुचि से योगासनों की तरफ मुड़ते हैं। स्वास्थ्य की देन प्रकृति से ही मिली हो तो उसी में धन्यता मानकर उसे बनाए रखने के लिए प्रयास करनेवाले भी बहुत कम होते हैं। अधिकांश लोग जरूरत पड़ने पर ही उपाय खोजते हैं। बीमार हो जाने पर या वेदना के कारण कार्य में विघ्न पड़ने लगता है। तब सब लोग उपाय ढूँढ़ने लगते हैं। योग की ओर मुड़नेवाले अधिकांश व्यक्ति इसी वर्ग में आते हैं। कुछ के मामले में वैद्यकीय उपायों के बेकार सिद्ध हो जाने पर इस तरफ लोगों का झुकाव रहता है। खैर, रोगी को ही क्यों न हो, सुख की खोज में एक अच्छी और कल्याणकारी राह पर बढ़ने की इच्छा

होती हो तो उसमें गलत कुछ भी नहीं।

पसंदीदा काम आरंभ करने पर उसमें अधिक रुचि उत्पन्न होती है और उसकी निरंतरता को बनाए रखा जा सकता है। गाना पसंद है, इसलिए संगीत की कक्षा में नाम दर्ज करने पर अथवा चित्रकारी पसंद है, इसलिए चित्र बनाने पर उसमें निरंतरता रहती है। लेकिन नापसंद काम को जब हमें केवल जरूरत के कारण करना पड़ता है, तब उसमें निरंतरता बनाए रखना मुश्किल होता है।

योगासनों के बारे में यही सबसे बड़ी समस्या है। इसमें रुचि रखनेवाले कम ही होते हैं। जरूरत के कारण अन्य कोई विकल्प जब नहीं बचता, तब लोग इलाज के रूप में उसकी ओर देखते हैं। उन्हें योगाभ्यास में निरंतरता बनाए रखनी होती है। योगासनों को इलाज के रूप में स्वीकारने के बाद उसमें मन लगाना ही पड़ता है। परिणाम तत्काल नहीं दिखाई देता, इसलिए हिम्मत और सब्र भी नहीं रख सकते। अन्य कलाओं के समान इसमें कला-निर्मिति प्रत्यक्षतः नहीं दिखती। अन्य कला-साधनों अथवा खेल व कसरत आदि में मिलनेवाली सफलता एवं कीर्ति आदि की उपलब्धि इसमें नहीं होती। योगासन स्वयं करने होते हैं और अपने लिए ही करने होते हैं। उसमें प्रदर्शनीय कुछ भी नहीं होता।

योगासनों का अभ्यास करनेवालों में अनियमितता की वृत्ति बहुत होती है। रोग ठीक हो जाने पर जैसे दवाइयाँ बंद कर दी जाती हैं, वैसे ही आसन करना भी बंद हो जाता है। स्वास्थ्य से परे उसका महत्त्व समझने की इच्छा बहुत कम लोगों में होती है। अस्थिरता की इस प्रवृत्ति के पीछे या आसन न करने के पीछे के कारण सहज ही देखे जा सकते हैं। कुछ लोगों को समय के बंधन में बँधे रहना पसंद नहीं होता। कार्य का भार, दिन भर काम करना, जागरण या प्रातः जल्दी उठना, व्यवसाय के कारण दिन भर घूमते रहना, दूसरे गाँव जाना—इस प्रकार की अनिश्चित दिनचर्या के कारण निरंतरता को बनाए रखना मुश्किल होता है। कुछ लोग योगासनों का आरंभ करने में यह सोचकर ही हिचकते हैं कि वे हर रोज नियमित रूप से कर नहीं पाएँगे, अपने मन को काबू में नहीं रख पाएँगे। तो कुछ लोग आरंभ करने पर अगर छोड़ दिया जाए तो शायद शरीर को नुकसान हो जाएगा, इस डर से उसकी तरफ मुड़ते ही नहीं। आरंभ में कठिनाइयाँ भी आएँगी। उसी में से रास्ता निकालना होता है। कुछ लोग अति उत्साह से अविलंब आरंभ करते हैं, लेकिन ऐसे लोगों को योग से अलग हो जाने में देर नहीं लगती। कुछ लोग एक बार मन में विचार को दृढ़ बना लेने पर उसे नहीं छोड़ते, सुनिश्चित समय पर अभ्यास करते ही हैं। अतः सामान्य व्यक्ति इनमें से किसी भी वर्ग के हो सकते हैं।

योगासनों के अभ्यास के लिए आवश्यकता है—थोड़ी-बहुत तैयारी, समझौता करने के लिए उचित बातों का चयन और अनुचित या अवांछित बातों के त्याग की।

अगर हर रोज अभ्यास करने में कठिनाई हो तो पहले सप्ताह में एक दिन, छुट्टी

के दिन ही सही, अभ्यास किया जा सकता है। सुनिश्चित दिन पर अभ्यास करने का दृढ़ निश्चय किया जा सकता है और कम-से-कम एक दिन अभ्यास करने में तो सफलता मिलती है। कम-से-कम एक दिन तक ही सही, इच्छा को प्रबल रखा जा सकता है। यहाँ सवाल यह पैदा होता है कि हफ्ते भर में एक दिन योगाभ्यास करने से क्या हासिल होगा? तो कुछ न करने से एक दिन ही भला! अर्थात् इस अल्पकालिक अभ्यास का लाभ भी तात्कालिक ही होता है। पर न करने से तो यह अच्छा ही है। उससे दुष्परिणाम तो नहीं होते। हाँ, परिणाम सीमित ही रहेंगे। अत: 'हर रोज करना ही पड़ेगा' वाले डर के कारण वंचित रहने से कम-से-कम एक दिन का अभ्यास निश्चित रूप से लाभदायक सिद्ध होगा। कल किए गए अभ्यास से आज का दिन अच्छा रहा, इस प्रकार का अनुभव होने पर अभ्यास करते रहने की इच्छा अवश्य होगी। इस प्रकार धीरे-धीरे प्रगति होने लगती है। अभ्यास का आदी बन जाने पर मन भी दृढ़ बनता जाता है। सुनिश्चित समय पर अभ्यास न कर सकने पर जब समय मिले, तब किया जा सकता है। गपशप या टी.वी. के कार्यक्रमों जैसी अनावश्यक बातों को छोड़कर अपना यह कार्य पूरा किया जा सकता है। आदत पड़ जाने पर काम की व्यस्तता में 'हमसे नहीं हो पाएगा' कहते हुए की गई शुरुआत से हम उससे अनजाने ही जुड़ जाते हैं।

कुछ लोग आरंभ में ही उससे मुकर जाते हैं कि उनसे खान-पान विषयक, आहार विषयक नियमों का पालन नहीं हो सकेगा। दरअसल, आहार के नियमों से इतना डरने की आवश्यकता नहीं। कुछ आदतों को सहसा छोड़ा नहीं जा सकता और कुछ बंधन सहसा स्वीकार भी नहीं किए जा सकते। आहार के नियमों की अपेक्षा अभ्यास का विचार दृढ़ करने पर पहली समस्या आप ही सुलझ जाती है। अभ्यास के विषय में मन की तीव्र लगन आवश्यक है। एक बार अभ्यास की लगन लग जाए तो अपने आप ही भोजन के समय पर बंधन आ जाता है और अभ्यास से प्रत्यक्षत: इच्छाएँ कम ही होती जाती हैं। अत: पहले अभ्यास, फिर भोजन अथवा दूसरे शब्दों में कहना हो तो पहले योग, फिर भोग। इतना अनुसरण करने पर अपने आप ही नियंत्रण आने लगता है। अभ्यास न करते हुए सिर्फ आहार पर नियंत्रण करना किसी को भी असंभव लग सकता है। बीमार पड़ने पर पथ्य का पालन करना ही पड़ता है। ठीक वैसा ही यहाँ पर है। योगासनों का अभ्यास स्वीकार करने पर पथ्यों का अपने आप अनुपालन किया जा सकता है।

श्रमिक या मेहनती कार्य करनेवाली महिलाओं के मन में हमेशा एक प्रश्न उठता है कि वे दिन भर इतना परिश्रम करती हैं, फिर यह और क्यों करें? यानी श्रमिक फिर से श्रम करने में हिचकता है तो बौद्धिक कार्य करनेवाला मानसिक तनाव के कारण श्रम करने से हिचकता है।

शुरू-शुरू में आसन करना परिश्रम का कार्य लगता है; परंतु आसन तो होते ही

हैं—श्रमिकों के श्रम-परिहार के लिए, आरामतलब को क्रियाशील बनाने के लिए और बौद्धिक काम करनेवालों को शांत बनाने के लिए।

अत: अभ्यास न करने के चाहे कितने ही बहाने मिल जाते हों, पर योगाभ्यास हर समस्या का हल है। चाहिए सिर्फ मन का दृढ़ निश्चय। निश्चय को पक्का या दृढ़ बनने में देर लगती है। वृत्ति कमजोर हो तो बीमारी, पीड़ा, अवांछित आदतें दूर करने के लिए ही सही, योगासन करना चाहिए।

डाकू को अपने किए हुए पापों की चिंता नहीं थी। पाप-कर्म से संचित धन का उपभोग उसके परिजन आनंद मना रहे थे। लेकिन नारद ने उससे कहा, ''जिस प्रकार तेरे परिजन तेरी संपत्ति के भागीदार हैं, वैसे ही क्या वे तेरे पाप के भी भागीदार हैं ? जाओ, उनसे यह पूछकर आओ!'' घर जाकर उसने अपनी पत्नी और बच्चों से यह प्रश्न किया। तब जिनके सुख के लिए वह इतने पाप कर रहा था, पाप करके संपत्ति बढ़ा रहा था, उस पाप के भागीदार होने के लिए कोई तैयार नहीं था। तब कहीं जाकर उसे अपने पाप का अहसास हुआ। फिर वह साधना करने, तपश्चर्या के लिए राजी हुआ। उसके पूर्व संस्कार प्रतिकूल ही थे, राम नहीं बोल सका, सो 'मरा', 'मरा' कहता गया। 'मरा' का 'राम' कब बन गया, उसकी समझ में ही नहीं आया! जैसे-जैसे संस्कार बदलते गए वैसे-वैसे वह तन्मय होकर राममय हो गया।

संस्कारहीन डाकू संस्कार अपनाकर, सुसंस्कृत होकर 'रामायण' का रचनाकार वाल्मीकि बना। मन को दृढ़ करने में उसे कितना परिश्रम, कितने कष्ट सहने पड़े होंगे—इस बात पर विचार किया जाए तो आप जैसे मूलत: सुसंस्कृत व्यक्तियों के लिए योग-साधना असंभव होने का कोई कारण नहीं है।

□

4

जरूरत है सात्त्विक साधना की

योगासन करने के लिए लचीले शरीर की अपेक्षा लचीले मन की आवश्यकता होती है। आसन करने हों तो शरीर लचीला होना चाहिए। ऐसा न होने पर कई व्यक्ति आसन करने से इनकार भी कर देते हैं। आसनों में शरीर का लचीलापन सहज ही दिखाई देता है, पर मन का लचीलापन दिखाई नहीं देता। स्थिर रहते हुए भी मन का प्रवाही होना आवश्यक है। नदी का प्रवाह समुद्र में मिलने के लिए होता है। छोटी-छोटी नदियाँ भी बड़ी नदी से संगम करके सागरोन्मुख हो जाती हैं। वैसे ही शरीर से संबंधित आसनों का मन के प्रवाह सहित आत्मसागर से मिलना आवश्यक होता है।

योगासन करते समय हो रहा शरीर का लचीलापन केवल बाह्य सौंदर्य होता है। शरीर का लचीलापन आसन नहीं होता। इसलिए यह सोचना कि शरीर झुक नहीं पाता, हाथ पैरों की उँगलियों तक नहीं पहुँच पाते, मैं आसन कर ही नहीं पाऊँगा—यह गलत सोच है। आसनों के सार्वकालिक, सार्वजनिक और सार्वभौमिक उपयुक्त परिणाम एवं महत्त्व को ध्यान में न लेना नासमझी ही होगी।

कई बार आसन करनेवालों के लिए शरीर का लचीलापन अभिशाप सिद्ध होता है। इस बात पर सहसा विश्वास नहीं होगा। क्या आसन करते समय शरीर में जहाँ लचीलापन हो, उस हिस्से का अधिक इस्तेमाल करने से किसी क्रिया के लिए आवश्यक प्रतिरोधात्मक शक्ति के अभाव के कारण आसनों की परिणामकारकता पर प्रतिकूल प्रभाव पड़ता है? क्या आसनों में जिस लचीलेपन की जरूरत होती है, उससे शरीर में ढीलापन आता है? या लचीलेपन के कारण शरीर शिथिल हो जाता है? ये प्रश्न मुझसे कई बार पूछे गए हैं। लोगों को लगता है कि मेरा शरीर लचीला होने के कारण ही तो मैं यह सबकुछ कर पाया। असल में मुझमें लचीलापन मूलतः नहीं था और लचीलापन पाने

के लिए मैंने योगासन नहीं किया। अति लचीले शरीर के व्यक्तियों की परेशानी भी मैंने देखी है। ऐसी स्थिति में शरीर के बेजान-से लचीले जोड़ों और पेशियों में एक तरह की मजबूती और स्थिरता कैसे लाई जाए, इस बात पर विचार करना पड़ता है। सिर्फ कमर-तोड़ काम करना ही पर्याप्त नहीं।

सर्कस में शरीर को रबड़ की भाँति मोड़नेवाली लड़की का शरीर पूर्णत: स्वस्थ नहीं होता है और न मन शांत! बल्कि ऐसी लड़कियाँ शारीरिक व मानसिक पीड़ा से ग्रस्त होती हैं। लचीलेपन के विपरीत प्रतिकारात्मक शक्ति का प्रयोग करके उनके शरीर के शिथिल और मृतवत् अवयवों एवं चेतना-तंतुओं में संजीवन देकर उन्हें जीवित करना पड़ता है। आसनों से संधि करनी होती है, संजीवन देने की कला साध्य करनी होती है। इतना ही नहीं, सर्कस में शरीर मोड़ने-झुकानेवालों के लिए और अन्य व्यायाम-कसरत की जरूरत ही क्या है, ऐसा सोचकर शरीर को शिथिल नहीं छोड़ा जा सकता। ऐसी लड़कियों को कमर से किस प्रकार झुकना चाहिए, यह भी मुझे सिखाना पड़ा। अत: आसन सिर्फ कमर-तोड़ मेहनत या कमर-मोड़ नहीं, बल्कि इसमें प्राण-शक्ति का उचित वहन और अभिसरण आवश्यक होता है।

अपेक्षाकृत जिनका शरीर कड़ा होता है, उन्हें आसन करते समय जो प्रयास करने पड़ते हैं, उनका परिणाम उनके शरीर पर अधिक होता है। लचीले शरीर के व्यक्ति कड़े शरीर के व्यक्ति से बहुत कुछ सीख सकते हैं। उनके प्रयासों में भी एक विशेष लयबद्ध क्रिया होती है। लचीले शरीर के व्यक्ति से वह हो नहीं पाता, क्योंकि उनका शरीर सिर्फ विशिष्ट हिस्से में ही मुड़ता है। योगासन करते समय शरीर के मोड़ने-झुकने में एक विशेष लयबद्धता साधनी होती है। पूरा शरीर अपना ही है, उसपर अपनी सत्ता है। उसके किसी भाग की उपेक्षा नहीं की जा सकती अथवा उसके किसी हिस्से को दुर्लक्षित नहीं कर सकते। शरीर की सभी कोशिकाओं में, हृदय से और मस्तिष्क से दूर तक की कोशिकाओं को भी आसन के जरिए प्राण पहुँचाने का कार्य आसन विशेष में होना जरूरी होता है। अत: कहा जा सकता है कि शरीर को लचीला बनाना योगासनों का उद्देश्य कतई नहीं, बल्कि संपूर्ण शरीर पर 'समान सत्ता' पाने जैसी अंतर्दृष्टि का पाना आवश्यक होता है।

शरीर के लचीलेपन और कड़ेपन के साथ ही योगासनकर्ता की मोटे व दुबले जैसी परस्पर विपरीत शारीरिक स्थिति पर भी विचार करना आवश्यक है। दुबले व्यक्तियों को लगता है कि वे पहले ही दुबले हैं, फिर योगासन करें ही क्यों; मोटे व्यक्ति चाहें तो योगासन करें। पर मोटे व्यक्तियों को लगता है, इतना सारा वे कैसे कर पाएँगे; योगासन सिर्फ दुबले-पतले ही कर सकते हैं। ऐसा सोचना गलत है। मेरे पास योगासन सीखने के लिए आनेवालों में मोटे, पतले, लचीले शरीर के, कड़े शरीर के सभी प्रकार के व्यक्ति

होते हैं। इतना ही नहीं, बल्कि 'ॲंकिलॉसिस' के कारण बाँस जैसे कड़े शरीरवाले व्यक्ति भी आते हैं। इसलिए कहता हूँ कि मोटा या पतला होना नहीं, बल्कि संबंधित आसनों को करने के लिए अथवा उस स्थिति तक पहुँचने के लिए जो क्रिया करनी होती है, वह उचित तरीके से हो रही है या नहीं, यह देखना महत्त्वपूर्ण होता है। अपना शरीर, श्वास, मन, क्रिया, विचार आदि प्राण-वहन में कहीं प्रतिरोध तो पैदा नहीं कर रहे हैं, यह देखना महत्त्वपूर्ण होता है। इसलिए किसी व्यक्ति का शरीर लचीला हो या कठोर, पतला हो या मोटा, उसमें रक्त-संचरण सहित 'समान सत्ता भाव' का होना आवश्यक होता है।

पतले या मोटे व्यक्तियों का शरीर लचीला या कड़ा दोनों प्रकार का हो सकता है। पतला व्यक्ति और अधिक पतला होता जाए तो केवल आसनों के कारण नहीं, बल्कि किसी रोग के कारण भी हो सकता है, इस बात को ध्यान में रखना पड़ता है। पतला व्यक्ति आसनों के कारण और अधिक पतला होने लगे तो उसका अन्य कारण ढूँढ़ना होगा। मनोव्याधि से लेकर चयापचय क्रियांतर्गत त्रुटियों अथवा शरीर की—विशेषत: हड्डियों या मज्जा की क्षति आदि बातों को ध्यान में रखना होता है। साथ ही अंतरासर्ग में संतुलन न होने के कारण भी शरीर पतला होने की संभावना होती है। अत: आसन करके शरीर पतला होता हो या सूखने लगे तो कोई और व्याधि तो नहीं है, इस बात की जाँच करनी पड़ती है। केवल वजन घटाने के लिए आसन करना अनुचित है।

मोटे शरीरवाले व्यक्तियों को भी शीघ्र पतला बनने का उद्देश्य मन में रखकर जबरदस्ती आसनों का अभ्यास नहीं करना चाहिए। वजन को घटाने के चक्कर में स्वास्थ्य गड़बड़ा जाने की आशंका रहती है। ऐसा भी नहीं कि मोटे व्यक्ति आसन नहीं कर पाएँगे। आसन-विधि में निश्चित रूप से क्या साध्य करना होता है, इसे समझना आवश्यक होता है। योगासन नियमित करते हुए अचानक छोड़ देने से वजन बढ़ जाता है, यह सोच भी गलत है। शरीर के किसी भी व्यायाम अथवा योगासनों के आदी हो जाने के बाद वह व्यायाम करना छोड़ने पर आलस्य या आराम के कारण वजन बढ़ता है। शरीर की अति शिथिलता भी उपयुक्त एवं उचित नहीं।

यह निश्चित है कि अनेक वर्षों की योग-साधना से दिमाग सजग और तरोताजा रहता है। कार्य की तत्परता बढ़ती है और मन में विचारों की भीड़ व उलझन कम होकर विचारों में अधिक स्पष्टता और सुसंगति आती है। ऐसे समय योगासन छोड़ने पर काम की गति धीमी पड़ जाती है तथा उलझन-सी अनुभव होती है। बुद्धि की तीक्ष्णता और तेजी कम हो जाती है। पर यह अंतर परिपक्व साधकों के ध्यान में आता है। अन्यथा ऐसे अंतर 'करने-छोड़नेवालों' को महसूस नहीं होते।

कुछ लोगों की यह धारणा है कि योगासन बचपन से करना जरूरी है और प्रारंभिक अवस्था से करने पर व्यक्ति जीवन भर स्वस्थ बना रहता है। बचपन का

शारीरिक और मानसिक लचीलापन संस्कारों की दृष्टि से निश्चित ही लाभकारी हो सकता है; लेकिन बदले हुए शरीर और मन को आयु के अनुसार ही उपयुक्त योगासन की जरूरत होती है। निरंतर होनेवाली शरीर की क्षति, मन की चिंता, खींचतान आदि को योग के नियमित अभ्यास से ही रोका जा सकता है।

साथ ही 'योग बूढ़े लोगों के लिए ही है', यह सोचकर युवा वर्ग का उसे उपेक्षित करना भी उचित नहीं है। योग जीवन में कभी भी और हमेशा के लिए साध्य विषय है। साथ ही आसन भी जीवन में कभी भी अनुसरणीय हैं। उसके लिए चाहिए विशुद्ध मन और पक्का इरादा।

रावण, कुंभकर्ण और विभीषण तीनों बंधुओं ने घोर तपस्या की। पर रावण का तप राजसिक, कुंभकर्ण का तामसिक और विभीषण का सात्त्विक था। इसके परिणामस्वरूप रावण की वासनाओं की सीमा नहीं थी, न कुंभकर्ण की नींद की सीमा थी। जबकि विभीषण सात्त्विक तपस्या के कारण श्रीराम से मिला। योगासनों की साधना का भी सात्त्विक होना आवश्यक है। स्वास्थ्य, शांति, मनोबल और तीव्र बुद्धि की प्राप्ति के लिए विशुद्ध हेतु से किया गया आसन-तपस अंतरात्मा से मिलने के लिए है, इस धारणा को मन में रखने पर मार्ग आसान और सुस्पष्ट हो जाता है।

❑

5

यम-नियम

शरीर मनुष्य की संपदा है। हड्डी व मांस का शरीर पृथ्वी, जल, अग्नि, वायु और आकाश—इन पंच महाभूतों से बना है। ये पंच महाभूत गंध, रस, रूप, स्पर्श और शब्द—इन पंच तन्मात्राओं सहित निवास करते हैं। नाक, जिह्वा, नेत्र, त्वचा, कान ये पंच ज्ञानेंद्रियाँ इन पंच तन्मात्राओं की सहायता से गंध, स्वाद, दृश्य, स्पर्श, श्रवण आदि क्रियाएँ करती हैं। हाथ से पकड़ने की, पैरों से चलने की, मुख से बोलने की क्रिया तथा शरीर रूपी यंत्र को संचालित करने के लिए अन्न-ग्रहण से लेकर पाचन और मल-निस्सारण तक की क्रियाएँ हाथ-पैर, वागेंद्रियाँ, उत्सर्जक एवं प्रजोत्पादक कर्मेंद्रियाँ संचालित करती हैं। मन की सहायता से दसों इंद्रियाँ कार्य-प्रवृत्त होती हैं। मन को बुद्धि का साथ देकर मनुष्य इन इंद्रियों द्वारा एवं स्वतंत्र रीति से भी विशेष ज्ञान की प्राप्ति करता है और कर्म पर नियंत्रण करता है। अहंकार से बुद्धि विपरीत मार्ग पर न जाए, इसलिए बुद्धि पर विवेक का नियंत्रण रखकर वह मानव जन्म को सार्थक करता है। शरीर, इंद्रियाँ, मन, बुद्धि, अहंकार, चित्त—इन सबको स्वस्थ रखना और इन्हें नीरोग बनाए रखना ही वास्तविक आरोग्य-संपदा, स्वास्थ्य-संपत्ति है। आरोग्य बीमारियों का अभाव नहीं। धर्म, अर्थ, काम और मोक्ष—इन चारों पुरुषार्थों को साध्य करने के लिए मूलत: स्वास्थ्य अच्छा होना आवश्यक है।

शारीरिक, नैतिक, मानसिक और बौद्धिक स्वास्थ्य ऊपरी तौर पर भिन्न लगते हैं; पर उनके अस्वास्थ्य का नाड़ी-परीक्षण करने पर मालूम होता है कि वे परस्परावलंबी हैं। आधियों की पहुँच शरीर के अवयवों, मस्तिष्क, चेतना, मन, बुद्धि, अहंकार आदि के द्वारा चित्त तक हो सकती है। हमें उसका अहसास या ज्ञान नहीं होता। चित्त तक पहुँचा हुआ रोग वैद्यकीय निस्तारण के अंतर्गत नहीं आता। स्वास्थ्य भी सात्त्विक, राजसिक और

तामसिक होता है। शरीर के स्वास्थ्य की रक्षा तामसिक, नैतिक और मानसिक स्तर पर इंद्रियों, मन एवं अहंकार के स्वास्थ्य की रक्षा करना राजसिक और बुद्धि एवं चित्त का बौद्धिक स्तर पर खयाल रखना सात्त्विक स्वास्थ्य का खयाल रखना है।

स्वास्थ्य और संस्कार में अधिक अंतर नहीं है। अशुद्ध और असंस्कारित भोजन सेवन करने पर होनेवाली शारीरिक बीमारी तत्काल ध्यान में आती है; परंतु मन पर होनेवाले प्रभाव का परिणाम ध्यान में आने में देर लगती है। यद्यपि बचपन में संस्कार करना सहज एवं सुलभ प्रतीत होता है, पर संस्कार बचपन में ही नहीं, सतत करने होते हैं। बचपन की दहलीज को लाँघते ही काम, क्रोध, लोभ, मोह, मद, मत्सर आदि षड्-रिपुओं का ग्रहण लगता है। संस्कारों की आवश्यकता अधिक महसूस होती है। विषय की आसक्ति बालक को अज्ञानावस्था में नहीं बल्कि जानकार होने पर होती है। बचपन में किए गए संस्कार मूलभूत नींव होते हैं, जिन पर नैतिकता का भवन जीवन भर के लिए बनाना पड़ता है।

पतंजलि के बनाए यम-नियम शरीर, इंद्रियाँ, मन, बुद्धि, अहंकार और चित्त पर किए जानेवाले संस्कार हैं। अहिंसा, सत्य, अस्तेय, ब्रह्मचर्य व अपरिग्रह : ये पाँच यम; धर्म और शौच, संतोष, तपस, स्वाध्याय व ईश्वर-प्रणिधान : ये पाँच नियम-धर्म—ये सभी बातें योगाभ्यासियों के लिए ही नहीं, बल्कि सबके लिए अनुकरणीय हैं। मन की कुप्रवृत्तियों को रोकने का काम यम-नियमों द्वारा करना होता है। उदाहरण के लिए, अहिंसा का पालन करने का तात्पर्य हिंसा न करना ही नहीं बल्कि शरीर, कर्मेंद्रियों, ज्ञानेंद्रियों, मन, अहंकार और बुद्धि—इन सभी में विभिन्न स्तरों पर हिंसा वृत्ति का नाश करना है। विवाह, परिवार, गृहस्थाश्रम आदि के संबंध में नीति-नियम ब्रह्मचर्य पालनार्थ किए गए संकेत हैं। शारीरिक और मानसिक स्वास्थ्य ही परस्पर अवलंबित होता है। मनुष्य का व्यवहार, सदाचार, कर्तव्य का अहसास और मन का संतुलन परस्पर संबंधित हैं। कुप्रवृत्तियों से दूर रहना यम-नियमों का पालन है।

नियम-धर्म में बताए गए शौच का नितांत व्यावहारिक स्तर पर विचार करने पर कई बातें ध्यान में आ सकती हैं। शौच बाह्य और आंतरिक दोनों स्तरों पर होना जरूरी होता है। सुबह शौच का साफ होना स्वास्थ्य की दृष्टि से अत्यंत महत्त्वपूर्ण है; पर इसे मामूली समझकर नजरअंदाज कर दिया जाता है। मलावरोध, कब्ज आदि कई बीमारियों को बुलावा देना है। यदि शौच साफ हो तो उसके लिए आहार-विहार शुद्ध होना चाहिए। शौच आहार के संबंध में शुद्धता सूचित करता है और विहार के बारे में भी सूचना देता है। शरीर की गतिविधियाँ ठीक नहीं रहेंगी तो आँतों को आकुंचन-प्रसरणादि क्रियाएँ ठीक और नियंत्रित नहीं रहेंगी। शौच की संवेदना उत्पन्न होने पर भी उसे दुर्लक्षित करना केवल मल अस्वस्थता का कारण नहीं बनता, बल्कि शौच-नियम में बाधा भी उत्पन्न

करता है। कहने का तात्पर्य यह है कि यम-नियमों का पालन बिलकुल सादे व सामान्य आचार में भी होना आवश्यक होता है। आज हम इससे दूर जा रहे हैं। असंतुष्टि, लालच, धन का लोभ, अनिश्चितता की वृत्ति, काम-लोलुपता, मोह, द्वेष, वैर, ईर्ष्या आदि दुष्प्रवृत्तियों से सँभलने के लिए आंतरिक जागृति होना जरूरी है। वह आसन-प्राणायाम से होती है, यही मुद्दा महत्त्वपूर्ण है। यम-नियम और आसन-प्राणायाम—इनकी जोड़ी मानने का कारण इनका गहराई तक होनेवाला परिणाम है। कर्मेंद्रियों और ज्ञानेंद्रियों जैसी स्थूलेंद्रियों के बारे में तय आचार-संहिता का परिपालन करते हुए मन, बुद्धि, अहंकार जैसी सूक्ष्मेंद्रियाँ जाग्रत् होती हैं। उनमें पारदर्शिता आ जाती है, जिससे विवेक जाग्रत् होता है। अतः तब विवेक-बुद्धि कर्मेंद्रियों के रूप में मानव को उसके स्वधर्म की ओर, अर्थात् आत्मधर्म की ओर ले जाती हैं। हालाँकि यह परिवर्तन लाने का काम हमें करना पड़ता है।

गौतम जैसे राजपुत्र की मानसिकता एकदम से और अचानक नहीं बदली। उसमें बदलाव लाने के लिए उसके हृदय में, अंतर्मन में उत्पन्न एक विशेष बेचैनी उसके लिए मार्गदर्शक सिद्ध हुई। राजप्रासाद के ऐशो-आराम में पले गौतम ने जब रोग-पीड़ित मनुष्य, बुढ़ापे से झुके असहाय वृद्ध और मृत शरीर देखा, तब उसके मन पर असर होने से जो जागृति उत्पन्न हुई, वह महत्त्वपूर्ण है। हताशा के कारण उसके हृदय में जो कशमकश हुई और उसने इसमें से निर्वाण का मार्ग ढूँढ़ा। दरअसल आस-पास घटित होती कई घटनाएँ और बातें बहुत कुछ बताती जाती हैं। शराब, सिगार, गुटखा, तंबाकू के दुष्परिणाम कालांतर में होने पर भी भोगने ही पड़ते हैं। ठगी, खून, अय्याशी, बलात्कार, अत्याचार, गुंडागर्दी, अशांति—इन सभी के कारण मानव का होनेवाला अधःपतन बहुत कुछ बोध कराता है। इनसे उबरने के लिए केवल अपने भीतर के सिद्धार्थ गौतम का जाग्रत् होना आवश्यक है।

वसिष्ठ ऋषि के पास कामधेनु को देखकर तामसिक वृत्तियों से लोभवश विश्वामित्र जैसे क्षत्रिय राजा ने तप आरंभ किया। आगे चलकर अप्सरा मेनका उसका तपोभंग कर पाई तो उसकी राजसी वृत्ति के कारण ही। राजसी वृत्ति पर विजय पाकर सात्त्विक ब्रह्मऋषि बनने और ब्रह्मज्ञान प्राप्त करने के लिए विश्वामित्र को फिर से तपस्या करनी पड़ी। बुद्ध की यात्रा निराशा से निर्वाण की ओर थी, जबकि विश्वामित्र की ईर्ष्या से ब्रह्म-प्राप्ति की ओर। अतः योग मार्ग अगर मामूली पीड़ा व वेदना से मोक्ष तक जाने का मार्ग प्रदर्शित करनेवाला हो तो क्या हमें भी खुले मन से उसे स्वीकार करना हितकर नहीं है?

□

6

नियमावली

योगाभ्यास के लिए कुछ नियमों का पालन करना अत्यंत आवश्यक होता है। वे इस प्रकार हैं—

1. योगासनों के अभ्यास के लिए मनोनिग्रह, आत्मविश्वास और श्रद्धा आवश्यक है। योगासनों का अभ्यास रोज के भोजन जितना ही शारीरिक व मानसिक स्वास्थ्य के लिए आवश्यक है। उसके लिए नियमितता और लगन आवश्यक गुण हैं।
2. आसनों के अभ्यास का आरंभ करने के पूर्व मूत्राशय और आँतें रिक्त होनी चाहिए। अभ्यास के बीच इच्छा होने पर मूत्राशय व मलाशय खाली कर देने चाहिए। उसके बाद अगला अभ्यास करना चाहिए। मल अथवा मूत्र के वेग को रोकना नहीं चाहिए।
3. योगासन करने पर आवश्यकतानुसार 15 मिनट के बाद ही स्नान करना चाहिए। स्नान के पश्चात् तत्काल आसन न करें। कम-से-कम आधे घंटे का अंतराल दें।
4. आसन खाली पेट ही करना चाहिए। पर यदि संभव न हो तो अभ्यास के आधा घंटा पूर्व एकाध कप चाय या कॉफी पीने में कोई हर्ज नहीं। भोजन के पश्चात् कम-से-कम 4 घंटे की अवधि के बाद ही आसन किए जाएँ। अभ्यास के आधे घंटे पूर्व थोड़ा खाने अथवा एक घंटे के बाद पूरा भोजन करने में हर्ज नहीं।
5. धूप से आने के तत्काल बाद आसन नहीं करना चाहिए।
6. स्वच्छ और हवादार जगह पर तथा समतल भूमि पर कंबल की तह लगाकर

आसन किए जाएँ। आसन क्रिया में किस स्थान पर आवश्यकतानुसार कंबल की रचना कैसी होनी चाहिए, इसके संबंध में उल्लेख है।

7. आसन करते समय चेहरे की मांसपेशियों, नाक, कान, गला, नेत्र अथवा श्वसन-क्रिया आदि पर अतिरिक्त तनाव नहीं आना चाहिए।

8. श्वासोच्छ्वास नाक से ही करें, साँस को रोककर न रखें। आसनों की जानकारी देते समय बताए गए श्वसन-तंत्र का अनुसरण करें।

9. आँखें खुली रखें। इससे हम स्वयं क्या कर रहे हैं और आसन में क्या गलतियाँ हो रही हैं, ध्यान में आ जाती हैं। जिस आसन में आँखें बंद करने की सूचना दी गई हो, वहाँ वैसी क्रिया की जाए।

10. आसन करते समय कपड़े साफ-सुथरे और सुव्यवस्थित हों, जिससे शरीर की गतिविधियाँ सहजता से की जा सकें। तंग कपड़े न पहनें।

11. पुरुषों के लिए लँगोट या ब्रीफ पहनना आवश्यक है। स्त्रियाँ शॉर्ट्स अथवा सलवार व टी-शर्ट पहनें।

सलवार पहनना संभव न होने पर नौ गज की साड़ी पहनी जा सकती है।

12. आसनों का क्रम संबंधित भाग में दिया गया है। उसी के अनुसार सूचनाओं का अनुसरण करें।

13. विपरीत अवस्था के आसन सीखने का क्रम—सेतुबंध सर्वांगासन, हलासन, सर्वांगासन, शीर्षासन इस प्रकार रखा जाए। अभ्यास करते समय यह क्रम शीर्षासन, सर्वांगासन, हलासन, सेतुबंध सर्वांगासन, विपरीतकरणी—इस प्रकार रखा जाए। दिन भर के परिश्रम, कार्य-व्यस्तता और बीमारी के कारण यदि थकान, कमजोरी, दुर्बलता उत्पन्न होने पर अथवा रात को नींद ठीक तरह न आती हो तो अभ्यास संध्या समय करना उत्तम है।

14. स्त्रियाँ मासिक धर्म की अवधि में निम्नलिखित आसन करें—बद्धकोणासन (अध्याय 28), वीरासन (अध्याय 27), पवनमुक्तासन (39/1), अधोमुख स्वस्तिकासन (44/1,2), जानुशीर्षासन (44/4), पश्चिमोत्तानासन (44/5), उपाश्रित अथवा सुप्त स्वस्तिकासन (41/2,4), उपाश्रित अथवा सुप्त बद्धकोणासन (41/4/42/2), उपाश्रित अथवा सुप्त वीरासन (41/3,42/3), सुप्त पादांगुष्ठासन—प्रकार-2 (24/2), शवासन (31/1 अथवा 9)। विपरीत स्थिति के आसन मासिक धर्म के समय न करें। मासिक धर्म में होनेवाली अन्य शिकायतों से संबंधित जानकारी परिशिष्ट 2 में देखें।

□

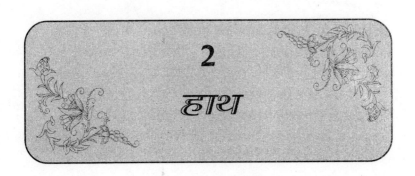

2

हाथ

7

कर्तृत्व-संपन्न हाथ

पाँच कर्मेंद्रियों में प्रमुख हाथ और पैर का स्वस्थ रहना कितना महत्त्वपूर्ण है, यह तब समझ में आता है, जब उनमें दर्द होने लगता है। हाथ-पैर गलित-शिथिल होकर परावलंबित होना किसी को पसंद नहीं होता। चलना, हिलना-डुलना, गतिविधियाँ हाथ-पैरों का स्वाभाविक धर्म है। सर्वसाधारण के लिए हाथ-पैर हिलाए बिना 'उदर-भरण' भी असंभव होता है। हाथों में लक्ष्मी, सरस्वती और गोविंद तीनों देवताओं का वास मानते हैं। इसलिए संपत्ति, विद्या और कर्तृत्व इन तीनों का मिलन मानव में हो तथा उससे भव्य-दिव्य कार्य संपन्न हों, इसके लिए सुप्रभात के समय सबसे पहले कर-दर्शन किया जाए, ऐसा बताया गया है। अत: पहले कर्तृत्व-संपन्न हाथों के बारे में विचार करेंगे।

हाथ का संचलन, गतिविधियाँ मुक्त तरीके से होना अति आवश्यक है। हाथों के बारे में विचार करते समय गरदन और सीने की हड्डियाँ, गरदन, कंधों, कंधों की पाँखें, सिर, सीना, बगल, कुहनियों, कलाइयों और उँगलियों—इन सबका विचार करना आवश्यक है। ये सब हिस्से शरीर में एक परिवार-प्रणाली के समान रहते हैं। इन सभी में स्नायुओं और हड्डियों को रस पहुँचानेवाली नसें और चेतना-तंतु उस परिवार का स्वास्थ्य बनाए रखने और सँभालनेवाली मुख्य नाड़ियाँ व नसें हैं। हाथ, गरदन, कंधे, सीने आदि की रचना का ठीक होना जरूरी होता है। शरीर के भीतर हर एक का स्थान और आकार निश्चित होता है। प्रकृति द्वारा मांसपेशियों की रचना उचित स्थानों पर की गई है। अन्य मांसपेशियों द्वारा उस स्थान को व्याप्त न करना ही शरीर-योग्य रचना होती है। शरीर में खुली जगह पर अतिक्रमण नहीं होना चाहिए। कूबड़; आगे की तरफ झुके कंधे; एक कंधा ऊपर और एक नीचे; एक हाथ की गतिविधि मुक्त होना और दूसरे की न होना;

गरदन, कंधे अथवा कुहनी के दर्द के कारण हाथ की गतिविधियाँ सीमित हो जाना; कुहनियों के जोड़ कड़े होना; हाथ की उँगलियों की गतिविधियाँ खुली न होना; हाथ सुन्न पड़ जाना; हाथ की उँगलियों का संवेदनाहीन होना; हाथों की झुनझुनी—इस प्रकार की कई शिकायतें होती हैं। उसके कारण मांसपेशियों की कमजोरी से लेकर स्पॉण्डिलाइटिस-ऑर्थराइटिस तक कुछ भी हो सकते हैं।

चलते समय एक ही हाथ हिलना, दूसरा जकड़ा हुआ होना, पंजा और हाथों की उँगलियाँ खुली न होना, सीना कसा रखना आदि बातों के कारण भी हाथ दर्द हो सकता है। कंधे और गरदन के अकड़ जाने से चक्कर आना जैसी बीमारियाँ हो सकती हैं।

व्यवसाय-उद्योग के अनुसार भी हाथ और गरदन पर असर होता रहता है। बरतन मलते समय दाएँ हाथ की गतिशील क्रिया और बाएँ हाथ की स्थितिशील क्रिया ध्यान में लेने पर दोनों हाथों के काम अलग-अलग होने के कारण हाथों पर होनेवाला परिणाम भी अलग-अलग होता है। लिखना या सुनना, कशीदाकारी जैसे नाजुक काम में मात्र उँगलियों की सक्रियता रहने के कारण वे अकड़ सकती हैं। अत: हाथों के लिए उपयुक्त आसनों की कुछ क्रियाएँ देखेंगे।

हाथ ऊपर उठाना, आगे लाना, बाजू में फैलाना, पीछे ले जाना—ये क्रियाएँ कंधे की खाँच से मुक्त रूप से करना महत्त्वपूर्ण होता है। पहले ऊर्ध्व हस्तासन और बद्धांगुल्यासन—इन दो आसनों की प्रत्यक्ष क्रिया देखेंगे—

ऊर्ध्व हस्तासन-1

क्रिया

1. दोनों पैर परस्पर जोड़कर तथा घुटनों को सीधा कसा हुआ रखकर सीधे खड़े रहें। इसे 'सम स्थिति' कहा जाता है। (चित्र 1)

2. दोनों हाथ सामने से ऊपर उठाएँ। हाथों को सीधे रखें। हथेलियाँ परस्पर सामने रखें। साँस छोड़ते हुए हाथों को ऊपर उठाना है, अत: हाथ उठाने की महत्त्वपूर्ण क्रिया सतर्कतापूर्वक करें। हाथों को ऊपर उठाते समय वे हलके नहीं होने चाहिए, बाँह के समान उन्हें सुघड़ व मजबूत रखें। हाथ अकड़ें या सिकुड़ें नहीं। हाथों को ऊपर उठाते समय त्रि-शिरस्क मांसपेशियों को अंदर की हड्डी की ओर मजबूती से रखें, कुहनियों को न मुड़ने दें और हाथ के पंजों को अकड़न न देते हुए ऊपर उठाएँ। (चित्र 2)

3. उठाए हुए हाथ कान की रेखा में न होकर आगे ही रह जाएँ तो बगल का हिस्सा मुक्त नहीं रह सकता। ऐसी स्थिति में कंधे सिकुड़ जाते हैं, इस बात को ध्यान में

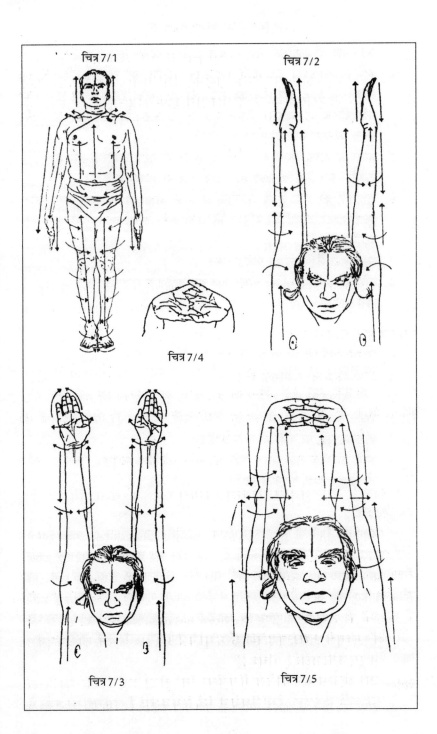

चित्र 7/1

चित्र 7/2

चित्र 7/4

चित्र 7/3

चित्र 7/5

रखें। साथ ही हाथों को पीछे ले जाने के लिए पेट को आगे न लाएँ।

4. हाथों को कानों की सीध में ले जाते समय यदि पेट आगे आए तो दीवार से पीठ सटाकर खड़े रहें और पंजों का अँगूठे की ओर वाला हिस्सा दीवार से सटाकर रखें। दीवार की वजह से पीछे न झुक पाने के कारण पेट आगे नहीं आता और बगल पर पड़ा तनाव प्रभावकारी होता है।

5. बगल से तानना, कंधों की पाँखों को अंदर की तरफ ढकेलना और हाथ ऊँचे उठाना—इन तीनों क्रियाओं का एक साथ होना आवश्यक है।

6. कुहनियों को कसा हुआ, कुहनियाँ व उनके जोड़ों को अंदर की तरफ खींचा हुआ रखकर कलाई की हड्डियों को ढीला करें। कलाई की हड्डियाँ बाहर नहीं आनी चाहिए।

7. इस स्थिति में 10 से 15 सेकंड रुकें।

8. साँस को छोड़ें। हाथों को सीधा रखते हुए जमीन के समानांतर लाएँ और बाद में नीचे लाएँ।

ऊर्ध्व हस्तासन-2

(इसमें हथेलियों को सामने मोड़ना होता है।)

1. ऊर्ध्व हस्तासन-1 आसन करें।

2. हथेलियाँ सामने मोड़ें। अँगूठे के पास के कलाई के हिस्से को लंबा करें।

3. उँगलियों और पंजों को तानकर मांसपेशियों को फैलाएँ। फिर उँगलियों को जोड़कर रखें, पर पंजों को न सिकोड़ें।

4. हाथों को नीचे लाते समय पंजों को अंदर की तरफ मोड़कर (चित्र 3) साँस छोड़ते हुए हाथों को नीचे लाएँ।

ताड़ासन

हाथों की उँगलियों को परस्पर गूँथना 'बद्धांगुलि मुद्रा' (चित्र 4) कहा जाता है। उँगलियाँ दो प्रकार से गूँथी जा सकती हैं। एक बार बाईं हथेली की कनिष्ठा (छोटी उँगली) को बाहर और दूसरी बार दाएँ हाथ की कनिष्ठा को बाहर रखें। यह मुद्रा शीर्षासन में भी की जाती है। सम स्थिति में उँगलियों को गूँथकर हाथ ऊपर उठाए जाते हैं, तब उसे 'ऊर्ध्व हस्त बद्धांगुल्यासन' कहते हैं। उँगलियाँ कलाई की तरफ से छत की ओर मोड़ने पर हस्त-मुद्रा यद्यपि बद्धांगुलि है, फिर भी पूर्ण आसन को 'ताड़ासन' कहा जाता है।

क्रिया

1. हाथों को सीने के सामने जमीन के समानांतर रखें। हाथों की उँगलियाँ परस्पर

गूँथकर हथेलियों को कलाई की तरफ से मोड़ें। हाथ ऊपर बताए गए तरीके से उठाएँ। (चित्र 5)

2. गूँथी हुई उँगलियों को छत की ओर मोड़ने के कारण कलाई का हिस्सा खुला हो जाता है और जकड़े हुए पंजे खुले हो जाते हैं। उँगलियों को गूँथने के कारण हाथों की मांसपेशियों में मजबूती आ जाती है।

3. साँस छोड़ते हुए हाथों को आगे जमीन से समानांतर लाएँ। उँगलियों को खुली करके हाथ नीचे लाएँ। हाथों का गूँथना बदलकर यही क्रिया दोहराएँ। हाथों का गूँथना बारी-बारी से बदला जाए और यही क्रिया दो-तीन बार करें।

ऊर्ध्व हस्तासन के प्रकार में मांसपेशियाँ तानी जाती हैं तो ताड़ासन में हड्डियाँ तानी जाती हैं, जिससे अस्थि-बंधन मजबूत हो जाते हैं।

तीनों प्रकार आईने के सामने खड़े होकर करने से दोनों हाथों में होनेवाला अंतर ध्यान में आ जाता है। दोनों हाथों की मांसपेशियों को एक जैसे तानना, अंदर की तरफ मोड़ना, हाथ बगल की सीध में रखना, कलाई की हड्डियाँ बाहर न निकलना आदि तरीके से किया जा सकता है।

सालंब उत्कटासन : प्रकार-1

पूर्व तैयारी—खुले दरवाजे की ऊपरी चौखट पर कंबल डालें। जिन्हें स्टूल की आवश्यकता हो, वे दरवाजे के सामने स्टूल रखें। (चित्र 5)

क्रिया

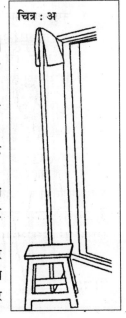

चित्र : अ

1. खुले दरवाजे के किनारे से पीठ सटाकर खड़े रहें। मेरुदंड के मध्य से दरवाजे का किनारा सटेगा, इस तरीके से खड़े रहें।

2. हाथों को गूँथकर उन्हें दरवाजे पर अटकाएँ। पैरों को घुटनों में जरा सा मोड़कर लटक जाएँ। (चित्र 6) इससे बगल का भाग खुला हो जाता है और मेरुदंड भी मध्य में रहता है।

3. हाथ दरवाजे के ऊपरी किनारे तक न पहुँचें या लटकने का भय लगने पर चाहें तो स्टूल पर खड़े होकर किनारे को पकड़ें।

4. घुटनों को मोड़ें। कदम स्टूल पर ही रखें। हाथों पर आनेवाला खिंचाव बगल और सीने के हिस्से को खुला करता है (चित्र 7)। खिड़की की सलाख पकड़कर

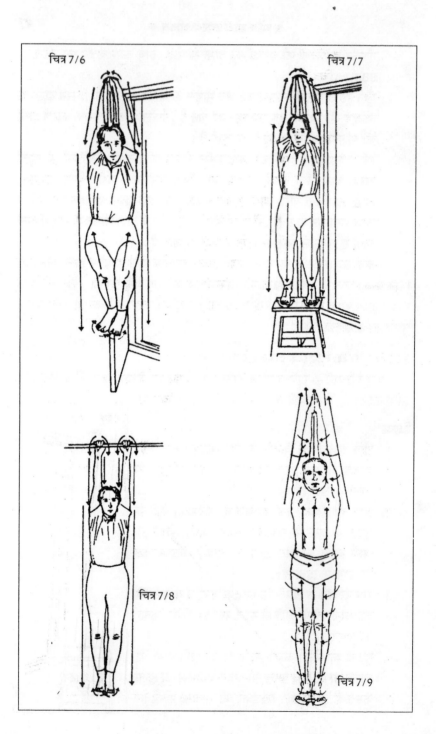

चित्र 7/6　　　　　　　चित्र 7/7

चित्र 7/8

चित्र 7/9

भी इस प्रकार लटका जा सकता है (चित्र 8) ।

5. इस स्थिति में 5 से 17 सेकंड तक लटकें। अब कदम स्टूल पर रखें और हाथ छोड़ें।

ऊर्ध्व नमस्कारासन

क्रिया

1. ऊर्ध्व हस्तासन प्रकार–1 में बताए अनुसार दोनों हाथ उठाकर हाथों के पंजों को जोड़ें।

2. जुड़ी हुई स्थिति में ही दोनों कुहनियों के जोड़ों को तानकर सीधा बनाएँ। हाथों की ओर से बगल और सीने को मिलनेवाली चुनौती भरी क्रिया इन दोनों की विस्तृति है। (चित्र 9)

3. हाथ नीचे लाने के लिए ऊर्ध्व हस्तासन प्रकार–1 करें और साँस छोड़ते हुए हाथों को नीचे लाएँ।

इन सभी ऊर्ध्व हस्तासन के प्रकारों में सीने के बाजू के किनारे उठाए जाते हैं, जिससे श्वास पटल को खुली जगह मिलकर मुक्त खुला श्वसन होता है। इनमें से प्रत्येक प्रकार का तीन से चार बार अभ्यास करें।

8

हाथों की क्रिया

हाथों को दोनों तरफ फैलाकर उठाने की क्रिया हाथों को आगे से उठाने की क्रिया की अपेक्षा मुश्किल है। यह क्रिया बहुत सावधानी से करनी पड़ती है। हाथ दोनों तरफ ले जाने की 'अॅब्डक्शन' क्रिया में कई मांसपेशियों और जोड़ों से सहायता ली जाती है। आसन करते समय इनका समावेश अधिक प्रभावशाली तरीके से साधा जाता है।

खड़ी स्थिति में हाथ गुरुत्वाकर्षण के कारण नीचे लटकते रहते हैं। इसके विपरीत उठाते समय हाथ क्रियाशील होते हैं। लेकिन शरीर के दोनों तरफ उठाते समय वे शरीर से दूर ले जाए जाते हैं और ऊपर उठाए जाते हैं। कंधे से होनेवाली हाथों की इन गतिविधियों में कुल सात जोड़ कार्यान्वित होते हैं। इन सभी जोड़ों को एकजुट होकर काम करना पड़ता है। ऊपर की पसलियाँ पीछे की तरफ से मेरुदंड से तथा आगे से उरोस्थि से जुड़ी हुई होती हैं। उरोस्थि-जत्रु, पसलियों, कंधों की पाँखों, कंधे-हाथ, जत्रु की हड्डी-हाथ, हाथ की हड्डी का ऊपरी हिस्सा अस्थि-बंधन से बँधा रहता है। इन सभी जोड़ों को हाथों की गतिविधियों में महत्त्वपूर्ण दायित्व उठाना पड़ता है। हाथों की क्रियाएँ इन सभी मांसपेशियों और अस्थि-बंधनों पर निर्भर रहती हैं।

उत्थित हस्तपादासन और वीरभद्रासन की मध्य स्थिति में हाथों की क्रिया मांसपेशियों एवं हड्डियों की क्रियाएँ और रक्त-संचार बढ़ाने के लिए होती है। हाथ, कंधे और पीठ दर्द के चलते हाथ उठाना मुश्किल जान पड़ता है। ऐसी स्थिति में यह क्रिया किस प्रकार की जाए, यह ध्यान में रखना आवश्यक है।

हाथ दोनों तरफ ले जाने की क्रिया कदमों को जोड़कर अथवा कदमों में अंतर रखकर—दोनों प्रकार से की जा सकती है। पीठ दर्द अथवा कमर दर्द की स्थिति में पैरों में अंतर रखकर हाथ उठाना ही उचित है। इससे मेरुदंड की मांसपेशियाँ अकड़ नहीं

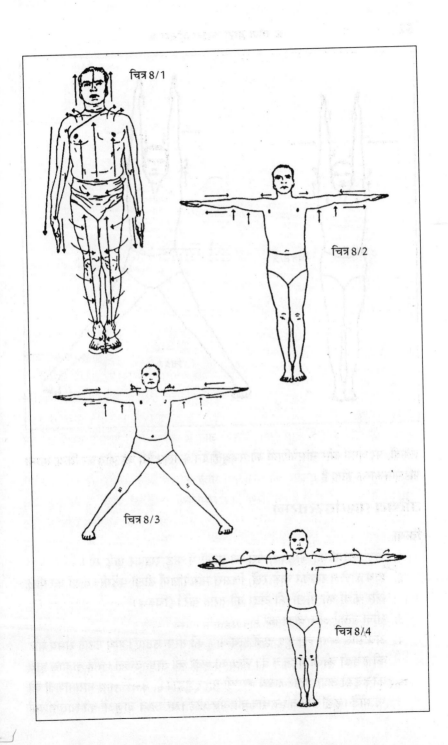

चित्र 8/1

चित्र 8/2

चित्र 8/3

चित्र 8/4

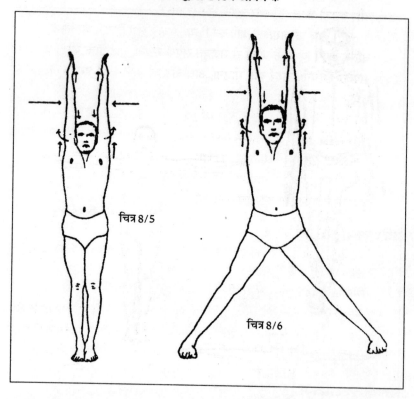

चित्र 8/5

चित्र 8/6

सकतीं, पर जोड़ों और मांसपेशियों को मजबूती देने के लिए पैरों को जोड़कर क्रिया करना परिणामकारक होता है।

उत्थित पार्श्वहस्तासन

क्रिया

1. दोनों कदमों को जोड़कर, पैरों को घुटनों में कड़े रखकर खड़े रहें।

2. हाथ ढीले न रखकर कड़े रखें, जिससे मांसपेशियाँ ढीली पड़ेंगी। कंधों को पीछे और कंधों की पाँखों को अंदर की तरफ करें। (चित्र 1)

3. सीना उठाएँ और चौड़ा करें।

4. अब साँस अंदर लेते हुए दोनों हाथ बाजू की तरफ उठाएँ। हाथ उठाते समय बाँह की हड्डी को अकड़ने न दें। पाँख को अंदर की तरफ ढकेलें। बाँह के पास हाथ की हड्डी ऊपर उठाते समय जरा सी बाहर मुड़ती है, उसके साथ मांसपेशियों को भी मोड़ें। हथेलियों को जमीन की ओर मोड़ें। पर ऊर्ध्व बाजुओं की मांसपेशियाँ

और हड्डी ऊपर की ओर खींच लें। (चित्र 2)

हाथ बाजू की तरफ ले जाने की क्रिया केवल हाथ हिलाने की क्रिया नहीं है, बल्कि इसमें हाथों के जोड़ों से मजबूत संपर्क रखना, कुहनी के जोड़ों को कड़ा रखकर खींचना, ऊर्ध्व बाँह मोड़ना, अधोबाँह को कलाई की तरफ लंबा करना, हथेलियों को चौड़ा करना, कनिष्ठा की तरफ की कलाई की हड्डी अँगूठे की तरफ की कलाई की रेखा में रखना, हाथ बाजू की तरफ ले जाने पर कंधों को नीचे और पीछे रखना, बगल आगे लाकर ऊपर उठाना, गरदन सीधी और उरोस्थि आगे रखना आदि कई महत्त्वपूर्ण क्रियाओं का समावेश होता है।

5. साँस छोड़कर हाथों को नीचे लाते समय उन्हें नीचे गिरने न दें, बल्कि सीने के किनारों को उठाते हुए हाथों को नीचे लाने की क्रिया करें।

उत्थित हस्तपादासन

1. पैरों में 3.5 से 4 फीट का अंतर रखें। कदमों को सामने रखें। पैरों को तना हुआ रखें।
2. हाथ उपर्युक्त पद्धति से उठाएँ और उसी पद्धति से नीचे लाएँ। (चित्र 3)
3. पैरों में अंतर रखने के कारण मेरुदंड की मांसपेशियाँ बाजू में फैल जाती हैं और उठ जाती हैं। निरंतर खड़े रहकर काम करने से शरीर दर्द होता है। तब यह स्थिति अधिक लाभकर सिद्ध होती है और जकड़ा हुआ शरीर खुल जाता है।

ऊर्ध्व हस्तासन

हाथ ऊपर ले जाने की क्रिया में अंतर करके किया गया यह आसन 'ऊर्ध्व हस्तासन' कहलाता है।

क्रिया

1. पैरों को जोड़कर सीधे खड़े रहें।
2. हाथों को उठाकर बाजू में फैलाएँ।
3. हथेलियाँ छत की ओर मोड़ें। कनिष्ठा की तरफ का हाथ का किनारा सहजतया मुड़ता नहीं, उसे मोड़ें और कुहनी के जोड़ को ढीला न पड़ने दें। (चित्र 4)
4. हाथ की मजबूती और सीधापन दोनों में बाधा न लाते हुए साँस लें और हाथ ऊपर उठाएँ। (चित्र 5)
5. हाथ ऊपर ले जाते समय उन्हें खाँचे से लंबा करें। पीठ की मांसपेशियों पर ध्यान रखें। कंधे की पाँखों को अंदर लेते हुए सीने के स्नायुओं को बाजू की ओर फैलाएँ और हाथ उठाएँ।
6. कंधे के पास का ट्रेपिजियस नीचे और नीचे के ट्रेपिजियस जरा से अंदर लें। सेरॅटस

मांसपेशियों को अंदर की तरफ सीने की दिशा से और पार्श्व किनारों की ओर फैलाकर रखें। यह क्रिया अगले आसनों में भी ध्यानपूर्वक करें।

हाथ उठाते समय पीठ को दुर्लक्षित करके हाथ उठाने की क्रिया की जाती है। परिणामत: हाथों की गतिविधि के अतिरिक्त कुछ नहीं होता। हाथों का संबंध सीने की अपेक्षा कंधों की पाँखों से अधिक है। हाथों को कार्यान्वित करते समय उनकी मुख्य गतिविधियों के कारण कंधों की पाँखें और वहाँ की मांसपेशियों को अंदर खींचते हुए हाथ उठाएँ। पीठ को हाथों की गतिविधियों में लगाएँ। कंधे की पाँखें मानो मानव के पंख ही हैं।

7. हाथ नीचे लाते हुए ट्रेपिजियस और कंधे की पाँखों को गोलाकार अंदर की तरफ मोड़कर हाथों को बाजू की तरफ लाएँ। हथेलियाँ जमीन की ओर मोड़ें। साँस छोड़ें और ऊर्ध्व बाजू को शिथिल न छोड़ते हुए नीचे लाएँ, फिर हाथ को ढीला कर दें।

प्रसारित पाद ऊर्ध्व हस्तासन

इसमें उपर्युक्त क्रिया के समान क्रिया करनी है। सिर्फ पैरों की स्थिति में अंतर है।

क्रिया

1. पैरों में 3.5–4 फीट का अंतर रखकर खड़े रहें। कदम सामने रखें और उत्थित हस्तपादासन करें। (चित्र 3)
2. हथेलियाँ और ऊर्ध्व बाहु छत की ओर मोड़ें और मांसपेशियों को लंबा करें। चित्र 4 के अनुसार हाथ की क्रिया करें।
3. हाथ ऊपर उठाने की क्रिया ऊर्ध्व हस्तासन के समान करें। (चित्र 6)
4. साँस को छोड़कर हाथ बाजू की तरफ ले जाएँ। हाथ नीचे लाएँ और पैरों को जोड़ लें।

काम करते समय हाथों की गतिविधियाँ होती ही रहती हैं। ऊँचाई पर रखी वस्तु को उठाना, भारी फाइलें सीने से सटाकर चलना, भारी थैलियाँ उठाना आदि काम हाथों से होते हैं; परंतु इन सभी गतिविधियों में मांसपेशियाँ लटकती रहती हैं। वे हड्डियों के निकट आती हैं, इसलिए हाथ का दर्द थम जाता है। मांसपेशियों में मजबूती आती है। गतिविधियाँ हाथ की ही होती हैं; लेकिन मेरुदंड, गरदन, पैर की रचना आदि के कारण पूरे शरीर की मजबूती और स्थिरता से हाथ की क्रिया की जाती है। यह यहाँ महत्त्वपूर्ण है। सीने की मांसपेशियों का आकुंचन और प्रसरण भी तालबद्ध होता है। उत्थित से ऊर्ध्व हस्तासन, उत्थित हस्तपादासन से प्रसारित पाद ऊर्ध्व हस्तासन—इस क्रम से दोनों आसन तीन-चार बार करने से जकड़ी हुई पीठ और सीने की मांसपेशियाँ खुल जाती हैं।

□

9

शरीर का गठन (कद)

हाथ, कंधे की पाँखें, जत्रु की हड्डी, पसलियाँ और गरदन तथा रीढ़—इनमें से एक भी भाग कमजोर या कड़ा हो जाए या जोड़ों की गतिविधि कम-अधिक हो अथवा उनका आकार बदल जाए तो एक का असर दूसरे पर होने में देर नहीं लगती। बाँह की मांसपेशियाँ शिथिल पड़ जाएँ तो कंधे के जोड़ से हाथ ऊपर नहीं उठाया जा सकता। हाथ ऊपर उठाते समय, खासकर दोनों तरफ उठाते समय, अगर हाथ और कंधे ऊपर उठकर सिकुड़ने लगें अथवा उठाने की क्रिया कंधों और गरदन के पास पीड़ादायी लगने लगे तथा हाथ उठाने में भारीपन महसूस होने लगे तो टेंडनायटिस या बोलचाल की भाषा में 'फ्रोजन शोल्डर' की शुरुआत समझनी चाहिए। वहाँ का कैल्सिफिकेशन बढ़ने से अंततः हाथों और कंधों की गतिविधि में बाधा आने लगती है। कंधे की पाँखें बाहर निकालकर कूबड़ आना, मेरुदंड का झुकना, हाथों की गतिविधि अधिक नहीं होना आदि बातें यद्यपि मामूली-सी लगती हैं, फिर भी उनका गहरा असर हो सकता है। लोगों को आईने में सिर्फ अपना चेहरा देखने की आदत होती है। बीच-बीच में सीना, कंधों, पीठ, हाथ आदि का गठन भी देखते रहने पर उनमें होनेवाले परिवर्तन ध्यान में आते हैं। बाद में गतिविधियों में अंतर दीखने लगता है और दर्द शुरू हो जाता है। इसलिए शरीर का गठन ठीक रखने के लिए जो सामान्य बातें की जा सकती हैं, हम उन्हें यहाँ देखेंगे।

यहाँ बताए गए इस आलेख के आसनों के प्रकार कुरसी पर बैठकर करते हैं। कुरसी की पीठ सीधे लंब कोण में नहीं हो तो तकिए या कंबल का इस्तेमाल करके यह देखा जाए कि पीठ को उनका सहारा मिले। कुरसी पर बैठी स्थिति में ही ये आसन करने के कारण मेरुदंड सीधी स्थिति में रहता है। इसमें पैरों से हटाकर पीठ पर ध्यान केंद्रित किया जा सकता है और त्रुटियों को सुधारा जा सकता है। इससे मूत्रपिंड और सीने के

कार्य में सुधार आ जाता है। श्वास-पटल बाजू की तरफ ताना जाता है और साँस खुल जाती है। पीठ के स्नायुओं में ताजगी आ जाती है। सालंब उत्कटासन के अलग-अलग प्रकार निम्नानुसार हैं—

सालंब उत्कटासन : प्रकार-1

क्रिया

1. कुरसी पर सीधे बैठें। पार्श्व भाग पूरी तरह से पीछे की ओर खिसका हुआ रखें। कुरसी की पीठ से सटकर बैठने के कारण कमर थोड़ी उठ जाएगी।
2. दोनों पैर सामने रखें। घुटनों और पैरों में अंतर रखें। यह अंतर कटिबंध की अपेक्षा अधिक न हो। चित्र में दरशाए अनुसार नितंब, हाथों व कंधों की पाँखों को सीध में रखने पर ध्यान दें।
3. पार्श्व भाग आगे न सरक जाए, खासकर हाथ उठाते समय। इस स्थिति में साँस लेते हुए दोनों हाथ आगे से अथवा बाजू की तरफ से पूर्ववर्ती अध्याय में बताए अनुसार उठाइए। अ. हाथ के पंजे सामने मुड़े हुए (चित्र 1) अथवा ब. परस्पर सामने मुड़े हुए अथवा (क) उँगलियाँ गुँथी हुईं (चित्र 2)—इन तीनों स्थितियों में किए जा सकते हैं।
4. सीने के पीछे मेरुदंड का निचला हिस्सा और पैर के पीछे के हिस्सेवाली रीढ़ शरीर की ओर होनेवाली अंतर्वक्रता के कारण अंदर जाए तो उस स्थान पर कंबल की तह रखी जाए, जिससे मेरुदंड ऊपर तन जाएगा।
5. सीने को विस्तृत कर (फैलाकर) आगे और ऊपर उठाएँ। शेष क्रिया ऊर्ध्व हस्तासनादि आसनों के समान ही रहने दें।

सालंब उत्कटासन : प्रकार-2

इस आसन से हाथ, कंधों, ट्रेपिजियस, गरदन का गठन सुधरता है। इसमें हाथों का गठन सम स्थिति के समान ही है।

क्रिया

1. कुरसी की पीठ की ओर मुख करके कुरसी की सीट पर बैठें।
2. कुरसी की पीठ पोली हो अथवा पीठ और सीट में अंतर हो तो पैरों को उसमें रखकर बैठें। (चित्र 3) वैसी खुली जगह न हो तो पैरों को कुरसी के बाजुओं की ओर रखकर जैसे घोड़े पर बैठते हैं, उसी प्रकार बैठें। (चित्र 4) जाँघें यदि मोटी हों अथवा कमर दर्द हो तो दोनों तरफ पैर रखना ही उचित है। चित्र में दरशाई गई बैठने की क्रिया ठीक तरह से देख लें।

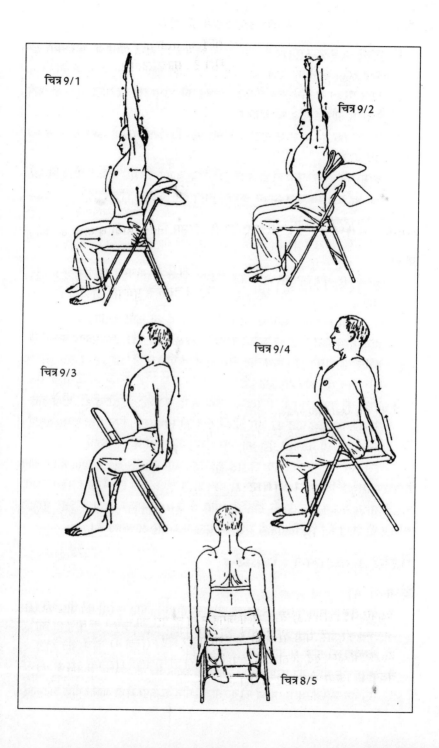

चित्र 9/1

चित्र 9/2

चित्र 9/3

चित्र 9/4

चित्र 8/5

3. कुरसी पर बैठकर कुरसी के हत्थे हाथों से पकड़ें। हाथों को तानें। कुहनियों को सख्त रखें। कंधों को पीछे और बगलों को आगे लाएँ।

4. तनाव गरदन से कंधे तक होता है। गरदन को सीधा रखकर पाँखें अंदर ले जाने से सीना और मेरुदंड भी तनते हैं।

5. द्वि-शिरस्क को अंदर से बाहर की ओर और त्रि-शिरस्क को बाहर से अंदर की ओर मोड़ें।

6. कुरसी की ऊँचाई कम हो तो बैठक को ऊँचा बनाएँ, जिससे हाथ के लिए किनारों तक पहुँचना सहज न होकर उनपर तनाव देना पड़ेगा। (चित्र 3)

सालंब उत्कटासन : प्रकार-3

क्रिया

1. कुरसी पर और अधिक आगे बैठें, जिसके लिए कुरसी की पीठ की ओर सरक जाएँ।

2. पेट का हिस्सा और सीने के नीचे की पसलियों को ऊपर उठाएँ।

3. दोनों हाथ जरा पीछे ले जाकर हाथों से कुरसी की सीट इस प्रकार पकड़ें कि हथेलियाँ सामने रहें। हाथ तीन अंश से बहुत पीछे न ले जाएँ। हाथ और धड़ के बीच बन रहे कोण पर ध्यान दें।

4. हाथों की पकड़ कुरसी पर रखकर सीना आगे, जत्रु की हड्डी चौड़ी, पाँखें अंदर, ट्रेपिजियस नीचे पीठ की ओर और गरदन को सीधा रखें, फिर मेरुदंड को उठाएँ। ऊर्ध्व बाहुओं के नीचे पंजे की ओर तनाव दें। कंधों को न उठाएँ।

इस सम स्थिति की क्रिया से धड़ का गठन और आकार बदल जाता है। थकान के कारण सिकुड़नेवाला अथवा थकान से पस्त शरीर खुल जाता है। बैठकर पढ़ते समय, लिखते समय गरदन नीचे झुकी होती है, पीठ में कूबड़ निकल आता है और मेरुदंड शिथिल हो जाता है। इस स्थिति में धड़ के गठन में सुधार आ जाता है।

सालंब उत्कटासन : प्रकार-4

क्रिया

1. अब इसके बाद कुरसी पर हमेशा की तरह ही बैठें। पीठ कुरसी की पीठ की ओर तथा मध्य भाग कुरसी के पीछे की ओर पूर्णतः टिकने दें।

2. मेरुदंड को नीचे से ऊपर तक उठाए रखें।

3. कुरसी के पीछे की तरफ पीठ टिकाने के स्थान पर जो सहारा मिलता है, उसका उपयोग यहाँ करना है। हाथों को कुरसी की पीठ के ऊपर से ले जाकर पीछे अटकाएँ।

4. हथेलियों को परस्पर सामने रखकर हाथों को कसकर कड़े रखें। (चित्र 5) कुरसी के पीछे का किनारा पीठ से सटाकर पीठ को धकेला जाता है। बाँह के हिस्से को आधार मिलने के कारण वहाँ की मांसपेशियाँ गलित नहीं होतीं। कंधे की पाँखें अंदर जाने के कारण सीने के अवकाश में खुलापन आ जाता है। कंधे और गरदन की रेखा (कॉण्टोर) बाजू की तरफ स्पष्ट होती हैं। पीछे खोपड़ी का निचला हिस्सा सीधे ऊपर और कंधे पीछे की ओर। गरदन ऊपर रखने से वहाँ होनेवाला तनाव सुखकर और खुलापन लाने के लिए सहायक होता है।
5. बैठकर पीठ के पीछे हाथ गूँथना संभव न हो तो पहले हाथ गूँथ लें, फिर पीछे खिसक जाएँ। इस पूरी प्रक्रिया में हाथ नीचे लाते समय अथवा किनारा छोड़ते समय रीढ़ और सीने को लुढ़कने-ढलने न दें।
6. आरंभ में इस पूरी स्थिति में अधिक समय न रुकें। 10 से 15 सेकंड रहकर कंधों, गरदन व हाथों में खुलापन और गठन में सुधार लाएँ। उसके लिए यह क्रिया 2 से 4 बार करना आवश्यक है।

हाथों को पीछे ले जाने की क्रिया अगले कई आसनों के लिए उपयुक्त होती है। कई लोगों को बैठे हुए ही कंधे उठाने, गरदन टेढ़ी रखने की आदत होती है। दुकान में खड़े रहना, ऊँचाई पर रखा सामान उठाना, बोर्ड को रँगना आदि करते समय रँगरेज, पेंटर आदि को हाथ ऊपर उठाने पड़ते हैं। जब गरदन, कंधों एवं पीठ की मांसपेशियों पर तनाव आ जाता है तो हाथों में थकान आती है। ऐसे समय ये सभी बातें उपयुक्त होती हैं। सीधे बैठने से रीढ़ भी सीधी रहकर स्वत: बदल जाती है।

यह स्थिति प्राणायाम के लिए भी उपयुक्त है। सीना उठाए जाने पर पसलियों की पर्शुकीय मांसपेशियाँ विस्तारित हो जाती हैं। श्वसन-पटल पर पड़ा तनाव कम हो जाता है। साँस खुल जाती है। गरदन या कंधों की मांसपेशियाँ अकड़ गई हों अथवा उनपर तनाव पड़ने के कारण सिकुड़ गई हों तो शरीर को ताड़ासन-दंडासन जैसी स्थिति में लानेवाले ये आसन बहुत लाभदायक होते हैं। जमीन पर बैठकर करने के बजाय कुरसी पर बैठकर करने से हाथ का जमीन की ओर खिंचाव, हाथ लंबा करने की क्रिया आदि में सुधार आ जाता है। नीचे बैठने से हाथों का दबाव ऊपर की तरफ होता है, यही तो इसमें मुख्य अंतर है।

□

10

हस्तबंध

हाथ जब नीचे होते हैं, तब कंधे व सीने का गठन और व्यवस्थापन के बारे में जानने के बाद आपने ऊपर और पीछे की ओर हाथ उठाने की क्रिया के बारे में जाना। वह क्रिया जब कठिन होती है, तब सरल मार्ग ढूँढ़ना आवश्यक होता है। गतिविधि करने की असमर्थता हो तो वह करनी ही नहीं चाहिए, यह मानना गलत है। नाशवान् शरीर का ह्रास होने में समय नहीं लगता। जो बीमारियाँ ठीक होतीं ही नहीं, उनपर शुरू से ही नियंत्रण रखना जरूरी होता है। गठिया रोग के कारण हाथों की गतिविधियों पर बहुत सीमाएँ आ जाने पर अथवा कंधे के जोड़ कड़े हो जाने पर निराश-हताश होने की अपेक्षा शीघ्र गति से बढ़नेवाली इस बीमारी पर आरंभ में ही लगाम लगाने पर रोग-मुक्त होने का अवसर मिलता है। कम-से-कम बीमारी की तीव्रता को कम किया जा सकता है। वेदना कम करना और जोड़ों के इर्द-गिर्द फैली कोशिकाओं को सँभालना, उनके दाह और सूजन को प्रतिबंधित करना आदि बातों की ओर भी ध्यान दिया जा सकता है। हाथ उठाते समय दुखना, दर्द होना और कंधे का ऊपरी भाग उठाया जाना, हाथ नीचे और पेट की ओर तथा सीने की ओर लाते समय दर्द होना—इनका संबंध कंधे की पाँखों की गतिविधियों के साथ, उनके ऊपर की एवं नीचे की मांसपेशियों से जुड़ा होता है। अत: इन गतिविधियों को किसी चीज का सहारा लेकर करने पर वह हिस्सा खुल जाता है।

उत्थित पार्श्वहस्तासन

उत्थित पार्श्वहस्तासन का यह प्रकार एक-एक हाथ से करना होता है, जिससे दर्द के हिस्से पर ध्यान केंद्रित होकर उस हिस्से की गतिविधि ध्यान में आ जाती है।

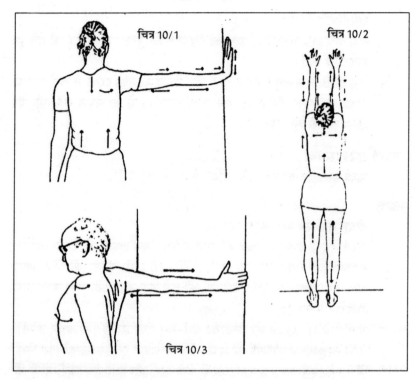

चित्र 10/1

चित्र 10/2

चित्र 10/3

क्रिया

1. दीवार से दो–ढाई फीट दूर खड़े रहें।
2. बाएँ हाथ का सहारा दाईं ऊर्ध्व बाँह को देकर उसे ऊपर उठाएँ। हाथ का पंजा दीवार पर रखें।
3. कलाई के दोनों किनारे एक सीध में रखें। हाथ की उँगलियाँ और पंजे तानकर फैलाएँ। कलाई और कंधे का ऊपरी हिस्सा एक सीध में रखें। (चित्र)
4. अब ऊर्ध्व बाहु को सामने से ऊपर और पीछे मोड़ें। कुहनी-जोड़ को शिथिल न होने दें। दीवार और धड़ के बीच हाथ जमीन के समानांतर रहे, इसलिए ताड़ासन में सीधा और मजबूती से खड़े रहना आवश्यक है।
5. हाथ के त्रि–शिरस्क को लटकने न दें। उसे हाथ की हड्डी की ओर खींचें। ऊर्ध्व बाहु वृत्ताकार पीछे मोड़ें। कंधे नीचे और कंधे की पाँखें अंदर की तरफ लें। सीना आगे ही रखें।
6. बगल का हिस्सा आगे लाएँ। सीने को बगल से पहले दाईं ओर, फिर बाईं ओर मोड़ें, फिर सामने रखें, जिससे हाथ को खिंचाव महसूस होगा। 20 से 30 सेकंड

इसी स्थिति में रहें।

7. हाथ नीचे लाते समय बाएँ हाथ का सहारा लेकर पुनश्च ऊर्ध्व बाहु को देते हुए हाथ नीचे लाएँ।

8. अब दूसरी तरफ संपूर्ण अर्थात् 180 अंश में मुड़कर उसी तरीके से बाएँ हाथ को दीवार पर रखकर क्रिया पूरी करें। दोनों तरफ 15 से 20 सेकंड रुकें और यह क्रिया तीन से चार बार करें।

ऊर्ध्व हस्तासन

ऊर्ध्व हस्तासन की यह क्रिया दीवार के सहारे करनी है।

क्रिया

1. दीवार की ओर मुख करके खड़े रहें।

2. पहले हथेली दीवार पर कंधे की सीध में रखें। अब हथेली को दीवार पर ऊपर सरकाते हुए दीवार की ओर सरकें। जैसे-जैसे शरीर दीवार की ओर आएगा वैसे-वैसे दीवार एवं शरीर के बीच की दूरी कम होगी और हाथ ऊपर उठता जाएगा। (चित्र 2)

3. हाथ कंधे से उखड़ने की शिकायत बार-बार होती हो तो हाथ बाहर न मोड़ें। ऊर्ध्व बाहु की मांसपेशियों को अंदर की तरफ मोड़ते हुए हाथ उठाएँ। इस स्थिति में 15 से 20 सेकंड रुककर दीवार से पीछे आएँ और हाथ नीचे लाएँ। दो से तीन बार यह क्रिया करें।

धनुरासन हस्तबंध

हाथ पीछे ले जाने की यह क्रिया पूर्ववर्ती सभी क्रियाओं से भिन्न है। वैसे आम गतिविधियों में उसका अंतर्भाव नहीं होता। इस हस्तबंध से तात्पर्य है—हाथ पीछे ले जाने की क्रिया। हाथ धड़ से सटा हुआ होता है—अर्थात् शून्य अंश में होता है। तब हाथ पीछे पार्श्व भाग पर ले जाना या ऊर्ध्व बाहु को 60 अंश तक बाहर की ओर ले जाते हुए हाथ कमर पर उठाना। हाथ को पीछे ले जाने की कोई क्रिया नहीं की जाती। खिलाड़ियों के लिए यह क्रिया आवश्यक होती है। आम आदमी को हाथ पीछे ले जाते समय दर्द होता है। हाथों को पीछे कंधे की सीध में उठाना और उन्हें जमीन के समानांतर रखना वैसे मुश्किल ही है, पर आवश्यक है। धनुरासन में पग और टखने पकड़कर हाथों को पीछे ले जाते हैं। इस प्रकार हाथ उठाने के लिए सहारे की आवश्यकता होती है। यह करते समय कष्ट होने पर भी कंधे की खुली गतिविधि के कारण इससे हाथ दर्द और कंधों के दर्द से मुक्ति मिलती है।

खिड़की में यदि सलाखें लगी हुई हैं तो खिड़की के पास अथवा दीवार व दरवाजे के कोने में या मजबूत अलमारी के पास यह क्रिया की जा सकती है।

क्रिया

1. दीवार या अलमारी से शरीर का दायाँ पार्श्व किनारा सटाकर खड़े रहें।

2. अब थोड़ा दूर आते समय दाईं ओर से पीछे मुड़ें। हाथ उठाकर दीवार या अलमारी के किनारे से सलाखों को पकड़ें। (चित्र 3)

3. दीवार के पास सरक जाएँ, अर्थात् शरीर का दायाँ पार्श्व किनारा दीवार से सटकर रहेगा।

4. शरीर का बायाँ हिस्सा दाईं ओर न लाते हुए विपरीत दिशा में मोड़ें। हाथ के अंदर की तरफ के द्वि-शिरस्क का किनारा ऊपर से त्रि-शिरस्क की ओर मोड़ें। यह किनारा सिर्फ पाँच उँगलियों से पकड़ें। इस स्थिति में 20 से 30 सेकंड रुकिए और हाथ नीचे लाएँ।

5. अब अलमारी के दूसरी तरफ आएँ और यही क्रिया बाएँ हाथ से किनारा पकड़कर करें। एक बार दायाँ, एक बार बायाँ—इस प्रकार तीन से चार बार क्रिया करें। हाथ को अदल-बदलकर पीछे ले जाने की क्रिया ध्यान में आ जाने पर दोनों हाथ पीछे ले जाने हैं, उसकी पूर्व-तैयारी इससे हो जाती है। कंधे के जोड़ कड़े बन जाने पर यह धनुरासन का हस्तबंध निश्चित ही उपयुक्त सिद्ध हो सकता है, पर इसे करते समय कंधे में दर्द होता है और कसक सीधे सिर तक पहुँच जाती है; लेकिन वहाँ के कैल्सिफिकेशन को भी इसी तरीके से तोड़ना पड़ता है। हाथ के उखड़ने की आदत होने पर हाथ ऊपर न मुड़े, इतनी सावधानी बरतने से तकलीफ नहीं होगी।

❑

11

हस्तमुद्रा-1

भगवान् श्रीकृष्ण ने अर्जुन को स्वयं में अधिष्ठित चराचर सृष्टि के दर्शन करवाए थे। उस विश्वरूप दर्शन के बाद विस्मित अर्जुन ने भगवान् को आगे से, पीछे से और सब ओर से विनयपूर्वक प्रणाम किया। अपने चारों ओर आत्म-प्रदक्षिणा करके अनादि-अनंत परमात्मा को प्रणाम करने की पद्धति प्रचलित है। पीछे की ओर हाथ रखे प्रणाम करते हुए धड़ का हिस्सा पीछे, आगे और दोनों तरफ झुकाकर कमर को वृत्ताकार मोड़ देते हुए किए जानेवाले पार्श्वोत्तानासन से विनम्रता व्यक्त होती है। लेकिन यहाँ हम पार्श्वोत्तानासन या गोमुखासन में हाथ पीछे लेने की हस्तमुद्रा और उसके लिए जरूरी पूर्व तैयारी के बारे में बता रहे हैं।

हाथ पीछे ले जाने की क्रिया को चरण-दर-चरण सीखना है। पहले हाथों को मोड़कर पीछे की ओर ले जाने की क्रिया पर ध्यान देना आवश्यक है।

पधिम बद्धहस्तासन

शुरू में एक-एक हाथ को पीछे ले जाना है। हाथ को तहाने की आदत सबको होती ही है। इस आसन में ऐसी ही तह पीठ की ओर करनी है। उसके लिए कुहनी के जोड़ को मोड़कर हाथ पीछे ले जाना है।

क्रिया

1. दाएँ हाथ को कुहनी से मोड़कर पीठ की ओर ले जाएँ और साँस छोड़ते हुए उस हाथ से बाएँ ऊर्ध्व बाहु को कुहनी के जोड़ के ऊपर पकड़ें। (चित्र 1)
2. आरंभ में हाथ ऊपर न पहुँच पाए तो कुहनी के जोड़ को पकड़ें।
3. हथेली की पकड़ हाथ पर मजबूत रहने दें।

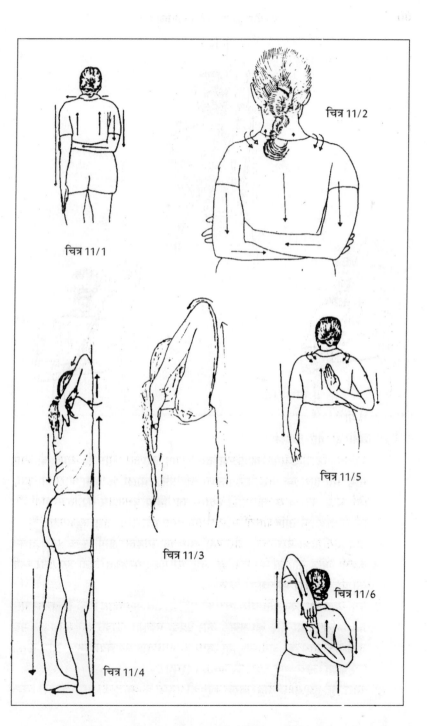

चित्र 11/1

चित्र 11/2

चित्र 11/3

चित्र 11/4

चित्र 11/5

चित्र 11/6

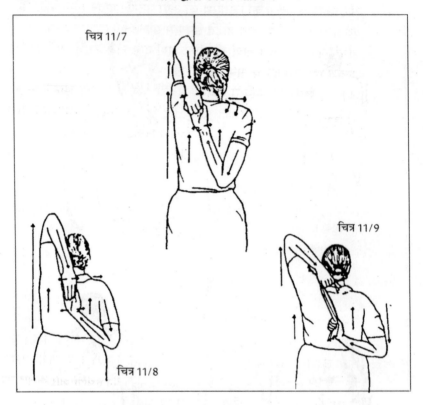

चित्र 11/7

चित्र 11/8

चित्र 11/9

4. कंधों को पीछे धकेलें।
5. दाईं बाँह के नीचे बगल का हिस्सा दब न जाए, इस ओर ध्यान दें। बगल को आगे मोड़ें और हाथ को पीछे मोड़ें। ऊर्ध्व बाहु पीछे, बगलों के पास का सीना आगे, कंधे पीछे और कंधों की पाँखें अंदर—यह क्रिया वृत्ताकार पद्धति से होती है। उससे हाथों की गतिविधियों में सहभागी होनेवाले सभी जोड़ खुल जाते हैं।
6. अब दायाँ हाथ नीचे लाएँ और बाएँ हाथ को मोड़कर दायाँ ऊर्ध्व बाहु अथवा कुहनी-जोड़ को पकड़ें। पंजों की बाँह पर पकड़ मजबूत रखते हुए और कंधों को पीछे मोड़ना महत्त्वपूर्ण क्रिया है।
7. एक-एक हाथ की गतिविधि खुलकर होने दें, तब दायाँ हाथ पीछे ले जाकर साँस को छोड़िए तथा बाँह को पकड़ें और पकड़ मजबूत रखकर बाएँ हाथ को मोड़ें तथा बाएँ हाथ का अधोबाहु दाएँ हाथ के अधोबाहु पर चढ़ाते हुए, साँस छोड़ते हुए दायाँ ऊर्ध्व बाहु अंदर से पकड़ें। (चित्र 2)
8. साँस लेते हुए सीना चौड़ा करके जत्रु की हड्डी को बाजू की तरफ तान लें। कंधों

और बगल को खुला करें। उरोस्थि को ऊपर उठाएँ। गरदन सीधी और बाद में यथासंभव पीछे मोड़ें। हाथ छोड़ते समय साँस लेते हुए गरदन को सीधे उठाएँ।

9. साँस को छोड़ें। पहले बायाँ और फिर दायाँ हाथ नीचे लाएँ। हाथों को बिना झटकते हुए नीचे दंड के समान सीधे रखें।
10. अब यही क्रिया बाएँ हाथ से दाईं कुहनी और दाएँ हाथ से बाईं कुहनी पर हाथ पकड़कर करें। इसे दो से तीन बार करने के बाद हाथों पर होनेवाली पकड़ मजबूत होकर जोड़ खुल जाते हैं। यही क्रिया 10 से 15 सेकंड करके आगे अवधि बढ़ाते जाएँ।

गोमुख मुद्रा

जिस प्रकार हमने ताड़ासन में पहले 'ऊर्ध्वहस्त' सीखा, उसी प्रकार गोमुखासन में भी पहले ऊपर उठाए हाथ के बारे में और फिर नीचे रखनेवाले हाथ के अभ्यास के बारे में—इसी क्रम से सीखना है।

क्रिया-1

1. पहले ऊर्ध्व हस्तासन के समान दायाँ हाथ ऊपर उठाएँ। बगल को ऊपर की ओर तान लें। ऊर्ध्व बाहु और हथेली को कान की तरफ मोड़ें।
2. कुहनी से मोड़कर हाथ पीठ की ओर ले जाएँ। कुहनी का जोड़ छत की ओर ऊँचा उठाकर दाईं बगल को खुला करें। कुहनी को सिर के जरा सा पीछे पार्श्व किनारों की सीध में लाएँ। कुहनी को बाहर न मुड़ने दें। हथेली और कलाई का हिस्सा पीठ पर पाँखों में लंबा छोड़ें। (चित्र 3)
3. बगल खुले नहीं तो अलमारी या दीवार के किनारे की ओर मुख करके खड़े रहें। ऊर्ध्व बाहु का अंदर का किनारा, बगल का किनारा और पार्श्व का किनारा दीवार या अलमारी के छोर से लगाकर यह हिस्सा तान लें, पर सीने को खुली जगह में आगे लाएँ। (चित्र 4)
4. बगल के हिस्से को खिंचाव देते हुए खुला करें। इससे हाथ जोड़ में मजबूती से बैठेगा। दायाँ पैर जरा सा आगे लेने से बगल में ठीक तनाव आ जाएगा।
5. अब दीवार से पीछे सरकते हुए हाथ को ऊपर उठाकर मोड़ते हुए नीचे लाएँ।
6. अब बायाँ हाथ इसी पद्धति से उठाएँ और पीठ की ओर सरकाएँ। दाएँ और बाएँ हाथ की यह क्रिया कम-से-कम दो बार करें।

   इसके बाद पीछे के हाथ की मोड़दार गतिविधि को जानना है।
7. दायाँ हाथ पार्श्व पर रखें। कलाई को मोड़कर हथेली के पिछले हिस्से को घसीटते हुए पीठ की तरफ ऊपर उठाएँ। हथेली के पिछले हिस्से को उरोभाग के

ठीक पीछे पड़नेवाले रीढ़ के हिस्से पर टिकाएँ। उसे रीढ़ की हड्डी के मध्य पर खुला, तना हुआ रखें।

8. दायाँ ऊर्ध्व बाहु जरा सा पीछे लेते हुए बगल से खुला करें। उरो बाहु के हिस्से को न सिकोड़ें। इस स्थिति में 10 से 15 सेकंड रुकें (चित्र 5)। साँस छोड़कर हाथ को नीचे लाएँ और बायाँ हाथ वैसा ही रखना सीखें। कम-से-कम तीन से चार बार यह क्रिया करें।

क्रिया-2

इस प्रकार दोनों हाथ ऊपर से और नीचे से पीछे ठीक तरह से खुले करने के पश्चात् परस्पर विपरीत हाथ व्यवस्थित रखने—अर्थात् पूर्ण गोमुख मुद्रा बनाना सीखें। सीखते समय यद्यपि हमने प्रथम ऊपर का और फिर पीछे का हाथ, इस प्रकार क्रिया करना सीखा है, फिर भी अब शुरुआत नीचे के हाथ से करना सीखना है।

1. दायाँ हाथ नीचे से पीठ की ओर और बायाँ हाथ ऊपर से पीठ की ओर लाते हुए दोनों हथेलियों को मिलाएँ। दाईं हथेली के पीछे का हिस्सा पीठ पर घसीटते हुए ऊपर उठाएँ (चित्र 6)। आरंभ में उँगलियों के छोर परस्पर स्पर्श करेंगे। फिर उँगलियों को शृंखला के समान परस्पर फँसाएँ। (चित्र 6)
2. हथेलियाँ परस्पर ऊपर टिकाने के लिए दाएँ हाथ का अधो बाहु उठाना पड़ेगा और बाएँ हाथ का ऊर्ध्व बाहु ऊपर ताना जाना चाहिए। (चित्र 8)
3. शृंखला-पकड़ हो या हथेली-पकड़, उसे मजबूत रखें। दोनों हाथों की दिशाएँ और क्रियाएँ परस्पर विपरीत हैं, इस बात को ध्यान में रखें।
4. सीने को न सिकोड़ें। ऊपर खींचे हुए हाथ की ओर की पसलियाँ तानें। इस स्थिति में 15 से 20 सेकंड रुकें। तीन से चार बार यही क्रिया करें और आगे चलकर अवधि को बढ़ाएँ।
5. पहले ऊपर के, फिर नीचे के हाथ को पकड़ से मुक्त करें।
6. हाथों की उँगलियाँ अथवा हथेलियाँ परस्पर न छू सकने की स्थिति में पीछे से आनेवाला नीचे का हाथ पीठ पर दबाए रखकर ऊपर के हाथ से रुमाल, डोरी, पट्टा अथवा तत्सम वस्तु पीठ पर छोड़ते हुए उसे नीचेवाले हाथ से पकड़ें। (चित्र 9)
7. अब बायाँ हाथ पीठ की ओर और दायाँ हाथ ऊपर की ओर से पीठ की ओर हाथों को शेक-हैंड के समान करें।

ये दोनों हस्तमुद्राएँ नीचे बैठकर करने की अपेक्षा खड़े रहकर (चित्र 8) करने पर हाथ की रीढ़ से जुड़ी गतिविधि में खुलापन आएगा। बैठी हुई स्थिति में यह गतिविधि

मुश्किल एवं जटिल होती है, इसलिए इसे उत्थित स्थिति में ही किया जाए।

इन दोनों आसनों में हाथ पीछे ले जाने की क्रिया ठीक तरह से कर सकने पर बगल, सीना, कलाई, उँगलियाँ, पार्श्व किनारे खुलते हैं; पर पीठ की ओर से इस पूरी क्रिया को सहायता मिलती है। दोनों हाथों में ऊर्ध्व बाहु से शिथिलता और थकान महसूस होती है और दर्द होता है। कंप्यूटर या यंत्र पर काम करते समय अथवा हाथों का इस्तेमाल कम करने के कारण मांसपेशियाँ कमजोर हो जाती हैं। ऐसे समय यह हस्तमुद्रा प्रभावकारी सिद्ध होती है।

❑

12

हस्तमुद्रा-2

हाथ पीछे ले जाकर गोमुख मुद्रा करने के बाद अब दोनों हाथ पीछे लेना सीखना है। पहले हमने धनुरासन में जिस पद्धति से एक-एक हाथ पीछे लेकर दीवार, अलमारी या सलाख पकड़ना सीख लिया था, अब दोनों हाथ पीछे लेना सीखना है। आसन का यह प्रकार करने के लिए सलाखोंवाली खिड़की की आवश्यकता है। यदि खिड़की न हो तो लोहे के पलंग की किनारी या छज्जे का किनारा पकड़कर भी यह किया जा सकता है। खिड़की की सलाखों को पकड़कर क्रिया करने की पद्धति ध्यान में आने के बाद पलंग या छज्जे का उपयोग कैसे किया जाए, यह भी ध्यान में आ जाता है। टेनिस, क्रिकेट, गोल्फ आदि खेलों में एक हाथ पीछे ले जाने की आदत होती है, दूसरा कंधा उतना पीछे नहीं जाता। फिर मेरुदंड की मांसपेशियों पर तनाव में संतुलन नहीं रहता। ऐसे समय पर धनुरासन की क्रिया उपयुक्त होती है—अर्थात् इसके बदले धनुरासन ही क्यों न किया जाए? यह प्रश्न मन में आ सकता है। गठिया, आमवात अथवा रीढ़ के असह्य विकार के रहते सहसा धनुरासन नहीं किया जा सकता। धनुरासन सभी कर सकेंगे, ऐसा भी नहीं है। और फिर इसमें हाथ पर आनेवाला तनाव धनुरासन की अपेक्षा अधिक होता है और हाथ के विशिष्ट हिस्से पर ध्यान देकर तनाव दिया जा सकता है।

धनुरासन हस्तबंध

क्रिया

1. खिड़की की ओर पीठ करके खिड़की से डेढ़-दो फीट के अंतर पर आगे खड़े हो जाएँ।

चित्र 12/1

चित्र 12/2

चित्र 12/3

चित्र 12/4

चित्र 12/5

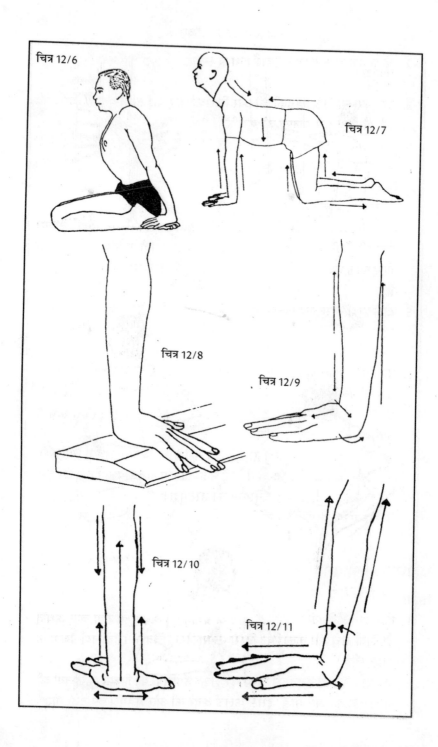

चित्र 12/6

चित्र 12/7

चित्र 12/8

चित्र 12/9

चित्र 12/10

चित्र 12/11

2. थोड़ा दाईं तरफ मुड़ते हुए दाएँ हाथ से सलाख को मुट्ठी में पकड़ें। कंधा पीछे मोड़ें।

3. अब जरा सा पीछे खिड़की की ओर खिसकते हुए बाईं तरफ मुड़कर साँस छोड़ें और बाएँ हाथ से सलाख को मुट्ठी में पकड़ें।

4. दोनों हाथ एक सीध में रखें। बायाँ हाथ दाएँ हाथ के बाद पीठ की ओर लेने के कारण उसके नीचे ही रह जाने की संभावना होती है। इसलिए पैर को जरा सा मोड़कर कंधा पीछे मोड़ें। बाएँ हाथ से सलाख पकड़ न पाने की स्थिति में किसी से सहायता लेकर हाथ को सलाख तक पहुँचाया जा सकता है। शुरू–शुरू में हाथ से कंधे की ऊँचाई वाली सलाख पकड़ें। आगे चलकर अभ्यास होने के बाद जरा सी ऊँची सलाख पकड़ना ठीक रहेगा। दोनों हाथों से सलाख पकड़ने के लिए पहले एक-एक हाथ से सलाख पकड़ने का पर्याप्त अभ्यास होना आवश्यक है।

5. दोनों हाथों से सलाख पकड़कर अब इस प्रकार आगे बढ़ें कि हाथों और कंधों में खिंचाव आएगा। ऊर्ध्व बाहु के द्वि-शिरस्क को अंदर से बाहर और त्रि-शिरस्क को बाहर से अंदर मोड़ें। (चित्र 1)

6. इस स्थिति में 15 से 20 सेकंड रुकें, कंधों को मत उठाएँ, सीना आगे लाएँ। यहाँ तक की क्रिया सहजता से कर सकने पर तनिक पीछे खिसक जाएँ। दोनों पैर घुटने से मोड़ें, जिससे पैर उत्कटासन की स्थिति में आ जाएँगे। इससे हाथ में अधिक खिंचाव आएगा। (चित्र 2)

सलाख न हो तो दोनों हाथों से लोहे के पलंग का किनारा अथवा बालकनी, खिड़की आदि के किनारे—वे यदि बहुत चौड़े न हों तो—पकड़िए। शेष क्रिया उपर्युक्त विधि के अनुसार ही होगी। यह है धनुरासन की हस्तमुद्रा।

ये सब गतिविधियाँ ठीक तरीके से कर सकने के बाद पश्चिम नमस्कारासन करेंगे।

पश्चिम नमस्कारासन

क्रिया

1. दोनों हाथ पीछे पार्श्व पर रखें। हाथ के प्रणाम को अधोमुखी रखा जाए अर्थात् उँगलियाँ नीचे और कलाई का हिस्सा ऊपर रहेगा (चित्र 3)। हथेलियाँ प्रणाम के समान जोड़ें।

2. अब हाथ पिछली हड्डी से तनिक दूर लेकर उँगलियों का हिस्सा (उँगलियों की नोक) धड़ की ओर मोड़ें। इससे कलाई अंदर की ओर मुड़ेगी। इस तरह मोड़ते

समय हथेलियाँ परस्पर तनिक दूर जाएँगी। (चित्र 4) लेकिन उँगलियों को अलग न करें।

3. अब हथेलियाँ पार्श्व भाग की ओर से कमर की ओर और पीठ की ओर उठाएँ, जिससे नमस्कार पीठ की ओर से होगा। (चित्र 5)

4. हथेलियों को परस्पर दबाकर कंधों को पीछे दबाएँ। बगलें आगे की ओर, ऊर्ध्व बाहु तनिक पीछे की ओर लाएँ। ऊर्ध्व बाहु को कुहनी-जोड़ की दिशा में लंबा कीजिए।

5. उरोस्थि को उठाएँ। कंधे का हिस्सा न सिकोड़ें। हाथों से मानो पीठ की ओर पट्टी बाँधने जैसा प्रतीत होना चाहिए। इससे सीने का हिस्सा चौड़ा और खुला होकर श्वासोच्छ्वास खुला होने लगता है। इस स्थिति में 30 सेकंड रुकें। आगे चलकर यह अवधि 1 मिनट तक बढ़ाई जा सकती है।

6. अब साँस लेकर गुँथे हुए हाथों को मुक्त करें; पर हाथों को न झटककर सिर्फ ऊर्ध्व बाहु के समान सीधा रखें।

यदि यह नमस्कार मुद्रा पीठ के मध्य पर ठीक उरोभाग पर रखी जाए तो वह हिस्सा पीछे से अंदर जाता है। वहाँ का रक्ताभिसरण बढ़ जाता है। इसलिए यह हृदय रोग में भी बहुत उपयुक्त है। यह आसन अभ्यास के बाद बैठे-बैठे भी किया जा सकता है।

चतुरंगासन

इस आसन में हाथों की कलाइयों के जोड़ों को खुला करना है। मयूरासन, हंसासन आदि आसनों में हाथों की रचना जिस प्रकार की होती है, उसका समावेश यहाँ किया जाता है।

माता-पिता छोटे बच्चों के साथ खेलते हुए घोड़ा बनाते हैं। बच्चा पीठ पर सवार होता है। फिर यह घोड़ा हाथों व घुटनों के बल आगे बढ़ता और चलता है। इस पद्धति से दोनों हाथ और दोनों पैर (घुटने) इन चार अवयवों के सहारे चतुरंगासन करते हैं। चतु: यानी चार, अंग यानी अवयव—और चतुरंगासन यानी चार अवयवों के सहारे खड़े रहने का आसन। 'हठयोग प्रदीपिका' में चौरंगी नामक योगी के हाथ-पैर नहीं होते, लेकिन मत्स्येंद्रनाथ की कृपा से वे उसे मिले। अत: उसके नाम से ही यह 'चौरंगासन' जाना जाता है।

चतुरंगासन में हाथ अलग-अलग पद्धतियों से रखे जाते हैं, जिससे कलाइयों के जोड़ों की गतिविधि खुली हो जाती है। उँगलियाँ और कलाई के गठिया रोग में यह आसन लाभदायक सिद्ध होता है।

क्रिया

1. कंबल या दरी बिछाकर, घुटनों में पैर मोड़कर वीरासन में बैठें। (चित्र 6) पगों

और घुटनों में अंतर रखें।

2. अब हाथ बढ़ाकर हाथों के पंजे जमीन पर टिकाकर घुटनों से पैरों तक के अधोपगों पर यानी पंजों और अधोपगों पर खड़े रहें। हथेलियों, कंधों और घुटनों का पार्श्व हिस्सा जमीन के लंब रूप में रखें।
3. हाथों के बीच में अंतर कंधों की चौड़ाई जितना और घुटनों के बीच का अंतर पार्श्व भाग की चौड़ाई के समान रखें। अब सामने देखें। (चित्र 7)
4. अब हाथों के पंजों की विविध स्थितियों पर ध्यान दें। पहले हथेलियों और उँगलियों को सामने रखकर उँगलियों को फैलाएँ। यह स्थिति 'पूर्वहस्त' कहलाती है। दोनों कलाइयाँ एक सीध में रखें। कुहनी को कसी हुई रखकर पंजों को दबाते हुए हाथों को कड़ा करें। (चित्र 7) ऊर्ध्व बाहु तनिक आगे धकेलें, जिससे कलाई पर दबाव आएगा।
5. यह दबाव जिनसे सहा नहीं जाता (संधिवात के कारण) वे कलाई की तरफ की हथेली की बाजू को तनिक ऊँचा यानी कंबल अथवा दरी की (चित्र 8 के अनुसार) उतरती पट्टी पर रखें। इससे कलाई में पीड़ा नहीं होगी।
6. अब इसी प्रकार से हथेलियों को बाहर मोड़ें। उँगलियाँ बाजू की तरफ जाएँगी। कलाइयाँ परस्पर सामने रहेंगी। यह स्थिति 'बाह्य-हस्त' कहलाती है। इसके बाद हथेलियाँ पैरों की दिशा में मोड़ी जाती हैं, जो 'पश्चिम हस्त' कहलाते हैं। अगली क्रिया में हाथों को बाहर से अंदर की तरफ मोड़कर, हाथ की उँगलियों को परस्पर सामने लाकर कलाइयाँ विपरीत दिशा में ले जानी हैं(इसे 'अंतर-हस्त' कहा जाता है। चित्र में बाह्य, पश्चिम और अंतर-हस्त एक ही हाथ से दरशाए गए हैं। (चित्र 9, 10, 11) दोनों हाथ-पैर इसी पद्धति से रखने होंगे। अलग-अलग स्थितियों में कलाइयों पर आनेवाला भार और हाथ की मांसपेशियों पर पड़नेवाला तनाव हाथों की अलग-अलग बीमारियों पर निश्चित ही असरदार सिद्ध होता है। जिनके लिए नीचे जमीन पर बैठना संभव न हो, वे कुरसी पर अथवा उसी ऊँचाई के स्टूल पर हाथ रखकर चतुरंगासन की हस्तमुद्रा कर सकते हैं।

□

13

गरदन का दर्द हरने के उपाय-1

बच्चों से लेकर बड़ों तक सभी को कभी-न-कभी अनुभव होनेवाली पीड़ा है गरदन दर्द। छोटा बच्चा जब गरदन सँभालने लगता है और जिज्ञासावश गरदन घुमाकर इधर-उधर या ऊपर देखने लगता है, तब हम भी उसकी ओर प्यार से देखते हैं। पीठ में मेरुदंड के गरदन की हड्डियाँ सबसे पहले और सबसे अधिक हिलने-डुलनेवाली होती हैं। आगे-पीछे, दाएँ-बाएँ वृत्ताकार मुड़ने की क्रिया गरदन से ही होती है। दिन भर में अनुमानत: 6 हजार बार गरदन घुमाई जाती है। इससे गरदन की मांसपेशियों और हड्डियों की क्षति जल्दी होना भी स्वाभाविक है।

गरदन दर्द के कारण कार्य करने में कठिनाइयाँ आती हैं; बल्कि इस दर्द का परिणाम कंधों, पीठ, सिर, हाथ, उँगलियों, आँखों और सीने पर अर्थात् चारों दिशाओं से हो सकता है। भीड़ में गाड़ी चलाना, कंप्यूटर पर काम करते समय एक ही दिशा में देखते हुए काम करना, न उठा सकनेवाले भार को उठाना—इन सभी के कारण गरदन पर दबाव पड़ता है और वह खिंच जाती है। वहाँ के स्नायु सख्त हो जाते हैं। गरदन की गतिविधि में होनेवाला मुक्त खुलापन नष्ट हो जाता है। यात्रा करते समय वाहन का झटका लगने से गरदन को धक्का लगता है। इसी प्रकार यदि निरंतर क्रियाशील गरदन रूठ जाए तो फिर वेदना का पारावार नहीं होता। स्नायुओं तक सीमित दर्द रीढ़ तक पहुँच सकता है। ऊपर से नीचे देखते समय चक्कर-सा आ जाना (वर्टिगो) अथवा संतुलन खोने जैसा लगना, आँखों के सामने अँधेरा छाना जैसे विकार भी गरदन व कान दोनों के कारण हो सकते हैं। गरदन की हड्डियों की क्षति (छीजन) होने से स्पॉण्डिलाइटिस जैसी बीमारियाँ तक हो जाती हैं, जिससे गरदन का दर्द बना रहता है। दु:ख, शोक, भय, संकट आदि के कारण विचलित होकर अथवा शारीरिक व मानसिक वेदना के कारण, अकड़ी हुई स्थिति में

बैठने के कारण, तनाव, एक ही स्थिति में बैठने के कारण अथवा संक्रमण (Infection) के कारण मनकों में असंतुलन होकर वे दुखने लगते हैं, उनपर सूजन आ जाती है और गरदन के कार्य में बाधा उत्पन्न होने लगती है।

गरदन की सात हड्डियों में से पहली दो खोपड़ी और सिर के संचालन में आधारभूत होती हैं। गरदन को आगे बढ़ाते समय सबसे नीचे की हड्डी पीछे त्वचा की ओर आती है। इन सभी हड्डियों में धमनियों और चेता-तंतुओं का जाल फैला हुआ होता है। तब गरदन व सिर, गरदन व कंधों और गरदन व पीठ की हड्डी की गतिविधि मुक्त व खुली होना और दोनों तरफ से एक समान होना, वहाँ खूब रक्त की आपूर्ति होना और स्नायुओं का व्यवस्थापन ठीक होना आवश्यक होता है। रीढ़ की हड्डियों की श्रृंखला टेढ़ी नहीं होनी चाहिए। लिखते, पढ़ते, बोलते समय एक सीध में गरदन टेढ़ी की जाती है, जिसके दुष्परिणाम गरदन दर्द से लेकर स्पॉण्डिलाइटिस से चक्कर आ जाने तक कुछ भी हो सकता है।

गरदन को बहुत सावधानीपूर्वक हिलाना चाहिए, साथ ही गरदन को कतिपय गतिविधियों का पूरा-पूरा उपयोग करना आवश्यक होता है। गरदन का तनाव, गतिविधि और विश्राम—इन तीनों की आवश्यकता होती है। पादांगुष्ठासन, उत्तानासन—इन आसनों की मध्य स्थिति में रीढ़ की हड्डी को शरीर की ओर अंतर्वक्र करके गरदन को भी अंतर्वक्रता की स्थिति में लाया जा सकता है। ऊर्ध्व धनुरासन व उष्ट्रासन द्वारा गरदन को पीछे मोड़ते हुए यही क्रिया साधी जाती है। गुरुत्वाकर्षण के कारण दोनों क्रियाओं में अंतर पड़ता है। साथ ही भरद्वाजासन, मरीच्यासन आदि क्रियाओं में गरदन मोड़ी जाती है। इन मूल आसनों में गरदन को कोई सहारा न होने के कारण ये आसन क्रियाशील होकर ही करने पड़ेंगे। अत: सहारा लेकर यही क्रिया आंतरिक विरोध न लाते हुए शमनात्मक तरीके से करने पर गरदन के स्नायु और हड्डियाँ सहनशील बन जाती हैं। उनपर सीधा तनाव नहीं आता। अत: इन आसनों में केवल ठेठ गरदन की क्रिया को कराने के लिए कोई उपाय खोजना आवश्यक होता है। रक्तचाप या हृदय विकार और गरदन दर्द में इलाज लाभकारी हो, इसलिए खयाल रखना पड़ता है कि आसन दोनों रोगों के लिए लाभकारी हों, लेकिन परस्पर विरोधी बिलकुल न हों। आरंभ में दर्द रहने पर क्रियाएँ शमनात्मक और सांत्वनात्मक दृष्टि से करनी पड़ती हैं। आगे चलकर उन्हें क्रियाशील तरीके से किया जा सकता है।

'शरीर का गठन' (कद) अध्याय में हमने कुरसी पर बैठकर हाथ दोनों तरफ, पीछे कुरसी की पीठ पकड़कर, हाथ पीठ के ऊपर से पीछे पकड़ने की क्रिया जानी थी। पूरी क्रिया में पीछे मोड़ने के कारण गरदन को आराम मिलता है। पर जिन्हें गरदन मोड़ते समय सिर दर्द होता है या चक्कर-सा महसूस होता है, उनके लिए पहले गरदन मोड़ना सीखना उचित है। अत: भरद्वाजासन में थोड़ा बदलकर यह आसन करके देखेंगे।

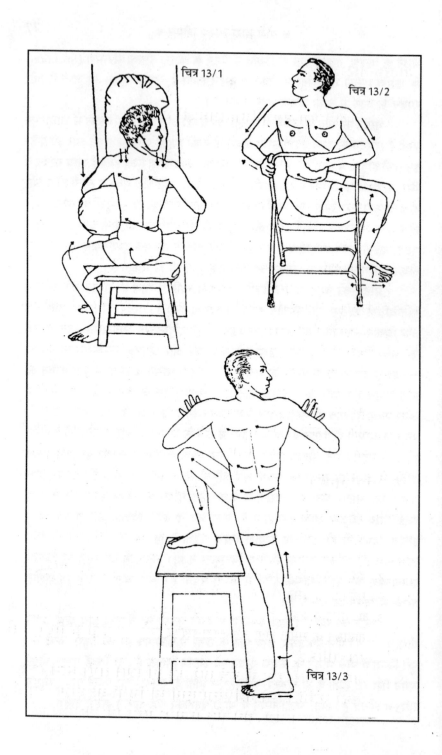

चित्र 13/1

चित्र 13/2

चित्र 13/3

भरद्वाजासन-1

क्रिया

1. अलमारी के पास स्टूल या तिपाई रखकर बैठें। पहले दाईं ओर मुड़ना है, इसलिए इस तरह बैठें कि धड़ का दायाँ किनारा अलमारी के पास आए।

2. साँस छोड़ते हुए दाईं ओर मुड़ें। धड़ को दाईं तरफ झुकाए न रखकर सीधा रखें।

3. अब बाईं कनपटी का हिस्सा, सीना और दीवार के बीच में कंबल की तह, तकिया या मसनद रखें, जिससे दाईं ओर गरदन मोड़ते समय उसे सहारा मिल जाएगा। (चित्र 1)

4. दीवार और सीने के बीच की खुली जगह में मसनद, तकिया या कंबल रखने के कारण रीढ़ दीवार की ओर नहीं झुकती और सीना व कनपटी का हिस्सा उससे टिकाकर रखने से उसे सहारा भी मिल सकता है। गरदन को ज्यादा मोड़ा जा सकता है और सिर दर्द नहीं होता, चक्कर नहीं आते। दोनों हाथों से अलमारी के किनारे पकड़ें और पकड़ को मजबूत रखें।

5. अब धड़ का हिस्सा बाईं तरफ सामने लाकर हाथ छोड़ें। तिपाई पर पूर्णतः बाईं तरफ मुड़ें।

6. अब बाईं तरफ अलमारी से सटकर बैठें और उपर्युक्त तरीके से मसनद अथवा तकिए का सहारा लेते हुए बाईं तरफ मुड़ें। दोनों तरफ 15 से 20 सेकंड रुकें और यह आसन दो-तीन बार करें।

भरद्वाजासन-2

क्रिया

1. कुरसी की बाजू की ओर मुख करके बैठें। पार्श्व किनारा कुरसी की पीठ से सटाकर रखें।

2. दाईं तरफ मुड़ते समय कुरसी की पीठ के किनारे हाथों से पकड़ें और दाईं तरफ मुड़ें। मुड़ते समय साँस लेकर उसे पूर्णतः छोड़ें, जिससे धड़ भी मुड़ेगा।

3. दाईं तरफ न झुकाते हुए गरदन धड़ सहित सीधी रेखा में मुड़ें। कंधे और सीना ताड़ासन के समान लंबा और चौड़ा रखकर गरदन को मोड़ी हुई स्थिति में ही रखें। (चित्र 2)

4. अब साँस छोड़ें, हाथ को नीचे लाएँ, धड़ को सामने लाएँ। कुरसी पर दूसरे किनारे पर बैठें, जिससे बायाँ किनारा कुरसी की पीठ की ओर आएगा। धड़ और गरदन बाईं तरफ मोड़ें। दोनों तरफ 15 से 20 सेकंड रुकें और यह आसन दो-

तीन बार करें। हर समय मुड़ने की क्रिया अधिक और अचूक होगी, इस बात का ध्यान रखें।

उत्थित मरीच्यासन

क्रिया

1. जंघा तक ऊँचाई की तिपाई अथवा अलमारी दीवार के पास रहें।
2. तिपाई की तरफ मुखातिब होकर इस तरह खड़े रहें कि दायाँ पैर और पार्श्व किनारा दीवार के पास रहे। दायाँ पैर घुटने से मोड़कर उठाएँ और स्टूल पर रखें। दाईं तरफ इस प्रकार मुड़ें कि धड़ का पूर्व हिस्सा दीवार के समानांतर रहे। रीढ़ को मोड़ने पर गरदन को मोड़ें। मोड़ी हुई गरदन ऊँची और उसके किनारे समानांतर रखें। (चित्र 3) इस स्थिति में 15 से 20 सेकंड रुकें। अब पहले गरदन और फिर रीढ़ सामने लाएँ और फिर दायाँ पैर नीचे लाएँ।
3. तिपाई के विपरीत तरफ आएँ और बायाँ पैर स्टूल पर रखें तथा उपर्युक्त क्रिया बाईं ओर मोड़कर करें।

इन तीनों प्रकारों में शरीर जिस तरफ मुड़ता है उस तरफ झुकने न दें और आगे भी झुकने न दें। सीना और कंधे चौड़े रखें। कंधों की पाँखें अंदर की तरफ रखें। रीढ़ की हड्डी को उठाते हुए गरदन को मोड़ें। गरदन के स्नायुओं को अकड़ने न दें। सिर्फ आँखों को न मोड़ते हुए गरदन के निचले हिस्से के मनकों एवं कान के पिछले हिस्से में से मोड़ें। गरदन को न मोड़ें। हर बार साँस छोड़ते हुए उसे मोड़ें। अधिक मोड़नी हो तो उसे एकदम न मोड़कर आरंभ में वह जहाँ तक मुड़ सकती है, वहाँ तक मोड़ें, फिर उसी स्थिति में रखकर दो-तीन बार श्वासोच्छ्वास करें। उसके बाद साँस छोड़कर उसे मोड़ें—अर्थात् 'रुकें और मोड़ें', इसी तरीके से करें। एक ही दम में मोड़ने का प्रयास करने पर गरदन और धड़ टेढ़े-मेढ़े होकर मुड़ेंगे। इसलिए इस बात का ध्यान रखना आवश्यक है।

□

14

गरदन का दर्द हरने के उपाय-2

गरदन को आराम देने के लिए, उसकी शरीर की ओर अंतर्वक्रता बनाए रखने के लिए—अर्थात् रीढ़ के भीतरी हिस्से को तानने के लिए रीढ़ को पीछे मोड़ने की यह क्रिया आवश्यक है। मत्स्यासन, पर्यंकासन आदि में पीठ पर लेटकर गरदन को पीछे झुकाया जाता है। पीठ के बल होने के कारण और माथे का (ऊर्ध्व शीर्ष) हिस्सा जमीन पर टिका हुआ होने के कारण इन दोनों टेकुओं के सहारे गरदन के स्नायुओं को क्रियाशील बनाकर उसे अंतर्वक्र बनाया जा सकता है। पर पीड़ायुक्त स्नायु और छिजे हुए मनकों को सहसा एकदम क्रियाशील करने पर वे दुखते हैं। उनपर सूजन आती है, दाह पैदा होता है और वेदना असह्य हो जाती है। स्नायुओं में आलस्य और निष्क्रियता-सी आ जाती है। ऐसे समय स्नायु क्रियाशील भी नहीं होते। अत: गरदन की अंतर्वक्रता साधकर उसे सहारा देने से गरदन के स्नायु शिथिल होकर अक्रियाशील और शांत हो जाते हैं। गरदन पीछे तानने की इस क्रिया को इस शिथिलीकरण से आगे चरण-दर-चरण क्रियाशीलता की ओर बढ़ाने से गरदन दर्द को नियंत्रित किया जा सकता है और यथावकाश स्नायु भी मजबूत होने लगते हैं।

गरदन की पूर्व प्रतन क्रिया-1

गरदन की यह स्थिति मत्स्यासन एवं पर्यंकासन आदि आसनों में होनेवाली क्रिया है।

क्रिया

1. खाट या पलंग पर अथवा मेज पर पीठ के बल लेटें। पैरों को घुटनों में मोड़कर पलंग के किनारे की तरफ इस प्रकार सरक जाएँ, जिससे गरदन उस किनारे

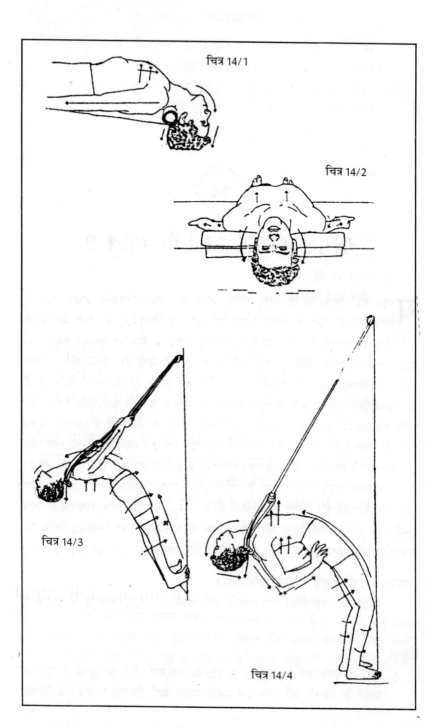

चित्र 14/1

चित्र 14/2

चित्र 14/3

चित्र 14/4

पर पीछे झुकेगी, मुड़ेगी और टँगी रहेगी। गरदन के नीचे तौलिया या वैसी ही किसी कपड़े की लपेटी हुई तह का सहारा लें।

2. ठुड्डी को सिर की तरफ तानते हुए गरदन को लंबा करें। कंधे चौड़े और सीना ऊँचा रखें।
3. सीना उठाते समय सीने के पीछे की रीढ़ की हड्डी यदि पलंग अथवा मेज पर ढीली पड़ रही हो तो पीठ के नीचे कंबल की तह का सहारा लें। संक्षेप में यह कि सीना, पीठ, कंधे ताड़ासन की रचना के समान रखें, जिससे गरदन पर तनाव आएगा। (चित्र 1 बाजू की तरफ से, चित्र 2 सामने से)
4. इसमें भी जरा सी सूक्ष्मता ध्यान में आने पर पहले गरदन का ऊपरी अर्थात् खोपड़ी के निचले हिस्से को मोड़ें। उसके बाद किनारों की ओर खिसकते हुए गरदन का मध्य और अंतिम निचला मनका इस क्रम से उसे मोड़ें।
5. गरदन को पीछे मोड़ते समय आँखें भी उसी दिशा में ले जाएँ। सिर पीछे और आँखें सीने की ओर, इस प्रकार विपरीत क्रिया न करें। आँखें बंद भी न करें। अंतर्वक्र गरदन और पलंग के किनारों में यदि खुली जगह रह जाए तो कंबल की नली जैसी वृत्ताकार तह गरदन के नीचे रखें।

   अस्थमा, उच्च रक्तचाप, सिर दर्द, हृदय रोग आदि बीमारियों में अथवा वृद्धावस्था में—गरदन को पीछे घुमाने की क्रिया अन्य कोई कठिनाई उत्पन्न न होने पर की जा सकती है। इस स्थिति में 3 से 5 मिनट तक रुका जा सकता है।
6. गरदन को पीछे लटकती रखने के बाद झटके से न उठें अथवा गरदन को हिलाकर इधर-उधर न देखें। पहले मेज या बिछौने के किनारे से पैरों की ओर सरकते हुए सिर के पीछे के पश्चिम शीर्ष और धड़ को एक ही स्तर पर लाएँ। कुछ देर इस शवासन स्थिति में रुकें, फिर बाजू की ओर मुड़ें और उठ जाएँ।

गरदन की पूर्वप्रतन क्रिया-2

इसमें गरदन ऊर्ध्व धनुरासन अथवा उष्ट्रासन आदि पीछे की ओर मुड़नेवाले आसनों के समान मोड़ी जाती है।

पूर्व तैयारी—खिड़की की ऊपरी सलाख में मजबूती से रस्सी बाँधें। सावधानी रखें कि उसकी गाँठ खुल न जाए। इस प्रकार रस्सी का फंदा तैयार हो जाएगा। देखें कि फंदेवाली रस्सी की लंबाई आपके खड़े रहते कमर तक आएगी। ऐसी रस्सी के लूप पर नैपकिन अथवा छोटा तौलिया तह करके रखें, जिससे गरदन में चुभेगी नहीं।

क्रिया

1. खिड़की की ओर मुँह करके खड़े रहें। इस रस्सी का लूप गरदन में डालें। उसपर गरदन को अब टँगे रखना है। नैपकिन जैसा कपड़ा गरदन पर ठीक-ठीक बैठाएँ।

2. खिड़की से डेढ़-दो फीट दूर जाएँ। दोनों हाथों से रस्सी पकड़ें, जिससे वह गरदन से हिलेगी नहीं। पैरों को सख्त रखकर गरदन को पीछे झुकाएँ। (चित्र 3)

3. अब कदम दीवार पर सटाएँ, सीना उठाएँ। गरदन की अंतर्वक्रता साधने पर हाथ पीछे पार्श्व भाग पर रखें अथवा जमीन की ओर तानें। डर लगे या तनाव को न सह पाने पर हाथ से रस्सी को पकड़े रखें।

4. अब पैरों को घुटनों में जरा सा मोड़ें। रीढ़ की कमान बनाएँ, जिससे गरदन और पीछे की ओर मुड़ेगी। पहले पैर को कड़ा रखकर और आगे अभ्यास से पैर मोड़कर गरदन को पीछे की ओर मोड़ें। पैर को मोड़ते समय हाथ से रस्सी पकड़ें या उसे जाँघ पर या कमर पर रखें। रीढ़ की हड्डी को अंतर्वक्र बनाकर तानने से उसमें अधिक खिंचाव होता है। (चित्र 4) पीछे मोड़ने के कारण गरदन अधिक खुली हो जाती है। कंधे, गरदन और बगलें खुली रखें। जत्रु की हड्डियों को चौड़ा करें। कंधे के पाँखों को अंदर की तरफ लें। गरदन और पीठ की अंतर्वक्रता साधें।

   मुड़े पैर सीधे करके गरदन को झुकाना उष्ट्रासन जैसी और पैरों व गरदन को झुकाना ऊर्ध्व धनुरासन जैसी क्रिया होती है।

5. इस आसन प्रकार से वापस आते समय पहले हाथ से पार्श्व भाग को सहारा दें और पैरों को सीधा करें। कुछ देर रुकें। हाथों से रस्सी को पकड़कर तथा दीवार से दूर आते हुए पैर सीधे करें। रस्सी को पकड़कर पीछे चलते हुए शरीर ताड़ासन में लाएँ। गरदन सीधी रखें। फिर गरदन के चारों ओर का फंदा निकालें। आँखें खुली रखें। रक्तचाप कम होने पर काम का तनाव गरदन पर आ जाने या गरदन को पीछे मोड़ने की आदत न होने के कारण आँखों के सामने अँधेरा छाया-सा लगता है। इसलिए आँखें खुली ही रखें। आँखें बंद करने पर अधिक तकलीफ होती है। इस प्रकार अँधेरा छा जाना स्पॉण्डिलाइटिस की आहट समझें। न घबराते हुए गरदन को मोड़ने की यह क्रिया जारी रखें। आरंभ में प्रकार-1 करके प्रकार-2 के चित्र 3 के अनुसार क्रिया करने पर गरदन मोड़ने की तीव्रता धीरे-धीरे बढ़ेगी और उसकी आदत हो जाएगी। काम के तनाव या मानसिक तनाव के कारण गरदन के स्नायु थक जाते हैं,

यही तनाव का मुख्य लक्षण होता है। गरदन (सर्वाइकल) और पेट का पोला हिस्सा (लंबर) ये दोनों ऐसे अंग हैं कि उनका इस्तेमाल भी अधिक होता है और उनमें थकान भी बहुत होती है। और जमीन पर टिकाकर उन्हें आराम नहीं दिया जा सकता, क्योंकि वे अधर में ही हैं। इन दोनों प्रकारों में गरदन को प्राप्त सहारा उसे आराम देता है, जिससे दिमाग भी शांत हो जाता है। दफ्तर या स्कूल से लौटने पर काम, पढ़ाई, भीड़, आवागमन आदि से होनेवाली थकान को इस तरीके से मिटाया जा सकता है। गरदन दर्द का यह रामबाण उपाय सबके लिए उपयुक्त है।

☐

15

गरदन की अंतर्वक्रता

पिछले अध्याय में हमने गरदन की अंतर्वक्रता साधने के लिए सरल आसनों के बारे में जाना। इस अध्याय के अंतर्गत बताए जा रहे आसन उनकी अपेक्षा अधिक उन्नत और अधिक प्रभावकारी हैं।

ऊर्ध्वमुख श्वानासन

यह आसन दोनों हाथ अलग-अलग ऊँचाई पर रखकर करने पर उसका परिणाम मेरुदंड पर अलग-अलग स्थानों पर होता है। दोनों हाथ ऊँचाई पर रखने पर उसका परिणाम गरदन की अंतर्वक्रता से आरंभ होती है। हाथों को जमीन पर पैरों की सतह पर लाने से रीढ़ के आखिरी मनके तक उसकी अंतर्वक्रता बढ़ती जाती है। इसके विपरीत पैर जरा सी ऊँचाई पर और हाथ नीचे जमीन पर—इस तरीके से भी यह आसन किया जा सकता है। यहाँ गरदन की अंतर्वक्रता का संबंध होने के कारण हाथ ऊँचाई पर रखकर अंतर्वक्रता को साधा जाता है।

क्रिया

1. छज्जे के पास अथवा जंघा की ऊँचाई तक के स्टूल के पास खड़े रहें। दोनों हाथ उसपर रखें। कदम पीछे ले जाएँ। कदम जोड़ें। ऐसा असंभव हो अथवा कमर या पीठ में अतिरिक्त तनाव महसूस हो तो पैरों के बीच अंतर रखें। खासकर यदि साइटिका हो अथवा पेट का पोले हिस्से के मनकों में अंतर हो अथवा चकतियाँ सरक गई हों तो कदमों में अंतर रखना बेहतर होता है। इससे रीढ़ के स्नायु बाजू की तरफ फैल जाते हैं।
2. श्वास छोड़ें। अब रीढ़ को अंतर्वक्र बनाएँ। गरदन को पीछे की ओर तानें।

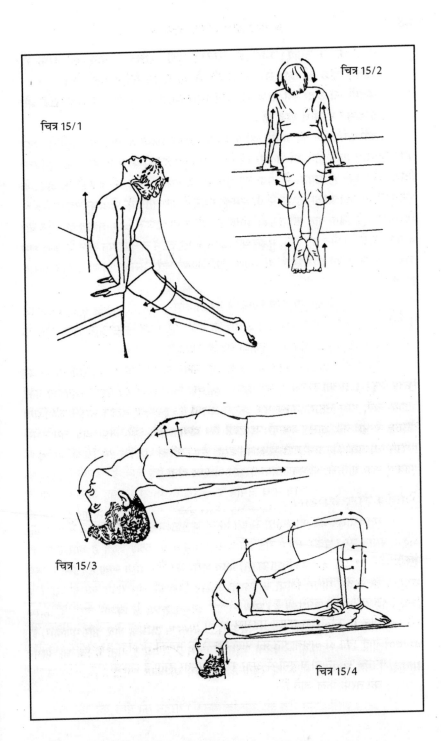

चित्र 15/2

चित्र 15/1

चित्र 15/3

चित्र 15/4

3. कंधों को न उठाएँ। सीने को सिकोड़ें नहीं। (चित्र 1 बाजू की तरफ से, चित्र 2 पीछे की ओर से) इस स्थिति में 10 से 15 सेकंड तक रुकें।
4. कदमों को अंदर की तरफ लेते हुए स्टूल या छज्जे के पास खिसक जाएँ और ताड़ासन में सीधे खड़े रहें।

आरंभ में रुकने की अवधि बढ़ाने की अपेक्षा यह क्रिया दो-तीन बार करने से गरदन की गतिविधि मुक्त होने का अवसर मिलेगा। रीढ़ की हड्डी के पीछे मुड़ने की पूर्वप्रतन क्रिया को पहले ही प्रयास में ठीक नहीं किया जा सकता। रीढ़ की हड्डी के अंदर के स्नायुओं को अंतर्वक्रता साधने में भी समय लगता है और सीने के पीछे पड़नेवाले रीढ़ के हिस्से के मुड़े बिना पीठ की हड्डी अंतर्वक्र नहीं होती। इसके लिए आसन दो-तीन बार करना पड़ता है। पीठ की तरफ मुड़ने की क्रिया में गरदन में लचीलापन आने के बाद हाथ नीचे, अर्थात् किसी छोटे स्टूल पर रखकर यह आसन करें। उसकी क्रिया उपर्युक्तानुसार ही है।

जंघा की ऊँचाई पर हाथ रखने से गरदन और उसके नीचेवाली सीने की ऊपरी पसली मुड़ जाती है और हाथ कम ऊँचाई के स्टूल पर रखने से सीने के पीछे, पीठ के पीछे पड़नेवाले रीढ़ के हिस्से में ज्यादा मुड़ाव आता है।

रस्सी पर गरदन लटकाने की क्रिया और पलंग या खाट पर गरदन पीछे मोड़ने की क्रिया—इन दोनों की तुलना में यह आसन अधिक क्रियाशील है। यहाँ गरदन को कोई सहारा नहीं, परंतु सहारा लेकर यह आसन करना है। इसलिए गरदन मोड़ने की क्रिया तीव्रता से नहीं की जाती। जब हम कहते हैं कि आसन धीरे-धीरे किया जाए, तब उससे तात्पर्य यह नहीं कि उन्हें गतिपूर्वक न किया जाए, बल्कि यह कि इस क्रिया को जान-बूझकर कम गति से अधिक गति की ओर बढ़ाना होता है।

सालंब सेतुबंधासन

सेतुबंधासन का यह सहारा सहित किया जानेवाला प्रकार है। आसन में सिर और कदम जमीन पर रखकर संपूर्ण रीढ़ की हड्डी जमीन से उठाई जाती है और हाथ तह करके सीने पर रखे जाते हैं। बिना सहारा लिये शरीर का सेतु बाँधा जाता है। इसी में कुछ थोड़ा अंतर करके साधार किया जानेवाला आसन विद्यार्थी और मध्य वय के लोगों के लिए निश्चित रूप से उपयुक्त है। साथ ही यह आसन शय्या के किनारें करने के कारण भय नहीं लगना चाहिए। यह आसन पूर्वकथित आसन से अधिक तीव्र और गुणकारी है; पर सावधानी और सतर्कता से करना पड़ता है। हमारी मनोवृत्ति होती है कि जो आसन सावधानी और सतर्कता से करना पड़ता है, वह हमें मुश्किल लगता है।

क्रिया

1. पिछले अध्याय के प्रकार-1 में गरदन को पीछे मोड़ने की क्रिया जान ली है, उसी प्रकार इस आसन के लिए शय्या या मेज पर पीठ के बल सीधे लेट जाएँ। (चित्र 3)

2. पीठ और गरदन के नीचे कंबल की तह रहने दें।

3. साँस छोड़ें। अब दोनों पैरों को घुटनों में मोड़ें। एड़ियाँ और कदमों को जंघाओं के करीब पार्श्व भाग की ओर लाएँ। पैरों के बीच का अंतर 10 से 12 इंच रखें।

4. हाथ कदमों की ओर ले जाकर हाथों से टखनों को पकड़ें। यदि हाथ वहाँ तक न पहुँच पाते हों तो टखनों को रस्सी या तौलिया लपेटकर उसके छोर अपने हाथों से पकड़ें।

5. अब श्वास छोड़ें। पीठ और पार्श्व को इस प्रकार उठाएँ कि कंधे का ऊपरी हिस्सा बिछौने के सिरे पर रहेगा और गरदन बिछौने के किनारे से लटकती रहेगी। रीढ़ की हड्डी अंदर की तरफ धकेली जाने से उसकी कमान बन जाएगी। हाथों की पकड़ टखनों या रस्सी पर होने के कारण कंधे किनारे से नहीं फिसलेंगे। (चित्र 4)

6. इस स्थिति में स्थिर बनें। स्थिर हो जाने पर ध्यान कंधों, कंधों की पाँखों, गरदन, सीने पर रहने दें। हाथों का खिंचाव पीछे पैरों की ओर रहने दें। कंधों को पीछे धकेलें। सीना आगे बढ़ाएँ। कंधों की सीध में आनेवाला गरदन से सिर तक का गरदन का हिस्सा लटकता छोड़ें। बगल का हिस्सा आगे लाएँ।

   यह आसन ऊँचे स्थान पर करना चाहिए, ताकि गरदन को लटकाए रखने के लिए जगह मिल सके। खाट न हो तो भोजन के पीढ़ों को एक-दूसरे पर रखकर अथवा सीढ़ियों पर भी यह आसन किया जा सकता है।

7. 20 से 30 सेकंड आसन की स्थिति में रहें। आसन से नीचे आते समय श्वास को छोड़ें और पीठ का हिस्सा बिछौने पर नीचे लाने के लिए हाथों की पकड़ को जरा सा ढीला करके और नीचे बिछौने पर आते हुए पीठ के बल लेटें। पैर सीधे करें। पैरों की तरफ खिसकते हुए बिछौने पर सीधे हो जाएँ, करवट लें और उठें।

इस आसन में कंधों और गरदन की योजना ठीक कर हाथों से रस्सी को ठीक पकड़ने, कंधों के छोरों की पकड़ बिछौने के किनारों पर ठीक से तैयार करने के लिए हमें बिछौने या मेज पर निश्चित रूप से किस स्थान पर लेटना है, इस बात का ठीक अनुमान लगाना पड़ता है। शरीर को अंतर्वक्र उठाते समय कंधे किनारे से फिसल न जाएँ, इस बात की भी सावधानी बरतनी पड़ती है। गलती ठीक वहीं होती है, जहाँ शरीर को उठाते समय कंधों को धक्का पहुँचता है, जिससे कंधे आगे गरदन की ओर खिसक जाते हैं। कंधों का

आगे की ओर न खिसककर पैरों की ओर सरकना आवश्यक है।

यह आसन करते समय नीचे फिसल जाने का डर लगने पर किसी से सहायता ली जाए। सहायक को कंधे का सहारा देने के लिए कहा जाए, ताकि कंधे मेज के किनारों से फिसलें नहीं।

ये दोनों आसन केवल गरदन के लिए नहीं बल्कि पूरी रीढ़ के लिए लाभप्रद हैं। पहले प्रकार में गुरुत्वाकर्षण के विपरीत गरदन उठाकर मोड़नी पड़ती है। इससे गरदन के स्नायुओं पर सीधे दबाव नहीं पड़ता। इसके विपरीत दूसरे प्रकार में कंधे नीचे होने के कारण रीढ़ को गुरुत्वाकर्षण के विपरीत उठाना पड़ता है। दूसरा प्रकार पहले की अपेक्षा अधिक सक्रिय है। कंधे को मिला बिछौने के किनारों का सहारा होता है। कंधों से गरदन को लंबाई में खींचकर, तानकर लटकती छोड़ने के कारण शरीर की तरफ से गरदन को प्राप्त यह एक प्रकार का 'ट्रॅक्शन' ही होता है। पूरे शरीर का गरदन के विपरीत होनेवाला दबाव गरदन के लिए लाभकारी होता है।

□

16

उत्तिष्ठ स्थिति में पश्चिमप्रतन

कई बार गरदन के दर्द या 'स्पॉण्डिलाइटिस' के कारण सिर भारी हो जाता है और सिर दर्द होता है। ऐसी स्थिति में गरदन को पीछे तानने पर सिर दर्द होने लगता है। गरदन को जरा सा ठीक लगता है, पर सिर में दर्द होता है। इसका यह तात्पर्य नहीं कि गरदन को पीछे तानना सिर से सहा नहीं जा सकता। क्योंकि गरदन पीछे मोड़ते समय हर स्थिति में गरदन को सहारा दिया जाता है; लेकिन जिनका रक्तचाप नीचे गिरा हुआ होता है या सायनस के कारण नाक बंद हुई होती है अथवा सिर पीछे ले जाते समय भय के कारण साँस रोकी जाती है, ऐसे व्यक्तियों को सिर दर्द या भारीपन महसूस होता है। शरीर जितना जटिल है उतना ही नाजुक भी।

जिस समय इस प्रकार की तकलीफ या दर्द होता है उस समय अमुक आसन अपने शरीर के लिए अनुकूल नहीं है, ऐसा समझकर उसे नजरअंदाज नहीं करना चाहिए। उसके पीछे का कारण समझकर अपने शरीर में वह कहाँ आवश्यक है, इसे देखना पड़ता है। शरीर का गठन, स्नायु विशेष में कमजोरी, शरीर का किसी स्थान पर काष्ठवत् कड़ा होना, किसी एक हिस्से का दूसरे से किसी क्रिया विशेष में सामंजस्य न होना, जिससे उस क्रिया विशेष से शरीर का जुड़ाव न होना आदि कई कारण उसके पीछे हो सकते हैं। ऐसे समय सहसा साँस रुक जाती है। साथ ही भय लगना, मन सिकुड़ जाना और उस सिकुड़न के कारण शरीर सिकुड़ जाना आदि बातें उसके लिए कारण हो सकती हैं।

अत: अब हम जो दो आसन सीखने वाले हैं, वे आगे झुकनेवाले अर्थात् पश्चिमप्रतन आसन हैं, जिनसे गरदन दर्द किसी हद तक कम होता है और सिर दर्द की परेशानी नहीं होती। खासकर यदि गरदन में मोच आई हो या कसक भरी हो तो भरद्वाजासन, उत्थित मरीच्यासन के साथ इन दो आसनों का समावेश करने पर गरदन का दर्द कम

होता है। इसमें गरदन की अंतर्वक्रता उत्तानासन, पादांगुष्ठासन आदि आसनों की मध्य स्थिति के समान होती है।

उत्तानासन-1

क्रिया

1. जंघा तक ऊँचा स्टूल, लिखने की मेज अथवा डाइनिंग टेबल के सामने 2 फीट की दूरी पर खड़े हो जाएँ।
2. आगे झुककर हाथ से मेज पकड़ें और भाल का हिस्सा उसपर टिकाएँ।
3. कदमों में 1 फीट का अंतर रखें। पार्श्व भाग तक का पैर जमीन से लंब रूप में रखें।
4. सीने के पीछे की पीठ की हड्डी को अंदर की तरफ दबाएँ और उसे अंतर्वक्र रखें, जिससे पीठ में कूबड़ नहीं रहेगा।
5. अब चिबुक को मेज या स्टूल के किनारे से टिकाएँ और गरदन को अंतर्वक्र करें। कंधे की पाँखों को अंदर की तरफ लें। दोनों हाथ नीचे टँगे रखें (भाग 9)। अथवा हाथों से मेज के किनारे अथवा पैर पकड़ें (चित्र 2)। चिबुक का मेज पर दबाव और पीठ की हड्डी अंदर की तरफ—इस स्थिति के कारण गरदन की होनेवाली अंतर्वक्रता लाभकर होती है। यह क्रिया साँस को छोड़ते हुए करने से सीने का हिस्सा जमीन की तरफ आता है और क्रिया अधिक असरदार होती है।
6. अब हाथ से स्टूल पकड़कर चिबुक को उठाएँ और सीधे ताड़ासन में खड़े रहें। जिनकी धड़कनें तेज होती हैं, पेट मिचलाता है अथवा तनाव को जो लोग बरदाश्त नहीं कर सकते, ऐसे व्यक्ति आगे बताए अनुसार क्रिया करें।
7. डाइनिंग अथवा लिखने की मेज के सामने इस तरीके से खड़े हो जाएँ कि मेज का किनारा जंघा से सटा हुआ हो। आगे झुकें। अब धड़ का अगला अर्थात् पूर्व हिस्सा, सीना, पेट मेज पर टिके हुए हों।
8. दोनों हाथ कुहनियों से मोड़कर मेज पर रखें। अब ठुड्डी को उठाकर डिक्शनरी के समान मोटे ग्रंथ के किनारों पर अथवा ईंट पर तौलिया फैलाकर (जिससे कि वह चुभे नहीं) उसपर रखें। इसमें पूरे धड़ को सहारा मिलने के कारण गरदन अंतर्वक्र करते हुए डर नहीं लगता। वृद्ध लोगों के लिए भी इसे करना सुविधाजनक होता है। हृदय रोग, कमर दर्द के रहते अथवा उदरावकाश के मनकों का छीजन होने पर यह क्रिया उपयोगी होती है। (चित्र 3)
9. संभव हो तो हाथ पीछे पीठ की ओर लेकर बद्धांगुलि मुद्रा करें, यानी उँगलियाँ आपस में गूँथें, जिससे कंधों की पाँखें अंदर की तरफ जाकर कंधे आगे मुड़ते नहीं (चित्र 4)। गूँथी हुई उँगलियों सहित हथेलियों की तरफ से मोड़ने पर कंधों और

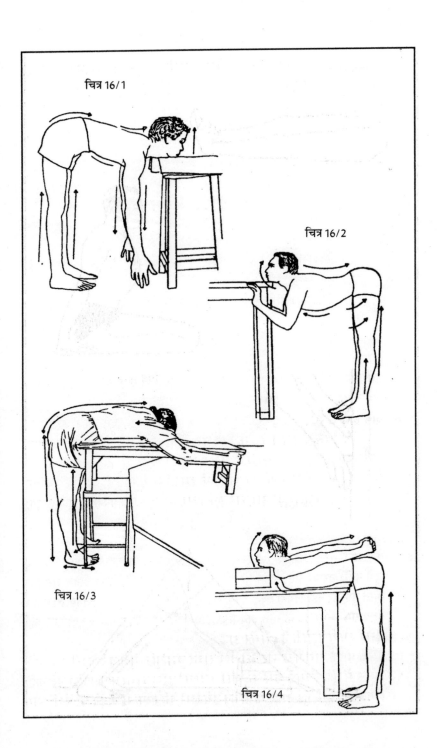

चित्र 16/1

चित्र 16/2

चित्र 16/3

चित्र 16/4

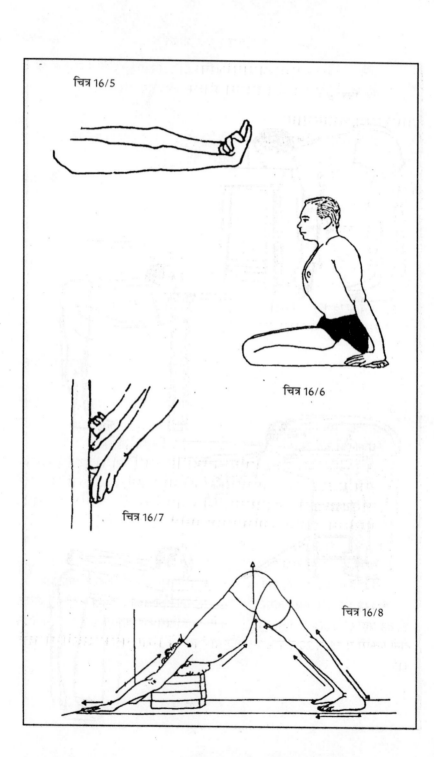

चित्र 16/5

चित्र 16/6

चित्र 16/7

चित्र 16/8

सीने की रचना में सुधार आ जाता है (चित्र 5)। अब हाथ स्टूल पर रखकर ठुड्डी को उठाएँ और रीढ़ की हड्डी को अंतर्वक्र करते हुए सम स्थिति में आएँ।

अधोमुख श्वानासन

यह स्थिति अधोमुख श्वानासन की है। इसके कारण हाथ और सिर की स्थिति बदलकर गरदन पर उचित परिणाम साधा जाता है।

क्रिया

1. दीवार के सामने मुखातिब होकर वीरासन में बैठें। (चित्र 6)
2. बाद में दोनों हथेलियों को जमीन पर रखें और उँगलियाँ फैलाकर अँगूठा अंदर की तरफ तथा तर्जनी बाहर की तरफ इस तरीके से हाथ दीवार से टिकाएँ (चित्र 7)। दीवार पर दबाने के कारण दोनों उँगलियों का मजबूत सहारा मिल जाता है।
3. अब पार्श्व भाग को उठाकर पैर पीछे ले जाएँ और अधोमुख श्वानासन करें। सिर के नीचे मसनद अथवा कंबल की तहें रखकर माथे को उसपर टिकाएँ। नाक को दबने न दें।
4. हाथ और पैर मजबूती से रखकर उन्हें फिसलने न दें। माथे का हिस्सा तह पर दबाकर गरदन को अंतर्वक्र करें। (चित्र 8)
5. कंधे की पाँखों को अंदर की तरफ करें। माथे को मिलनेवाला सहारा तथा पीठ की हड्डी, गरदन व आँखों को ठंडक मिलती है। पढ़ाई के कारण होनेवाली मानसिक थकान में यह आसन निश्चित रूप से उपयुक्त सिद्ध होता है।
6. आसन से एकदम ऊपर न आएँ बल्कि पहले सिर उठाएँ, पैरों को घुटनों में मोड़कर अंदर की तरफ धड़ के पास लाएँ और घुटने मोड़ें तथा नीचे बैठें। आरंभ में गरदन को अंतर्वक्र करने में यदि डर लगे तो भी अभ्यास से डर धीरे-धीरे कम हो जाता है। भय के कारण क्रिया अधूरी व दोषपूर्ण होती है और लगता है कि प्रतीत होनेवाले परिणाम मानो दुष्परिणाम ही हैं। एक बार मन में डर बैठ जाने पर जिनको आसन करने की लगन होती है, वे भी अविचार में आसन करना छोड़ देते हैं। अतः इस क्रिया में गलती कहाँ होती है, जाँचने के लिए भी धैर्य की जरूरत होती है।

अधोमुख श्वानासन करके सिर कहाँ पहुँचता है, इसका अनुमान करते हुए कंबल की तहें वहाँ रखें। हाथ से कंबल की तहें आगे-पीछे खिसकाई जा सकती हैं। आरंभ में इन दोनों प्रकारों में 15 से 20 सेकंड अथवा यथासंभव रुकें। आगे चलकर अवधि को बढ़ाते जाएँ।

□

17

झुकता उत्तानासन

हाथ के जोड़ों की रचना ऐसी होती है कि वे आगे-पीछे वृत्ताकार घुमाए जा सकें। उनके इन खुले कार्यकलापों में स्नायुओं के कड़ेपन से बाधा आने पर दर्द शुरू होता है। कई प्रकार के कामों में नित्य रत रहनेवाले दोनों हाथों का कितना भी इस्तेमाल किया जाए, फिर भी उनके सभी प्रकार के कार्यकलापों का अंतर्भाव उसमें नहीं होता। अतः हाथ वृत्ताकार घुमाने की यह क्रिया हम हाथों को जिस प्रकार आगे से उठाकर करते हैं, वैसे ही इसे पीठ की तरफ से उठाकर पूरा करेंगे।

उत्तानासन-2

पूर्व तैयारी—खिड़की की निचली सलाख को अर्थात् जंघाओं की ऊँचाई तक की सलाख में रस्सी मजबूती से फँसाकर उसकी गाँठ मजबूत करें, जिससे शरीर का भार उसपर पड़ने पर भी गाँठ खुले नहीं। यह रस्सी सामान्यतया 4.5 फीट लंबी हो, जिससे गाँठ बाँधने पर तैयार होनेवाले लूप में से धड़ आसानी से जा सकेगा।

क्रिया

1. अब रस्सी के लूप में एक के बाद एक पैर डालकर खड़े हो जाएँ। रस्सी को ऊर्ध्व जंघाओं की ओर खिसकाएँ। अधोदर का हिस्सा उसपर न टिकाएँ।
2. अब पैर फैलाएँ और कदमों में डेढ़-दो फीट का अंतर रखें। कदम सामने रहने दें। साँस छोड़ें और आगे की तरफ इस प्रकार झुकें कि रस्सी के लूप के ऊपर से धड़ का हिस्सा आगे झुकेगा, बल्कि छोड़ दिया जाएगा।
3. कदम जरा से पीछे लेकर पैर आगे रस्सी पर दबाकर रखें। दोनों हाथ जमीन पर रखें। जंघाओं के गिर्द रस्सी होने के कारण आगे की तरफ गिरने का डर

नहीं होता। यह आगे झुकनेवाला उत्तानासन कमर दर्द, पार्श्व भाग के स्नायुओं का तनाव दूर करने के लिए, स्नायु सिकुड़ गए हों तो उन्हें खुला करने के लिए और सायनस के कारण सिर भारी हुआ हो तो राहत के लिए उपयुक्त है। (चित्र 1)

डर के मारे पेट और सीना सिकुड़ने न दें। शरीर को जमीन की तरफ लंबा और सीधा छोड़ दें। पैरों को तना हुआ रखें। पैर एड़ियों की ओर फिसलने लगें तो एड़ियों को जमीन पर दबाए रखें अथवा दीवार और एड़ियों के बीच में आधार के लिए ईंटें, पीढ़ा या स्टूल रखें, जिससे वे फिसलें नहीं। (चित्र 1)

4. इस स्थिति तक उत्तानासन में आ जाने पर पैरों पर शरीर का भार खिसकाते हुए सीधे खड़े रहें। दो बार साँस लें। अब इस स्थिति में हाथों के लिए खास क्रिया करनी है।

5. ऊर्ध्व जंघाओं पर कसी रस्सी पर बल देकर खड़े रहें। दोनों हाथ पार्श्व भाग की ओर ले जाते हुए उँगलियों को गूँथकर बद्धांगुलि करें।

6. अब साँस को छोड़कर उपर्युक्त सूचना के अनुसार आगे की तरफ झुकें। धड़ को आगे झुकाते हुए हाथ भी पीठ के ऊपर से सिर की तरफ लाएँ। उत्तानासन में जैसे-जैसे धड़ आगे झुकता जाएगा वैसे-वैसे हाथों को भी सिर की तरफ से जमीन की ओर ले जाएँ। (चित्र 2)

7. गूँथी हुई उँगलियों सहित हाथ उठाना और उन्हें कड़े रखना असंभव हो तो हाथों से नैपकिन जैसे कपड़े के छोर मजबूती से पकड़ें और नीचे झुकते समय कुहनी के जोड़ को कड़ा रखकर सिर पर से हाथों को जमीन की ओर झुकने दें (चित्र 3, 4)। कंधे से वृत्ताकार घुमाव लेकर हाथ बगलों से ऊपर सिर पर ले जाएँ। ऐसा करते समय साँस को अवरुद्ध न करें और सीने को सिकुड़ने न दें। हाथ सिर पर से पीछे ले जाते समय धड़ से 90 अंश का कोण बनाकर वे आसानी से मोड़े जा सकते हैं। उसके बाद साँस को जरा सा लंबा 'हुँ'-कार सहित छोड़ते हुए, हाथों को कुहनियों में खींचकर मोड़ते हुए, साथ ही कलाइयों की दिशा में सीधे करते हुए सिर की तरफ ले जाएँ। ऐसे समय हाथ सिर की दिशा में कुछ ही अंशों में मुड़ते हैं। हालाँकि दो-तीन अंशों तक हाथ घुमाने-मोड़ने का जो कष्टकर अंश है, वह अधिक उपयुक्त होता है।

8. शरीर को उठाते समय पहले हाथ पुनश्च नीचे पार्श्व भाग पर लाएँ। साँस छोड़ें, शरीर को रस्सी पर झोंककर धड़ को ऊपर उठाएँ, सम स्थिति में आएँ।

खिड़की में रस्सी बाँधना, हाथ में नैपकिन पकड़ना आदि आडंबर के कारण यह क्रिया कुछ जटिल लगती है; लेकिन यह सिर्फ आरंभिक, अर्थात् शरीर के कार्यकलापों

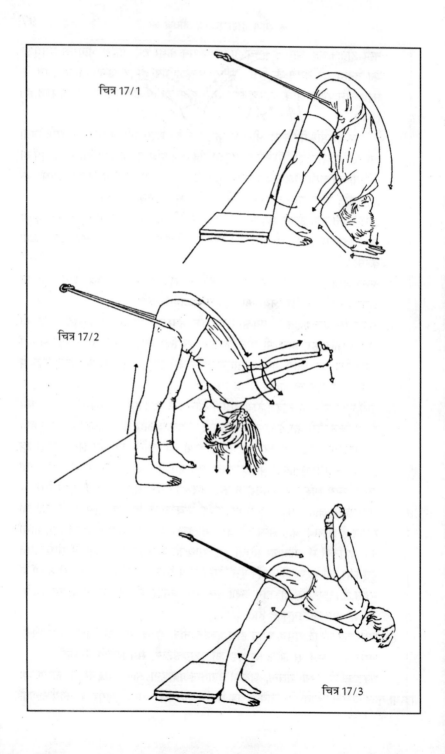

चित्र 17/1

चित्र 17/2

चित्र 17/3

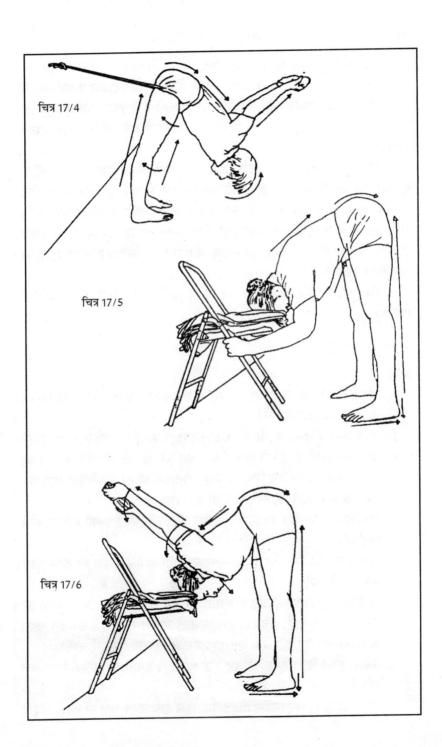

चित्र 17/4

चित्र 17/5

चित्र 17/6

का अनुमान लगने तक ही होता है। आदत पड़ जाती है तो करने में अधिक समय नहीं लगता। आसन साधना शरीर की कसरत न होकर शरीर के कार्यकलापों का उचित एवं सहज प्रयोग करने का ज्ञान है। कई बार सिर्फ कार्यकलापों में अचूकता और सुनिश्चितता कैसे साधी जाए, इस बात का ज्ञान न होने के कारण ये बातें मुश्किल एवं जटिल लगती हैं।

महिलाओं के रोटी बेलने, चटनी पीसने, कपड़े धोने, बरतन माँजने, भारी बालटियाँ या गगरियाँ उठाने अथवा पुरुषों द्वारा भारी वस्तुएँ उठाने से हाथ या गरदन में दर्द होना आदि के कारण हाथों और गरदन के कार्यकलाप सीमित होकर उसमें होनेवाले स्नायु अकड़ जाते हैं या सख्त हो जाते हैं। ऐसे समय यह आसन लाभकारी सिद्ध होता है। पीठ की तरफ से सिर की ओर जाते समय हाथ और पीठ पर आनेवाला खिंचाव दर्द पर उपायकारक होता है।

खिड़की में रस्सी बाँधना असंभव हो तो यह आसन अलग तरीके से किया जाता है।

उत्तानासन-3

क्रिया

1. दीवार से सटाकर कुरसी रखें। कुरसी के सामने डेढ़-दो फीट का अंतर रखकर खड़े रहें। कदम सामने रखें।

2. दोनों हाथों से कुरसी के किनारे पकड़कर माथा कुरसी पर टिकाएँ। सिर कुरसी पर न टिकने पर कुरसी पर तकिए या कंबल की तह रखें और पैरों के बीच का अंतर बढ़ाएँ, जिससे सिर टिक जाएगा। उत्तानासन की यह स्थिति सिर भारी होने पर, रक्तचाप बढ़ने पर उपयुक्त होती है। (चित्र 4)

3. एक बार पैरों के बीच का अंतर और सिर रखने की स्थिति पक्की होने पर सीधे खड़े रहें।

4. अब साँस छोड़ें, फिर सिर कुरसी पर टिकाएँ और दोनों हाथ पीठ की तरफ पार्श्व भाग पर ले जाएँ।

5. हाथों में नैपकिन पकड़ें और हाथ पीठ की ओर से सिर की तरफ—कुरसी की पीठ के पास ले जाएँ। (चित्र 6) हाथ ऊपर ले जाते समय पीठ में कूबड़ न लाएँ। शरीर का भार पैरों की तरफ और हाथ उसकी विपरीत दिशा में जाएँगे।

6. प्रकार-2 की क्रिया हूबहू कीजिए और आसन में यथासंभव अधिक समय तक रुकिए।

7. शरीर को उठाते समय साँस छोड़ते हुए पहले हाथ पार्श्व भाग पर लाएँ, बाद में

कुरसी के किनारों को पकड़कर सम स्थिति में आएँ।

उत्तानासन के ये दोनों प्रकार आरंभ में दो-तीन बार करें और हर समय 15 से 20 सेकंड साँस न रोकते हुए रुकें। आसन में जाते समय और वापस आते समय दीर्घ साँस छोड़ें।

ये दोनों प्रकार उत्तानासन के हैं। परंतु उनमें हाथों की क्रिया हलासन के समान है। हलासन में हाथ पीछे ले जाकर कंधों की तरफ से पंजे की तरफ और गरदन की विपरीत दिशा में खींचा जाता है; परंतु उत्तानासन में हाथों को पूर्णत: खिंचाव देने के लिए खुली जगह मिलती है और फिर शरीर का भार गरदन पर नहीं होता। उसके कारण कंधों, बगलों और हाथों के जोड़ खुल जाते हैं।

हाथों को इस प्रकार से विपरीत घुमाने पर हाथ जोड़ों से खिसक जाने का डर लगना स्वाभाविक है। परंतु हाथ इस प्रकार खिसकते नहीं। हाथ पीछे से सिर की तरफ ले जाते समय हाथों के बीच का अंतर कंधों की चौड़ाई जितना अथवा उसकी अपेक्षा कम होना आवश्यक है। अत: हाथ गूँथने पर हाथ जोड़ों से खिसक नहीं जाते। तौलिए या नैपकिन को पकड़ते समय भी यही अंतर होना आवश्यक है। हाथों के बीच का अंतर कंधों से अधिक रखने पर—अर्थात् हाथ अधिक फैलाए जाने पर—उनके खिसक जाने की संभावना होती है। अत: दोनों हाथों का पास होना आवश्यक है।

हाथों का दर्द, कंधों में दर्द या हाथों से भारी वस्तु उठाने पर स्नायुओं के जकड़ने पर अथवा गठिया रोग, आमवात आदि विकारों के रहते कंधों के जोड़ खोलने के लिए ये दोनों आसन उपयुक्त सिद्ध होते हैं।

18

स्नायुओं का समुचित गठन

सम स्थिति अथवा शवासन दोनों में कंधे, गरदन, सिर, पीठ, सीने आदि का गठन उचित होना आवश्यक है। पीठ में कूबड़, सीना सिकुड़ा हुआ, हाथ के स्नायु अकड़े हुए, गरदन के स्नायु कड़े—ऐसी स्थिति में सतर्क रहने की चुनौती देनेवाली सम स्थिति हो अथवा आरामदेह शवासन हो, दोनों में रचना यदि सदोष हो तो इच्छित परिणाम नहीं साधा जा सकता। कंधे, पीठ, सीना और गरदन की सिर्फ रचना बदल जाने के कारण कई व्याधियाँ हो सकती हैं। यदि शरीर को एक बार सदोष रचना की आदत पड़ जाए तो वह बदल नहीं सकती और उस सदोष रचना के विपरीत क्रिया करके उसे सुधारने का प्रयास करने पर शरीर में दर्द होता है। उसके कारण अभ्यास का सहारा लेनेवाले कई व्यक्ति होते हैं। 'योगासन करना छोड़ने से क्या नुकसान हो सकता है?' इस प्रश्न का उत्तर इसमें छिपा हुआ है। सदोष रचना पर विजय पाने के बजाय बीमारी को बढ़ाने पर परिणामत: अनेक व्याधियाँ लग सकती हैं। इसकी अपेक्षा आरंभ से ही क्या योग्य कारणों के लिए दर्द को सह लेना उचित नहीं?

पतंजलि ने अज्ञान, मोह, क्रोध, द्वेष और अहंकार ये पाँच क्लेश प्रसुप्त, तनु, विच्छिन्न और उदार इन चार स्थितियों में होते हैं। साथ ही बीमारी भी इन चार स्थितियों में होती है। कुछ बीमारियाँ सुप्त स्थिति में होती हैं। वे कब बढ़ जाएँगी, इसका कोई अनुमान नहीं होता। कुछ बीमारियाँ उदरावस्था में होती हैं, यानी जो साफ-साफ दिखाई देती हैं। छिपी हुई या सुप्तावस्था में होनेवाली बीमारियों को उखाड़ फेंकने के लिए आंतरिक शरीर से प्रयास करना पड़ता है, जबकि उदरावस्था वाली बीमारियों का शरीर के बाह्य कवच (आवरण) से सुधार करते हुए भीतर तक ठीक प्रवेश करना पड़ता है। इस उपचार-पद्धति की यही विशिष्टता है। अत: ऊपरी तौर पर दीखनेवाली सदोष रचना को

सुधारकर सुप्त बीमारियों पर आंतरिक क्रिया द्वारा मात देनी पड़ती है। अतः यहाँ शरीर की ऊपरी रचना को सुधारने के लिए और कुछ प्रयास करके सम स्थिति में सीने और पीठ के स्नायुओं में सुधार करेंगे।

सम स्थिति

पूर्व तैयारी—मोटी रस्सी अथवा कूदने की रस्सी लेकर उसके सिरे पर गाँठ बाँधें। रस्सी न हो तो पट्टे का इस्तेमाल भी किया जा सकता है।

क्रिया

1. पीछे से आगे लाते हुए (चित्र 1) के अनुसार रस्सी को कंधों पर से पीछे से छोड़ दें (चित्र 2)। इससे रस्सी का फंदा पीठ की तरफ से कंधे पर बैठेगा। इस तरीके से रस्सी का जैकेट तैयार हो जाएगा। (चित्र 3)
2. अब रस्सी को नीचे खींचें। कंधों की पाँखों से होकर बगल में और बगलों से होकर कंधों पर पीठ की ओर रस्सी लटकी रहेगी। हाथ पीछे कमर की तरफ ले जाने पर वह रस्सी हाथों से खींच ली जा सके, इतनी उसकी लंबाई हो।
3. इस खिंचाव को अधिक असरदार एवं प्रभावी बनाने के लिए ऊपर का लटका हुआ लूप पीठ पर पकड़े हुए लूप में डाल दें (चित्र 4)।
4. अब हाथों के अँगूठों से रस्सी को नीचे पीठ की तरफ पकड़ें और साँस छोड़ते हुए उसे पैरों की दिशा में खींचें (चित्र 5)। खिंचाव ऐसा हो जिससे कंधे पीछे मुड़ें, सीना ऊपर उठे, गरदन सीधी व लंबाई में खिंची रहेगी और ट्रेपिजियस कंधे नीचे पीठ की ओर हों। कंधे ऊपर उठे हुए हों या पीठ में कूबड़ हो तो ट्रेपिजियस ऊपर उठ जाता है और वह हिस्सा मोटा सा रहेगा। ट्रेपिजियस खींचने पर गरदन के स्नायु खुल जाते हैं और पीठ के स्नायु नीचे खींचे जाते हैं। इसका परिणाम सीने पर होता है, जिससे साँस भी खुल जाती है। यह खिंचाव एक ही साँस में एक साथ न देते हुए रस्सी पर होनेवाला अँगूठे का दबाव कम किया जाए और पुनश्च साँस छोड़ते हुए उसे चलाएँ। तीन-चार बार ऐसा किया जाए। स्पॉण्डिलाइटिस, गरदन दर्द और कंधों के दर्द के लिए यह क्रिया लाभकारी होती है।

इस तरीके से कंधों को रस्सी लगाकर अधोमुख श्वानासन भी (चित्र 6) किया जाता है। पर उसमें रस्सी पीछे पार्श्व भाग की ओर खींचने के लिए मदद लेनी पड़ती है। ऊर्ध्व हस्तासन करते हुए सम स्थिति में कई बार बगलों या कंधों का जोड़ कड़ा होने पर अथवा पीठ में कूबड़ होने पर हाथ अधिक ऊँचे उठाए नहीं जाते और वे कान के पीछे से कड़े भी नहीं हो सकते। बगलें सिकुड़ी हुई रह जाती हैं। कभी-कभी हाथों की वृद्धि पूरी नहीं होती अथवा दुर्घटना में घायल हाथ और उँगलियाँ अकड़ जाती हैं। लकवे के

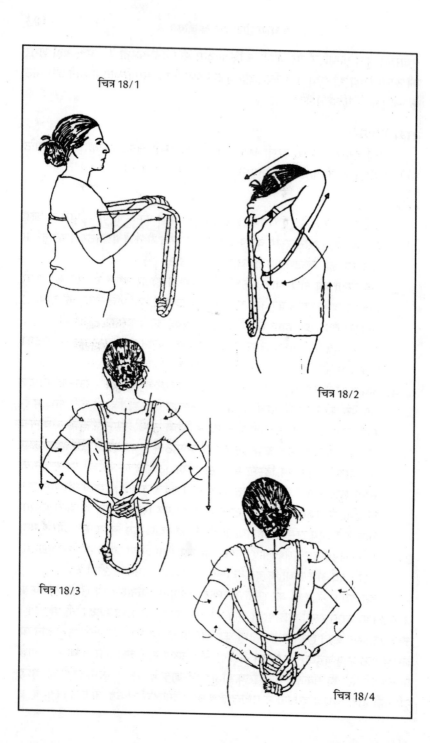

चित्र 18/1

चित्र 18/2

चित्र 18/3

चित्र 18/4

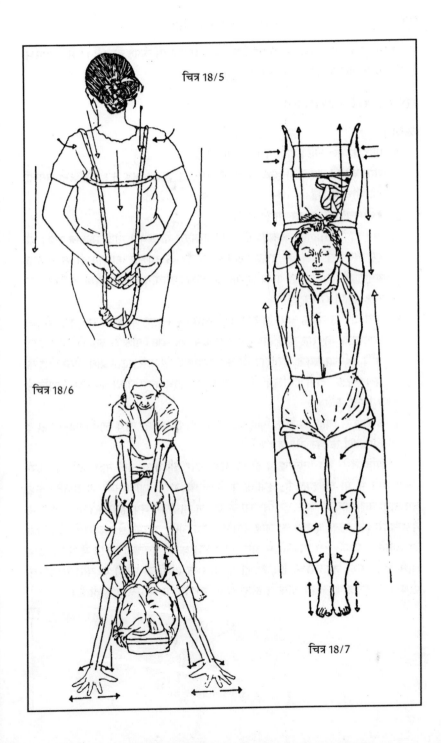

चित्र 18/5

चित्र 18/6

चित्र 18/7

कारण स्नायु निर्जीव हो जाते हैं तो पार्किंसन के कारण उनमें कंपन होता है। ऐसे में आरंभ में ही सुप्त स्थिति में इसे ठीक करना पड़ता है।

सुप्त ऊर्ध्व हस्तासन

क्रिया

1. पीठ के बल लेटें। दोनों पैरों को पास रखें।
2. साँस छोड़ते हुए दोनों हाथ कानों के ऊपर ले जाकर कड़े करें और उन्हें बगलों की सीध में रखें।
3. हथेलियों को परस्पर सामने रखें।
4. अब दोनों हथेलियों के बीच ईंट या डिक्शनरी के समान मोटी किताब रखें। जो इसे लगन से करने की इच्छा रखते हैं, वे ईंट के आकार का लकड़ी का टुकड़ा बनवा लें, क्योंकि कई अन्य आसनों में उसका उपयोग अनेक तरीकों से किया जा सकता है। (चित्र 7)
5. अब दोनों हाथों के चारों ओर से पट्टे बाँधने हैं। पट्टे भी तैयार रखें, जिससे कि जरूरत के अनुसार उन्हें ढीला अथवा कसा जा सके। पीठ के बल लेटे हुए पट्टे बाँधे नहीं जा सकते, इसलिए बैठकर कुहनियों के पास पट्टा बाँधें, फिर पीठ के बल लेटकर दोनों हथेलियों में ईंट पकड़कर हाथ कड़ा सीधा करें। इस स्थिति में 1 मिनट रुकें।
6. आसन से बाहर आने के लिए ईंट छोड़ें। हाथ उठाकर नीचे लाएँ। पट्टा हटा दें और दाईं करवट लेते हुए उठें।

यदि शरीर का गठन कड़ा हो तो हाथ ऊपर की तरफ ताने नहीं जाते और ऐसे समय सीने में भी दर्द होता है; क्योंकि पसलियों के स्नायु खींचे नहीं जा सकते। कुछ व्यक्तियों को स्नायुओं के अधूरे विकास के कारण मोनोफ्लेजिया होमोफ्लेजिया, दुर्घटना में हाथ सिकुड़ जाना, कुहनी का जोड़ टेढ़ा हो जाना आदि कारणों से हाथ सीधे नहीं किए जा सकते—अर्थात् ऐसे विकारों में और बहुत कुछ करना पड़ता है। उसी में से यह हाथ सीधे-कड़े करने का तरीका है। बगलों के पास के हाथों के जोड़ों के पास लिंफेटिक ग्रंथियों से ड्रेनेज का कार्य ठीक न होता हो तो यह क्रिया लाभकारी होती है।

□

19

हाथों का विश्राम

अब तक हमने हाथों के विभिन्न कार्यकलाप, हस्तबंध और मुद्राओं आदि को जाना। इनमें जोड़ों के कार्यकलाप, स्नायुओं की रचना सहित हाथों से जुड़े अंग अर्थात् गरदन, कंधे, पीठ, सीना आदि के दोष और दर्द को दूर करने के लिए अनेक उपायों पर विचार किया। इसके लिए मूल आसनों के उप-प्रकारों को ध्यान में रखते हुए उस हिस्से पर क्रिया असरदार और प्रभावी तरीके से साधने के लिए आवश्यक हेर-फेर किए।

उचित तरीके से और यथावश्यक इस्तेमाल न करने पर स्नायुओं का कार्य धीमा पड़ जाता है। रक्ताभिसरण कम होकर रक्त की आपूर्ति के अभाव में स्नायु कड़े होने में देर नहीं लगती। इसके विपरीत बहुत इस्तेमाल के कारण छीजन रुकती नहीं। चेता-तंतुओं पर कार्य का अतिरिक्त भार पड़ता है। ऐसा न हो, इसलिए कार्यकलाप जितने आवश्यक होते हैं उतना ही विश्राम भी आवश्यक होता है। अत: अब शवासन में हाथों को विश्राम देकर इस हस्त स्थिति का समापन करेंगे।

शवासन

क्रिया

1. दरी या कंबल को फैलाकर शवासन में सीधे लेट जाएँ। दोनों हाथ कंधों के दोनों तरफ सीधे रखें। हाथ की कलाइयाँ, हथेलियाँ अँगूठे की दिशा में मोड़ें-घुमाएँ। हाथ कंधे से बाजू की ओर लंबे करें।
2. ऊर्ध्व हस्त के अर्थात् कंधों और ऊर्ध्व बाहु से लेकर कुहनियों तक हाथ अंदर से बाहर की तरफ और उनके जमीन पर टिके हुए हिस्से बाहर से अंदर की तरफ इस प्रकार वृत्ताकार में घुमाएँ।

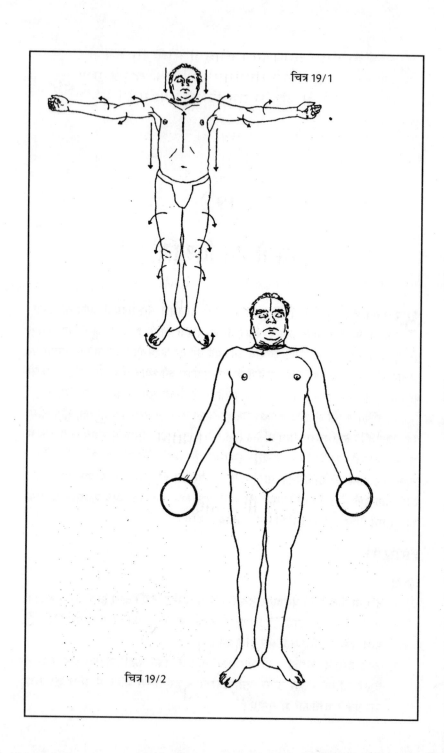

चित्र 19/1

चित्र 19/2

3. कंधों को ऊपर न उठाएँ। गरदन अधिक ही अंतर्वक्र स्थिति में हो, जिससे सिर पीछे जाता हो तो गरदन के नीचे कंबल या तौलिए की तह रखें, जिससे पीछे सिर का मध्य सीधा रहेगा और सिर ऊपर की दिशा से धड़ से पीछे फेंका नहीं जाएगा। (चित्र 1)

4. जिनके हाथों के कार्यकलाप किसी कारणवश—दुर्घटना के कारण अथवा उनपर किए गए शल्य कार्य के कारण—सीमित हैं, ऐसे व्यक्ति कंधों को पीठ की तरफ से जमीन की ओर मोड़कर रखें। पर हाथ कंधों की सीध में ऊपर न उठाकर, नीचे धड़ से 25-30 अंशों के कोण बनाकर रखें और हथेलियों पर वजन रखें। (चित्र 2)

यहाँ सहायक की आवश्यकता होती है। वह शवासन में लेटे व्यक्ति के हाथों पर वजन अथवा मसनद या तकिए आदि भारी वस्तुएँ रखे हुए हाथों को फर्श पर न जाने दे; क्योंकि हाथों को फर्श चुभता है और उसकी ठंडक भी हाथों को लगती है। इसलिए शवासन करने के पूर्व शरीर को मुक्त फैलाने के लिए जमीन पर मोटा और बड़ा कंबल या दरी अथवा गलीचा फैलाकर रखना आवश्यक होता

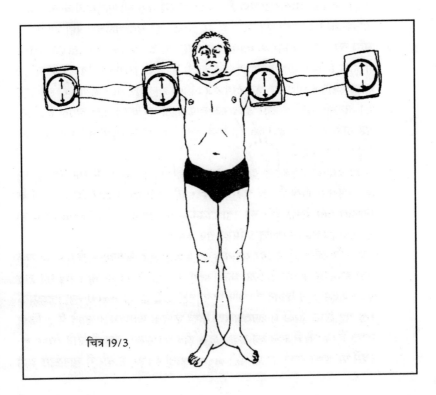

चित्र 19/3

है। साथ ही वजन रखने के स्थान पर तौलिए की तह रखें, जिससे वजन हाथों में चुभेगा नहीं।

5. अब लेटी स्थिति में ही सहायक को हथेलियों और ऊर्ध्व बाहुओं पर भारी मसनद एवं लपेटा हुआ गद्दा रखने के लिए कहा जाए। दोनों हाथों पर समान रूप से भार पड़े, इस प्रकार से वजन रखा जाए। ऊर्ध्व बाहुओं पर अधिक और हथेलियों पर उससे कम भार पड़े, इस प्रकार से वजन रखा जाए (चित्र 3)। कुहनियों के जोड़ों पर भार न पड़ने दें। खेलों में प्रयोग किए जानेवाले चौड़े-चपटे वजनों का इस्तेमाल करने में हर्ज नहीं। सामान्यत: 25 से 50 पौंड तक वजन को ऊर्ध्व बाहुओं पर सहज रूप से सँभाला जा सकता है। पैरों में दर्द तथा जाँघों में दर्द के लिए भी इनका इस्तेमाल किया जा सकता है। हाथों पर रखे हुए गद्दे, मसनद अथवा वजन फिसल न जाए, इस बात की सावधानी बरती जाए। साथ ही वजन या भार से हाथ हिलें भी नहीं, इस बात की भी सतर्कता रखें।

6. हाथ झुनझुनाने लगें या सुन्न पड़ने अथवा संवेदनाहीन हों तो सहायक को बुलाकर वजन हटा देने के लिए कहें। हाथ भारी या सुन्न होने का तात्पर्य है कि वजन अधिक समय रखा गया है। आरंभ में इस बात की सावधानी बरतना बहुत आवश्यक है। आदत पड़ जाने पर इस प्रकार की संवेदनहीनता नहीं आती।

7. साँस को न रोकें। भार के कारण एक तरह का दबाव आने का अहसास आरंभ में होता है और साँस रुकी हुई-सी लगती है। ऐसी स्थिति में बिना घबराए हुए सीना उठाकर साँस को जरा दीर्घ करें। निम्न रक्तचाप वाले लोगों को इस तरह की अनुभूति होती है और उच्च रक्तचाप वालों को वजन ठीक लगता है। अत: यह दोनों के लिए उपयुक्त है। सिर्फ इनके कारण बदलावों को ध्यान में लेना बहुत आवश्यक है।

8. आँखें बंद करें। वजन से दबे हाथों को शांत होने दें। आरंभ में रगों की धड़कन का अहसास होता है, पर घबराएँ नहीं। साँस को रोकें। हाथों के स्नायुओं के निश्चल और स्थिर होने की स्वाभाविकता को ध्यान में लें। जितना संभव हो उतने समय तक—अर्थात् 5 मिनट तक रुकें।

9. धीरे-धीरे आँखें खोलें और सहायक को वजन, गद्दे, मसनद—जो कुछ भी रखा गया हो—उसे हटाने के लिए कहें। इतनी देर तक दबाव के नीचे रखे गए हाथ को एकदम से न हिलने दें। यदि हिला नहीं सकें तो भी घबराएँ नहीं। दबाव में रखे गए स्थिर हाथों में कार्यकलाप करने लायक जागरूकता आने में 2 मिनट लगते हैं। हाथों में रक्त का प्रवाह शुरू होने की स्पष्ट अनुभूति होने लगती है। (पैरों पर वजन रखने पर भी यही अनुभव होता है। उसके बारे में जानकारी आगे

देखें।) हाथों से क्रियाकलाप को जल्दी न करें और न ही हाथों के सुन्न होने के डर के मारे उन्हें जबरदस्ती हिलाएँ अथवा उठाकर, नचाकर उनकी परीक्षा लें। हाथों को शांत-विश्रांत स्थिति में स्वस्थ (शांत-स्थिर) रहने दें।

हिलना-डुलना, पकड़ना आदि हाथों का प्राकृतिक स्वभाव है। उसे आप मात दे रहे हैं। हाथों की 'पकड़' हाथों की एक प्रकार की मनोवृत्ति होती है। यह वृत्ति शवासन से इतनी बदल सकती है, जिससे आपके स्वभाव में होनेवाला बदलाव भी कालांतर में महसूस होने लगता है। जिस प्रकार हम अपने मन के स्वभाव से परिचित होते हैं, वैसे हाथ, पैर, पीठ, पेट आदि शरीर के अंगों के स्वभाव से हम परिचित नहीं होते। 'अविद्यादि पंच क्लेश' इसमें ही प्रवाहित होते रहते हैं। उदाहरण के लिए, द्वेष रूपी क्लेश मन में होने पर मुट्ठियाँ भींची जाना; अहंकार, मोह, रोष के कारण कंधे उठाए जाना आदि क्लेश रूपी मानसिकता के लक्षण हैं। यहाँ पर हम हाथों के विषय में सोच रहे हैं। इसलिए इस बात का यहाँ जिक्र किया। योग अथाह है; जितनी गहरी डुबकी लगाओ उतना उसका अहसास भी विभिन्न स्तरों पर प्रतीत होने लगता है। अंततः अनुभव करने के विषय को सिर्फ पढ़ या सुन लेना ही लाभकारी नहीं होता।

□

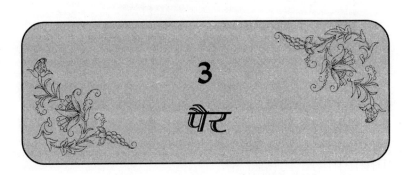

3

पैर

20

पैरों में दर्द

जन्म लेते समय नवजात यद्यपि पहले सिर और बाद में पैर—इस क्रम से जन्म लेता है, लेकिन हमारे शरीर में सबसे अधिक इस्तेमाल किया जानेवाला, पर उतना ही अनदेखा किया जानेवाला कोई अंग है तो वह है पैर। जब तक पैरों पर खड़ा रहा जाता है और चलना भी जारी रहता है, पैर शिकायत नहीं करते, तब तक सबकुछ ठीक-ठाक चलता रहता है; लेकिन अचानक जब पैर उठते-बैठते दुखने लगते हैं और चलने-फिरने में बाधा आने लगती है, तब पैरों का महत्त्व समझ में आता है।

पैर दर्द के पीछे कई कारण हो सकते हैं। पैर दर्द बीमारी नहीं है, लेकिन कई बीमारियों के लक्षण हो सकते हैं। गठिया, आमवात, रीढ़ के दोष, मधुमेह, रक्तचाप, स्नायुओं का अकड़ जाना, साइटिका आदि कई बीमारियों में पैर दर्द हो सकता है। साथ ही बहुत चलना, दौड़ना, जबरदस्ती खड़े रहना, खड़े-खड़े काम करना आदि बातों में पैरों का अतिरिक्त इस्तेमाल अथवा गलत इस्तेमाल के कारण भी पैर दर्द हो सकता है। बैठकर किए जानेवाले कामों में पैरों का इस्तेमाल न होने से पैर दुखने लगते हैं।

पीठ के उदरावकाश और त्रिकास्थि रीढ़ के मनकों में (लंबर और सेक्रम) दोष पैदा होने के कारण वहाँ के चेता तंतु दब जाने के कारण, पैरों के स्नायुओं और जोड़ों के कार्यकलापों में त्रुटि निर्माण होने के कारण, रक्त-नलिका कड़ी व सख्त होने पर रक्त-वहन में त्रुटि उत्पन्न होने से, अशुद्ध रक्त पैरों से हृदय की ओर वापस न आने से उनमें गाँठें हो जाती हैं, जिससे शरीर का वजन बढ़कर पैरों पर दबाव आ जाने से या पैरों की रचना में दोष उत्पन्न होने के कारण, स्नायुओं के अधूरे विकास के कारण एक पैर लंबा और दूसरा उससे छोटा तथा एक पैर मोटा तो दूसरा पतला होने के कारण कदमों की कमान ढलकर तलुआ समतल व सपाट होने के कारण, जाँघों या पिंडलियों के अनुपात

में कदम छोटे होने के कारण अथवा दुर्घटना से पैर जख्मी होने के कारण—इनमें से किसी भी कारण से पैर दर्द हो सकता है।

मधुमेह जैसी बीमारी में हाथ-पैर सुन्न पड़ जाते हैं, पैरों में सुइयाँ-सी चुभने लगती हैं, रक्ताभिसरण कम होता है, स्नायु सनसनाने लगते हैं, जिसके कारण पैरों में दर्द होता है। रक्तचाप बढ़ने के कारण थकान पैरों में आती है तथा शक्तिहीनता शक्तिहीनता महसूस होती है और मूत्रपिंड के विकारों से पैरों में सूजन आ जाती है। बीमारियों के इन लक्षणों को इस क्षण छोड़ भी दें, तब भी तो रक्त-वाहिनियों के अंदर परतें चढ़कर उनके सँकरी हो जाने पर रक्त की आपूर्ति न होने से भी पैर दर्द होता है।

शरीर को स्थिर स्थिति में करना और उसे गमनशील बनाना—पैरों के ये दो मुख्य कार्य हैं। स्थितिशीलता और गतिशीलता उसके दो रूप हैं। पर पैरों के इन दोनों कार्यों का नियंत्रण रीढ़ और उसमें से जानेवाले चेता तंतुओं की चेता शक्ति से होता है। हमें पैरों पर सीधे खड़े करने का काम भी रीढ़ से तथा वहाँ के स्नायुओं से होता है। पेट से पीठ की ओर जानेवाले 'ऑब्लिक' स्नायु इसमें महत्त्वपूर्ण भूमिका निभाते हैं। शरीर का बोझ पैरों पर कम पड़े और गुरुत्वाकर्षण से पैर धँस न जाएँ, इसलिए रीढ़ पैरों के लिए केवल आधारभूत नहीं बल्कि संरक्षक भी सिद्ध होती है। इससे पैरों का उपचार करते समय रीढ़ के बारे में भी सोचना पड़ता है।

उदरावकाश के पीछे पड़नेवाली रीढ़ (लंबर) के पाँच मनकों से गुजरनेवाले चेता तंतु पैरों पर नियंत्रण रखते हैं। उनमें दोष उत्पन्न होने पर पैरों के अलग-अलग हिस्से में दर्द होने लगता है। उदरावकाश के दूसरे और तीसरे मनकों में से गुजरनेवाले चेता तंतु पीठ में, पार्श्व भाग में आकर घुटने के अगले हिस्से में दर्द का अहसास कराते हैं और चतुःशिरस्क स्नायुओं को क्षीण करते हैं। तीसरे और चौथे मनकों में से जानेवाले चेता तंतु इस दर्द का संदेश आगे—और आगे—अर्थात् अंदरूनी पिंडलियों तक पहुँचाते हैं। चौथे और पाँचवें मनकों से गुजरनेवाले चेता तंतु पार्श्व भाग, घुटने, कदम और पैरों के अँगूठे तक में दर्द की संवेदना उत्पन्न करते हैं। ऐसे समय पिंडली के अंदरूनी किनारों में, अँगूठों और पार्श्व भाग में दुर्बलता का अनुभव होने लगता है। पाँचवीं और त्रिकास्थि की पहली हड्डी से गुजरनेवाले चेता तंतु पार्श्व भाग में से एड़ियों, तलुओं तक पैरों का दर्द पहुँचाते हैं।

पैर दर्द के बारे में सोचते हुए पैरों के स्नायु, जोड़ और उनके विभिन्न प्रकार के कार्यकलापों को ध्यान में रखना आवश्यक है। दोनों पैरों में कुल 62 हड्डियों और 26 जोड़ों की भीड़ होती है। इसलिए कई प्रकार के कार्यकलापों की उसमें गुंजाइश होती है। हमें केवल उससे फायदा उठाना है। शरीर का बोझ निरंतर वहन करनेवाले और हृदय से दूर स्थित पैरों के इन क्रियाकलापों के कारण ही भरपूर मात्रा में रक्ताभिसरण हो पाता है।

उसी प्रकार पैरों को आराम की भी जरूरत होती है। आसन की कई स्थितियों में पैरों को आराम भी दिया जा सकता है।

कटिबंध के खाँचे में स्थित जाँघ की हड्डी का जोड़ स्थिर और सबसे मजबूत जोड़ है। स्नायुओं से घिरा यह जोड़ तीन अस्थि-बंधनों में धँसा है। उसे जैसा है वैसा रखें। वैसे तो वह आसानी से निकल नहीं सकता, खाँचे में वृत्ताकार घूम सकनेवाला यह ओखल जोड़ है। इससे पैरों को आगे-पीछे, बाजू में, अंदर-बाहर हिलाना या मोड़ना संभव होता है। जाँघ के नीचे घुटने का जोड़ पिंडली की अगली हड्डी और जाँघ के योग से बना हुआ कब्जे जैसा जोड़ है। घुटनों के जोड़ों में होनेवाली उपास्थियाँ जोड़ों को मुलायम रखते हैं और उठते-बैठते एवं चलते समय घुटनों को निरंतर बैठनेवाले धक्कों से सँभालते हैं। दोनों अस्थि-बंधन दोनों किनारों के पीछे से और आगे से आते हुए घुटनों के कार्यकलापों को सीमा से आगे नहीं जाने देते। गरदन के समान ही घुटनों का इस्तेमाल भी निरंतर होता रहता है। इससे उनकी छीजन भी होती रहती है। घुटनों में वैसे चिकनाहट भरपूर होती है। आसनों में घुटनों के विभिन्न कार्यकलापों के कारण जोड़ों में चिकनाहट फैलकर कार्यकलापों में कोमलता आती है। चिकनाहट कम पड़ने पर जोड़ मुड़ता है, सूजन आती है, दर्द होता है और कार्यकलापों के ठप होने की सीमा आ जाती है। इसलिए उसे उचित तरीके से मोड़ना और सीधा करना—ये दोनों क्रियाएँ आवश्यक हैं।

घुटनों के नीचे स्थित कदम और पैर की उँगलियाँ पूरे शरीर के अनुपात में बहुत छोटा हिस्सा हैं, पर वहाँ बावन हड्डियाँ हैं। टखने का जोड़ कब्जे का है, जिससे कदम को पीछे मोड़ना, आगे से ऊपर उठाना, उँगलियों की ओर नीचे ले जाना और अंदर-बाहर मोड़ना आदि सभी क्रियाएँ संभव होती हैं। एड़ी और पिंडली की आगे की हड्डी से बना हुआ यह जोड़ कुल चार अस्थि-बंधनों में बँधा हुआ है, जिससे टखना स्थिर रहता है। यह इस प्रकार से बँधा हुआ होता है कि उससे अवलंबित अंदर की तरफ का किनारा उठकर उसकी कमान बनता है। इस कमान की हम पर इतनी कृपा है कि पैरों पर होनेवाला ऊपरी धड़ कितना ही भारी क्यों न हो, फिर भी छोटे पैर पूरा भार उठा सकते हैं। दरअसल कमान सहित तलवे शरीर के वाहन के समान हैं।

तलवों और पैर की उँगलियों में कुल 38 हड्डियाँ होती हैं। एड़ियों की मजबूती, आगे के तलवों का फैलाव और कमान की ऊँचाई समेत इस प्रकार का आकार प्राकृतिक जूती ही है। हड्डियों का यह समूह पैरों को हलका तो बनाता ही है, साथ ही पैरों के घर्षण को भी रोकता है।

नाभि के नीचे पैरों तक का अधोभाग वात-प्रदेश है। वायु कुपित होने पर उसमें विकृति उत्पन्न होने में देर नहीं लगती। वह जैसे एक तूफान ही होता है। वात-प्रकोप होने पर रक्त-संचार, चेता तंतुओं का संवेदना-वहन आदि सब प्रभावित हो सकते हैं। नसें

फूल जाती हैं, धमनियाँ रिक्त हो जाती हैं, स्नायुओं का आकुंचन व प्रसरण मुश्किल हो जाता है और पैरों में दर्द शुरू हो जाता है। मानसिक तनाव के कारण, मन पर आए दबाव के कारण, डर के कारण पैर शिथिल हो जाते हैं और थक जाते हैं। व्याधि प्रत्यक्षत: पैरों में न होते हुए भी मनोव्याधि के कारण चेता तंतु प्रभावित होते हैं। मन का बोझ पैरों पर पड़ता है और पैरों को यह सब सँभालना ही पड़ता है।

पैरों के स्नायुओं में मजबूती लाने के लिए, रक्त-प्रवाह सुचारु होने के लिए, पैरों को कार्यक्षम बनाए रखने के लिए, पैर खुले करने के लिए चलना, दौड़ना, जॉगिंग आदि करना संभव होने पर भी पैरों के प्रत्येक स्नायु को जान-बूझकर तानने के लिए, जोड़ों के हिलाने में कार्यकलापों में मुक्त खुलापन, सहजता, हलकापन और सुघड़ता सुचारु रूप से लाने के लिए उत्तिष्ठ स्थिति के विभिन्न आसन निश्चित रूप से उपयुक्त होते हैं। पहरेदारों के सतत खड़े रहने के कारण या पोस्टमैन के निरंतर चलते रहने अथवा सीढ़ियाँ उतरने-चढ़ने से होनेवाले पैर दर्द के लिए विभिन्न प्रकार के उपविष्ट और सुप्त स्थिति के आसन निश्चित रूप से आराम देनेवाले प्रमाणित होते हैं।

पैर हमारे प्राकृतिक 'क्लचेस' ही हैं। उनका इस्तेमाल अगर ठीक तरह से नहीं किया जाए तो दूसरों पर निर्भर रहने की स्थिति आ जाती है। अत: इसपर अधिक ध्यान देना आवश्यक है। नित्य भार वहन करनेवाले पैरों को आसनों के द्वारा आराम-विश्राम कैसे दिया जाए, अब हम यह जानेंगे।

□

21

पैरों का दर्शन

बस स्टॉप पर बस के लिए खड़े रहना हो या नृत्य, खेल, पद-भ्रमण अथवा अन्य कसरत के प्रकार हों, हमेशा खड़े रहने को लेकर पैरों ने आना-कानी नहीं की—ऐसा आमतौर पर नहीं होता। वाहनों के आवागमन का नियंत्रण करने के लिए घंटों खड़े रहनेवाले पुलिसवाले हों अथवा प्रवेश-द्वार पर तैनात पहरेदार, जरूरी नहीं कि इन सबको पैर दर्द की पीड़ा होगी पर सतत इस्तेमाल से मांसपेशियाँ थक जाती हैं और पैर दर्द करने लगते हैं।

चलते समय, खड़े रहते हुए दरअसल हम कभी पैरों की तरफ ध्यान नहीं देते। अगर हम पैरों की बनावट पर गौर करें तो कई बीमारियों के निश्चित कारणों का पता चल सकता है। कई लोगों के कदम टेढ़े-तिरछे पड़ते हैं तो कुछ लोगों का एक कदम सीधा और एक कदम टेढ़ा पड़ता है। कुछ लोगों के टखने अंदर मुड़ते हैं और पैरों के तलवे का अगला हिस्सा बाहर की ओर मुड़ता है। इससे स्नायु तिरछे हो जाते हैं। पैरों के तलवों का आगे का हिस्सा—अर्थात् अँगूठा और छोटी उँगलियों का ऊँचावाला हिस्सा और एड़ियों के अंदर-बाहर के दोनों किनारे मानो मोटर के चार पहियों के समान पैरों के चार पहिए हैं। मोटर का एक टायर पंक्चर होने पर जिस प्रकार गाड़ी उछलती है या फिर ठोकर खाती है, उसी प्रकार कदमों के इन चार पहियों में से एक की भी हवा निकल जाने पर सिर्फ कदम ही नहीं बल्कि पीठ की ओर से शरीर भी उस तरफ धीरे-धीरे गिरने व ढहने लगता है। बीमारी के अधिक बढ़ने पर अथवा तलवा उस तरफ झुकने पर हम जाग्रत् होते हैं। गीले कदमों से फर्श पर चार-पाँच कदम चलकर कदमों के गीले चिह्नों को पीछे मुड़कर देखने पर ध्यान में आएगा कि किसी के पैरों की उँगलियाँ अकड़ी हुई हैं तो किसी के कदम तिरछे पड़े हैं। किसी के पैरों की कमान इतनी अस्पष्ट है कि जमीन पर न टिकने के कारण वह हिस्सा गीला नहीं होता और दूसरा कदम जमीन पर टिका हुआ होता है।

एक कदम का आकार जैसा सुघड़ दीखता है वैसा दूसरा नहीं दीखता। इसका मतलब यह है कि एक पैर ठीक से दबता है तो दूसरा ठीक से नहीं दबता। एक पैर की एड़ी की मोटी-सी छाप पड़ती है, जबकि दूसरी एड़ी की छाप अस्पष्ट हो जाती है। ये बातें मामूली लगती हैं, पर पैर दर्द अथवा कमर दर्द शुरू होने के बाद इस बात का महत्त्व समझ में आने लगता है। अकड़नेवाला पैर, भार उठानेवाला पैर, टखने का दर्द, घुटने का गठिया, पैरों में सूजन जैसी कई बातों का इससे संबंध रहता है।

इसके लिए हमें अपने पैरों का प्रत्यक्ष दर्शन होना आवश्यक होता है। इसके लिए हम अगला आसन-प्रकार जानेंगे।

ऊर्ध्व प्रसारित पादासन-1

यह आसन पहले दीवार के सहारे करके उसकी त्रुटियाँ और दोष ध्यान में आने के बाद बिना सहारे, अर्थात् क्रियाशील तरीके से करने पर उचित परिणाम प्राप्त किया जा सकता है।

क्रिया

1. दीवार के पास लेटकर दोनों पैर दीवार पर रखें।
2. पार्श्व भाग और धड़ को उच्छ्वास-रहित स्थिति में दीवार के पास ले जाएँ। अर्थात् पिछली जाँघ से एड़ी तक का पैर का पिछला हिस्सा दीवार से पूर्णत: सटा हुआ रखें।
3. पीठ का हिस्सा जमीन पर रखें। पैर धड़ के साथ 90 अंश के कोण में रखें। पार्श्व भाग की हड्डी दीवार से सटाकर रखें। दीवार और नितंब के बीच जरा सा भी अंतर नहीं रहना चाहिए।

   घुटने की तरफ देखने पर ध्यान में आएगा कि एक घुटना सामने सीधा है, जबकि दूसरा बाहर की तरफ मुड़ रहा है। साथ ही एक कदम बाहर मुड़ता है और दूसरा सामने है अथवा एड़ियाँ पास हैं और पैरों के अगले हिस्से बाहर मुड़ रहे हैं। इतना ही नहीं, बल्कि कटिबंध की हड्डी ऊपर-नीचे होने के कारण एक पैर की एड़ी ऊँची और दूसरे पैर की नीची है। ये सब कारण जीवन भर के कमर दर्द के लिए काफी हैं।

4. अब दोनों पैरों को मिलाएँ और सीधा रखें। घुटनों के पीछे के स्नायुओं को अकड़ने न दें। घुटनों के कटोरों को अंदर की तरफ खींच लें। टखनों का पिछला हिस्सा एड़ियों की तरफ तानें।
5. दोनों पैरों के अंदर के किनारों को एक-दूसरे से सटाकर रखें। जंघाओं के आगे की तरफवाले स्नायु अंदर की ओर और बाहर की ओर मोड़ें। (चित्र 1)

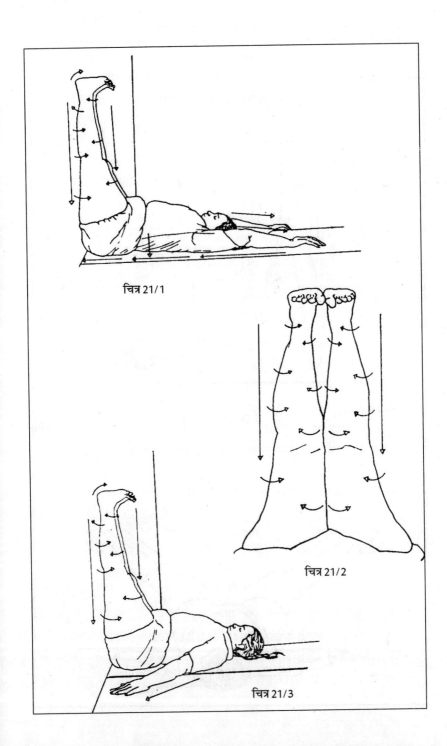

चित्र 21/1

चित्र 21/2

चित्र 21/3

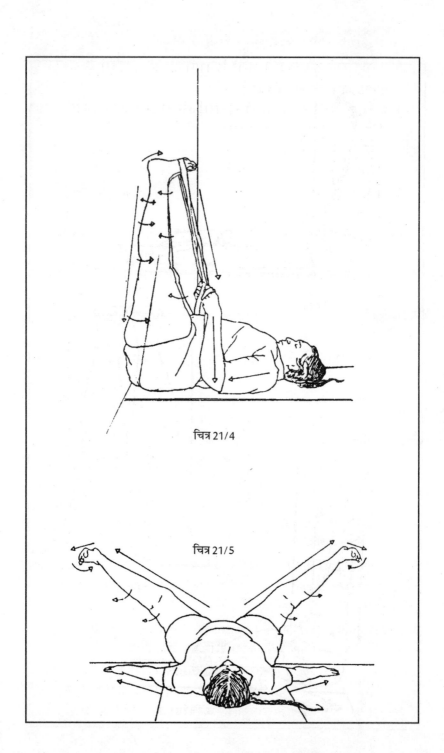

चित्र 21/4

चित्र 21/5

पैरों को वृत्ताकार मोड़ने–घुमाने के कारण मांसपेशियाँ हड्डियों के पास आकर पैरों के बीच संतुलन आ जाता है।

6. कदमों को अकड़ने न दें। तलवों को लंबाई और चौड़ाई में तानें। संभवत: पैरों की छोटी उँगलियाँ ऊपर और अँगूठे नीचे रह जाते हैं। इसकी उलटी स्थिति में अँगूठे, छोटी उँगलियाँ एक सीध में रखें। एड़ियों और उँगलियों को एक रेखा में सामने रखें (चित्र 2)। पैरों की इस विपरीत स्थिति की रचना के कारण जिस तरह चढ़ाई से ढलान की तरफ पानी बहता है, उसी तरह प्राणवायु–रहित अशुद्ध रक्त हृदय की तरफ वापस आता है और पैरों को आराम महसूस होता है।

   घुटनों की पिछली अशुद्ध रक्त–वाहिनियाँ अर्थात् नीलाएँ फूल जाने पर अथवा उनकी गाँठें होने पर पैरों पर कोई भी दबाव सहा नहीं जाता। ऐसी स्थिति में आसन अभ्यास का आरंभ ही पैरों को उलटी स्थिति में रखकर करना पड़ता है।

7. वैसे तो यह आसन पीठ पर लेटकर करना होता है, लेकिन इसका मतलब यह नहीं है कि पीठ के स्नायु जमीन पर बिलकुल शिथिल छोड़ दिए जाएँ; बल्कि दोनों हथेलियाँ धड़ की तरफ दबाकर सीने के पिछली तरफ की रीढ़ जरा सी ऊपर उठाने पर सीना बाजू की तरफ पसर जाने के कारण सीना सिकुड़ता नहीं। (चित्र 3)

8. अब इसी स्थिति में सक्रिय तनाव अर्थात् एक्टिव स्ट्रेस देने के लिए अगला तरीका आसानी से करने लायक है। तलवों के चारों ओर पट्टा या नैपकिन लगाकर हाथों से उसके दोनों छोर पकड़कर खींचें, जिससे एड़ियाँ दीवार से तनिक आगे आएँगी और घुटनों के कटोरे अंदर की तरफ खींचे जाएँगे। (चित्र 4)

   इससे घुटनों की पिछली हेमस्ट्रिंग और पिंडलियों के सिकुड़े हुए स्नायु तन जाते हैं तथा पार्श्व भाग के स्नायु खुले हो जाते हैं। पैरों को मिलनेवाले इस तनाव के कारण वास्तविक लाभ कमर को होता है और उदरावकाश व त्रिकास्थि के स्नायु तन जाते हैं, जिससे कमर दर्द कम होता है।

9. आसनों में 5 मिनट तक शांतिपूर्वक श्‍वसन करते हुए रुकें। पैरों को मोड़ें, दीवार से तनिक सिर की तरफ सरकें और दाईं करवट की ओर से उठें।

10. मासिक धर्म रुकने का समय (रज:स्तंभन) आने पर महिलाओं के अधोदर भारी होने का अहसास होने लगता है। वजन बढ़ जाता है, परंतु उसे घटाने के लिए जोरदार कसरत करने का निश्चय करने पर दिल की धड़कनें बढ़ जाती हैं। ऐसे समय यही आसन दीवार से पैर टिकाकर, पर उपविष्ट कोणासन के समान पैरों को अधिकतम दोनों तरफ फैलाकर करें (चित्र 5)। इससे अधोदर के क्षेत्र में

हलकापन व खुलापन महसूस होने लगता है और दिल की धड़कनों की तकलीफ भी कुछ कम होने लगती है तथा मानसिक तनाव भी कम हो जाता है। किसी को लगेगा कि यह ऐसा कैसे हो सकता है; लेकिन चेता तंतुओं पर होनेवाले परिणाम को नकारा नहीं जा सकता। अधोदर का हिस्सा मुक्त होकर वहाँ रक्त-संचार भी बढ़ जाता है। खासकर इस आयु में योनि मार्ग सूखा-सा और सिकुड़ा जैसा लगता है। जंघाओं, अधर-उदर तथा अंड-संधि का स्थान भी सिकुड़ जाता है, जिससे एक तरह की बेचैनी महसूस होती है। संप्रेरकों में होनेवाले बदलाव इसके पीछे का कारण होता है। पैरों को फैलाने के कारण यह जगह खुली हो जाती है। हाथ नीचे दबाकर सीना उठाने के कारण रीढ़ की हड्डी से होनेवाली क्रिया मूत्रपिंड और उसके ऊपर की एड्रिनल ग्रंथियों को उत्तेजित करती है। रज:स्तंभन के पश्चात् होनेवाले बदलावों के लिए यह लाभकारी सिद्ध होता है। मूत्र-वहन और उस समय बढ़ती जलन पर भी यह आसन निश्चित रूप से उपयुक्त होता है।

11. 3 से 5 मिनट तक शांतिपूर्वक श्वसन करते हुए रुक जाएँ, फिर पैरों को पास लाकर आसन से बाहर निकलें।

❑

22

पैरों में सदोषता

शरीर का भार पैरों पर खास तरीके से पड़ता है। जिस प्रकार घर की दीवारें बनाते समय एक तरह का औजार इस्तेमाल करके यह देखा जाता है कि दीवार जमीन के समकोण में है अथवा नहीं, उसी प्रकार शरीर को भी देखना पड़ता है। उसकी भी एक लंब रेखा होती है। भार तौलते समय तराजू का मध्य जैसे जमीन से लंब रूप होता है, उसी तरह शरीर का भार जंघाओं के जोड़ों से होता हुआ जंघाओं के बीच में से घुटनों के बीच में और वहाँ से कदमों की एड़ियों पर, अर्थात् पैरों के मध्य से होता हुआ तलवों की ओर फैल जाता है। वजन मध्य रेखा से ही प्रक्षेपित होता है। ताड़ासन और उत्तिष्ठ स्थिति के अन्य आसनों में पैर सामने हों या बाहर मुड़े हुए हों, जंघा की हड्डी, घुटने, पिंडली के आगे की हड्डी, टखने, एड़ी और कदमों का मध्य—सब एक सीध में रखने पर बल दिया गया है। पैर सीध में हों और भार मध्य पर पड़ने पर पीठ या पैरों की कई प्रकार की बीमारियों से छुटकारा मिल सकता है। अन्यथा इन बीमारियों का मूल असल में कहाँ है, इस बात का पता ही नहीं चलता।

गठिया, आमवात जैसी बीमारियों के मूल कारण विषाणु-प्रवेश, उनसे पैदा होनेवाले टॉक्सिंस, भोजन के दोष मात्र ही नहीं हैं, बल्कि गनोरिया जैसी लैंगिक बीमारियाँ भी हो सकती हैं। लेकिन इन सभी बातों पर नियंत्रण होने पर भी पैरों की सदोष रचना के कारण यह बीमारी हो सकती है। स्पष्ट है कि मूल कारण तो अपने ही भीतर रहता है। हड्डियों अथवा जोड़ों का मध्य बदलने पर इस भार को सँभालना मुश्किल हो जाता है, बल्कि हाथों की रचना भी इसी प्रकार की होना आवश्यक होता है। कंधे का जोड़, कुहनी का जोड़ और कलाई का मध्य एक सीध में होना जरूरी होता है। हाथों पर पैरों के समान भार भले ही न पड़ता हो, फिर भी भार उठाने का काम तो हाथों को भी

करना पड़ता है। अत: इसका मध्य बदलने पर स्नायुओं के आवरण का आकार भी बदल जाता है, जिससे पीठ, गरदन, सीने के स्नायु—इन सब पर असर होकर दर्द होता है। दीर्घकाल तक शवासन करने पर भी स्नायु पर पड़ा तनाव कम नहीं होता। इसलिए इस रचना पर ही उपाय ढूँढ़ना पड़ता है।

कुछ व्यक्तियों के पैर धनुष के समान बाहर की तरफ मुड़े हुए होते हैं, जबकि कुछ व्यक्तियों के घुटने एक-दूसरे से टकराते रहते हैं। ऐसी स्थिति में शरीर के भार का प्रक्षेपण मध्य से न होते हुए उसका मार्ग बदल जाता है। घुटनों का गठन ही ऐसा है कि पैरों के टेढ़ा मोड़ लेने पर भार उठाने में वे सक्षम नहीं होते। इस स्थिति में पैरों का दर्द कई वर्षों तक सतानेवाली बाधा हो सकती है। इसके कारण स्नायु और अस्थिबंध कमजोर होते जाते हैं तथा रक्त की आपूर्ति अधूरी होती है। ऐसे समय 'ऑस्टियो ऑर्थराइटिस' की बीमारी होने में देर नहीं लगती। दो जोड़ों में, यथावश्यक जगह न रहने पर हड्डियाँ एक-दूसरे के पास आ जाती हैं और फिर उनमें परस्पर घर्षण होता रहता है। इससे घुटनों में सूजन आती है, उनमें पानी भर जाता है। जोड़ों की हड्डियों के सिरे एक-दूसरे से सटकर जोड़ एक संघ बन जाता है, जिससे उनकी गतिविधियों पर अंकुश लग जाता है। ऐसी स्थिति में घुटनों का दर्द अधिक नहीं होता, पर उनका जोड़ के रूप में अस्तित्व समाप्त हो जाता है। ऐसा घुटना 'मृत' समझा जाता है।

घुटनों की इन विभिन्न स्थितियों को भिन्न-भिन्न बीमारियों के नामों से संबोधित किया जाता है। अत: घुटनों को अलग-अलग तरीकों से मोड़कर उनका स्वास्थ्य सँभालना जिस प्रकार आवश्यक होता है, वैसे ही उन्हें सीधा व कड़ा करना भी आवश्यक होता है। अब हम देखेंगे कि पैरों की सदोष रचना को ठीक करने के लिए उन्हें किस क्रिया से सीधा रखा जा सकेगा।

इस क्रिया के लिए पाँच-छह पट्टे, दो-तीन कंबल आवश्यक हैं।

प्रथम पट्टे का चित्र देखें (चित्र 1)। इस पट्टे का बक्कल इस प्रकार है कि पट्टे का एक सिरा अंदर के लूप में से बाहर के लूप की ओर खींचने पर पट्टे को खींचा जा सकता है। अब इसी के साथ यह भी जान लें कि कंबल को कैसे लपेटा गया है। जिस प्रकार गद्दे को लपेटा जाता है, वैसे ही कंबल को लपेटकर उसका आकार नलिका-सा बनाएँ।

ऊर्ध्व प्रसारित पादासन-2

घुटनों के जोड़ों का दर्द गठिया होने के कारण घुटने और पैर धनुष के समान टेढ़े हो जाते हैं। उनको चाहिए कि घुटनों में सामान्यत: कितना अंतर है, इसे नजरों से आजमा लें और आगे बताए अनुसार पैरों को बाँधें—

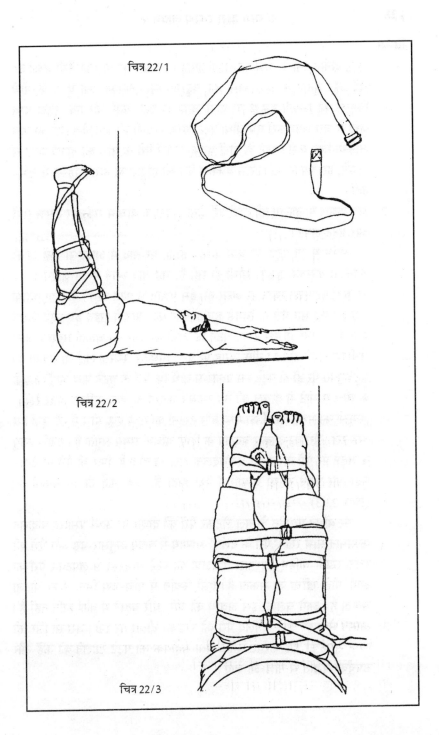

चित्र 22/1

चित्र 22/2

चित्र 22/3

क्रिया

1. पहले दोनों घुटनों के बीच की खाली जगह पर कंबल की नलिका जैसी बनाई तह रखें और घुटनों के ऊपर जंघा की चतु:शिरस्क स्नायुओं तथा घुटने के नीचे पिंडली की अगली हड्डी पर दोनों जगह दो पट्टे कसें और एक पट्टा मध्य जंघा से जरा ऊपर कसें एवं चौथा पट्टा मध्य पिंडली की अगली हड्डी को पास लाने के लिए कसें। पट्टे के दोनों बक्कल दोनों पैरों के बीच की खाली जगह में आएँगे, इस प्रकार रखें। इससे बक्कल पैरों की हड्डियों या मांसल हिस्से में चुभेंगे नहीं।

2. अब कंबल या तौलिए की सादी तहें दोनों टखनों के बीच में रखें और उसके चारों ओर पट्टे लपेटें।

   आरंभ में इन पट्टों पर कम कसाव होगा, पर बाद में आदत से उन्हें अच्छे तरीके से कसकर, हड्डी सीधी हो रही है, यह बात ध्यान में आ जाएगी।

   यहाँ पर मुख्य स्थान पर असर हो, इस पद्धति से पट्टे बाँधने के लिए बताया गया है। कई बार पैरों के बिगड़े हुए आकार को ध्यान में रखते हुए पट्टे कसने पड़ते हैं। घुटना अस्थिर होना, घुटने के जोड़ों के ऊपर की चकती खिसक जाना जैसी शिकायतें होने पर ठीक जगह पर पट्टे बाँधकर स्थिरता लाई जा सकती है।

3. धनुषाकृति पैर हों तो पट्टे इस प्रकार से बाँधें कि पैरों के घुटने पास आएँ। टखनों के बीच में मोटे से कंबल की तह रखकर कदमों के बीच अधिक अंतर रखें।

4. जंघाओं का मध्य, घुटनों का मध्य और टखनों का मध्य एक सीध में रहें, इन्हें इस तरह रखें। पैरों का आकार बदलने के लिए अधिक समय लगता है। यद्यपि आयु के बढ़ने पर पैरों के आकार को बदलना असंभव होता है, फिर भी पैरों पर टेढ़ा-मेढ़ा भार पड़ने से जो बीमारियाँ पैदा होती हैं, उन्हें मात दी जा सकती है। (चित्र 2, 3)

   पैर बाँधने पर पीठ के बल लेटकर पैरों को दीवार पर ऊर्ध्व प्रसारित पादासन के समान सीधे रखें। 'पैरों के दर्शन' अध्याय में बताए अनुसार धड़ और पैरों की रचना रखनी चाहिए। अभ्यास से तलवों को पट्टे या रस्सी से लपेटकर पैरों को आगे-पीछे खींचा जा सकता है। ऐसी स्थिति में पाँच-दस मिनट रुका भी जा सकता है। आगे चलकर इस अवधि को धीरे-धीरे बढ़ाने में कोई हानि नहीं है।

5. आसन से बाहर आने के लिए पैरों को मोड़कर दीवार पर रखें। जरा सा सिर की तरफ सरककर दाईं करवट घूमें अथवा सहायक को पट्टे खोलने को कहें और उपर्युक्त पद्धति से नीचे आ जाएँ।

ऊर्ध्व प्रसारित पादासन-3

घुटनों के अंदर की ओर के किनारे जब परस्पर लगते हैं अथवा जो घुटने एक-पर-एक होते हैं तो उन घुटनों को 'नॉक नीज' कहा जाता है। छोटे बच्चों के यदि ऐसे घुटने हों तो वे सहज रूप से भाग नहीं सकते या जल्दी-जल्दी चल नहीं सकते। ऐसे बच्चों के पैरों की गतिविधियाँ भी धीमी होती हैं। ऐसे समय अभिभावकों को सावधानी बरतना आवश्यक है।

क्रिया

1. दोनों पैर सीधे रखकर घुटनों के बीच में मोटा सा कंबल या मोटे नैपकिन की तह रखें।
2. घुटनों के अंदर के किनारों को पीछे रहने दें। अब ऊपर बताए अनुसार घुटनों के नीचे और ऊपर पट्टियाँ बाँधें। घुटने मुड़ने न दें। जो घुटना दूसरे पर गिरता रहता है, उस घुटने को अंदर की तरफ करें। किनारे पीछे रहें, इसका खयाल रखें।
3. अब जंघाओं और पिंडलियों की हड्डी को पट्टे से बाँधें। टखनों के बीच में कंबल न रखें। वहाँ भी पट्टा कसकर बाँधिए। छोटे बच्चे इस तरीके से दंडासन में बैठकर पढ़ना-लिखना भी कर सकते हैं। ऊर्ध्व प्रसारित पादासन करने से पैरों पर पड़ा भार कम होकर स्नायु फूलते नहीं। ऐसे समय गुरुत्वाकर्षण के विपरीत स्थिति में पट्टे यथासंभव अधिक खींचें।

इस प्रकार से पट्टे बाँधकर अथवा घुटनों और टखनों में कंबल लपेटे रखकर दंडासन, शवासन, सम स्थिति, शीर्षासन, सर्वांगासन, हलासन, पश्चिमोत्तानासन आदि आसन भी किए जा सकते हैं। इनसे सिर्फ घुटनों की रचना में ही नहीं, बल्कि मेरुदंड और कटिबंध की हड्डियों की रचना में भी सुधार आ जाता है।

□

23

सुप्त स्थिति में रीढ़ की रचना

किसी भी शारीरिक कार्य में उठना, बैठना, झुकना, चलना जैसी आम गतिविधियों का समावेश होता ही है। इसका परिणाम उदरावकाश (लंबर) और त्रिकास्थि (संक्रल) की हड्डी पर नित्य होता रहता है। हाथों की गतिविधियों का परिणाम जैसे गरदन पर होता है, वैसे पैरों की गतिविधियों का परिणाम हड्डी के इस हिस्से पर होने से इन दोनों हिस्सों पर नित्य ही दबाव बना रहता है। हाथ-पाँव की गतिविधियों के लिए इन भागों का अधिक इस्तेमाल होता रहता है, इसलिए इनकी क्षति भी जल्दी होती है। वहाँ के अंगों में स्पॉण्डिलाइटिस की शिकायतें भी अधिक पाई जाती हैं। पैरों की कई बीमारियों की जड़ इस हिस्से के मनकों, चेता तंतु और वहाँ के स्नायु, उनकी रचना, उनपर पड़नेवाले भार, रीढ़ के आकार, दोषपूर्ण हिलना-डुलना आदि पर निर्भर होती है।

उदरावकाश की हड्डी अत्यंत अंतर्वक्र हो जाए तो उसका सबसे निचला मनका त्रिकास्थि की हड्डी के पास जाता है और इन दोनों के बीच का अंतर कम हो जाता है। कुछ समय बाद वे एक-दूसरे में मिल जाते हैं। वहाँ का जोड़ खुला नहीं रहता, जिसके कारण इस हड्डी की अंतर्वक्रता और बहिर्वक्रता में अंतर पड़ता है तो कीमत कभी-कभी पूरी रीढ़ को चुकानी पड़ती है। रीढ़ की इन हड्डियों के बीच का अंतर कम हो जाए तो नीचे झुकना, भारी वस्तु उठाना, बैठने के बाद खड़े हो जाना आदि सामान्य क्रियाएँ भी कठिन लगती हैं। वहाँ की गतिविधियाँ कम हो जाती हैं, स्नायु अकड़ जाते हैं और उनमें दर्द होता है। साथ ही वहाँ की मनकों के बीच की चकती ढलकर चेता तंतुओं की जड़ दबने लगती है। इससे पार्श्व भाग, जाँघों के पिछले हिस्से और पैरों में दर्द होने से उठना, बैठना, चलना, पीठ के बल लेटना, नींद के बाद उठना आदि सब क्रियाएँ दुष्कर हो जाती हैं। उनमें सहजता नहीं रह सकती।

उदरावकाश से लेकर कटिबंध की हड्डी तक खुली गतिविधियाँ न हो पाने का कारण अकड़ी हुई घोंडसिर (हैमस्ट्रिंग) हो सकती है। हैमस्ट्रिंग खुले रूप से न जाने के कारण कमर, पार्श्व भाग और पैरों में निरंतर दर्द होता है।

कमर में दर्द होने पर उत्तानासन अथवा पश्चिमोत्तानासन में आगे झुका जा सकता है या नहीं, झुकने के बाद उठते समय या बैठते समय दर्द होता है या नहीं, इस बात की जाँच की जाती है। कभी-कभी झुकने की जाँच के कारण दर्द अधिक बढ़ जाता है। अतः जब कमर के कुछ दोषों के कारण अथवा कमर के जोड़ के दर्द के कारण पैर दर्द होता है, तब ऐसे समय इस तरह के आसन करने होंगे, जो कमर और पैर दोनों पर कारगर सिद्ध हों। पीठ के बल सीधे लेटकर कमर के स्नायु रीढ़ की तरफ से बाजू की ओर फैलाना, जकड़ा हुआ पार्श्व भाग खुला रखना, पैर घुटने में मोड़ते समय या उसे सीधे उठाते समय रीढ़ की हड्डी को अकड़ने न देना अथवा रीढ़ की हड्डियों को धक्का न देना सीखना होगा। अतः इसके लिए अगले आसनों के प्रकार देखेंगे—

सुप्त एकपाद आकुंचनासन

क्रिया

1. दीवार से समकोण करके इस प्रकार लेटें कि दोनों तलवे दीवार पर पूरी तरह से टिके हुए हों। इस प्रकार लेटते समय संभवतः घुटनों का पिछला हिस्सा अथवा जंघाओं का पिछला हिस्सा ऊपर उठाया जाता है। इसलिए लेटी स्थिति में ये उठे रहनेवाले हिस्से पहले नीचे रखने होंगे।

2. उसके लिए तलवे एड़ी सहित दीवार पर रोपकर पैरों को घुटनों में जरा सा मोड़ें। (चित्र 1) पार्श्व भाग के स्नायु जंघाओं की दिशा में लंबे करें।

3. अब श्वास छोड़ते हुए पैरों को इस प्रकार कड़े करें कि उससे कदम धक्का खाकर दीवार से दूर ढकेले नहीं जाएँगे और पार्श्व भाग के स्नायु पैरों की दिशा में, उदरावकाश के स्नायु पीठ की दिशा में ताने जाएँगे और रीढ़ के बाहर के स्नायु पार्श्व किनारों की दिशा में फैल जाएँगे। (चित्र 2)

    यह खिंचाव एक तरह से ट्रैक्शन के समान होता है। यह क्रिया हमें स्वयं ही जान-बूझकर, ज्ञानपूर्वक सावधानी से सीखनी पड़ती है। कटिबंध की हड्डियाँ ऊपर-नीचे हों तो उन्हें एक सीध में लाने में सहायता मिलती है और 'इलियोप्सिस' के स्नायु रीढ़ की हड्डी के स्नायुओं को जमीन की ओर ले जाने में अगली क्रिया में सहायता करते हैं। महिलाओं को घर के काम-काज से पैदा होनेवाले कमर दर्द में यह क्रिया विशेष रूप से लाभप्रद सिद्ध होती है।

4. अब दायाँ पैर घुटने में दबाएँ। कदम जंघा के पास लाएँ। साँस छोड़ें और मोड़ा

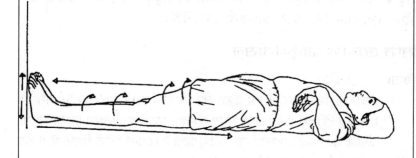

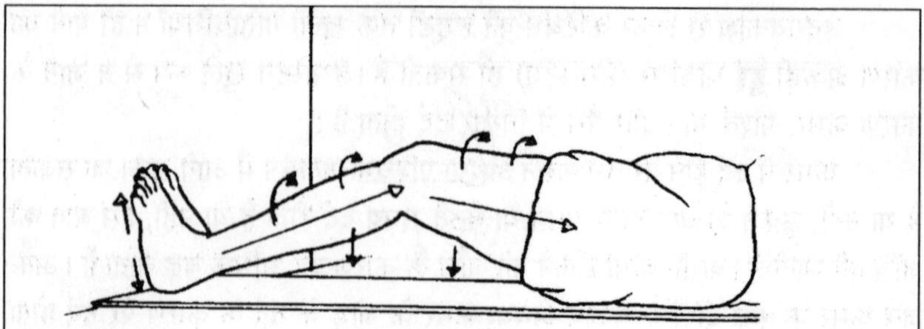

चित्र 23/1

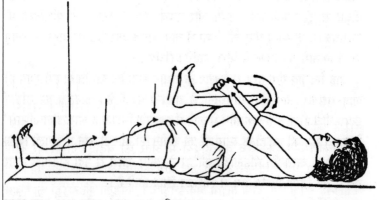

चित्र 23/2

चित्र 23/3

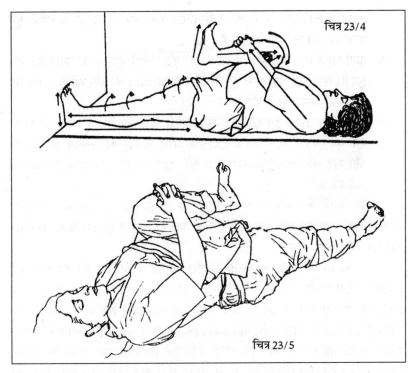

चित्र 23/4

चित्र 23/5

हुआ पैर पेट की ओर लाएँ।

5. पर पीठ की ओर अवश्य ध्यान दें। दाएँ पार्श्व किनारे को सिकुड़ने न दें। 'लंबो स्क्रल' के पास स्नायु जमीन से न उठाएँ। वह हिस्सा, जो अनजाने उठ जाता है, उसे जमीन पर ही रखें।

6. दोनों हाथों से दाईं पिंडली लपेटें (चित्र 3)। जंघा पेट की दिशा में दबाएँ। पर पेट के स्नायुओं को कड़ा न होने दें। अगर वैसा हो तो कंबल की तह जंघा और पेट के बीच में रखें (चित्र 5)। इससे वहाँ के स्नायु का मर्दन होने से वे मुलायम बन जाएँगे। इससे वहाँ की जलन और सनसनाहट कम होती है। सीना न सिकोड़ें। सिर न उठाएँ।

7. उदरावकाश और त्रिकास्थि की हड्डियों में अंतर को बढ़ाएँ। दीवार पर बायाँ कदम दबाना, बाईं जंघा नीचे दबाना, दाईं जंघा का पिछला हिस्सा घुटने की दिशा में तानना, उसके लिए दायाँ तलवा अकड़ने न देना, पिंडली की हड्डी का दबाव जंघा पर और जंघा का दबाव पेट पर देते हुए कमर की हड्डी के जोड़ के पास इस दबाव को बढ़ाना—ये सब क्रियाएँ एक ही समय, एक रूप से, चेहरे पर

तनाव न लाते हुए, सीने को न सिकोड़ते हुए और श्वास को न रोकते हुए उच्छ्वास सहित साधनी होती हैं।

8. दोनों पार्श्व भाग एक सीध में रखें। ध्यान रहे, गलती यहीं पर हो जाती है। मोड़े हुए पैर का पार्श्व भाग सीधे रखे पैर की विपरीत दिशा की ओर खींचते समय वह बाहर की ओर टेढ़ा न होने पाए।
9. अब श्वास छोड़ते हुए दायाँ पैर जमीन पर टिकाएँ और पैर को सीधा करें। फिर एक बार चित्र 1 और चित्र 2 में दरशाए तरीके के अनुसार 'ट्रैक्शन' देते हुए पैर और रीढ़ को सीधा खींचकर कड़ा करें। यही आसन अब बायाँ पैर घुटने में मोड़कर करें।

इस स्थिति में रुकने का समय बढ़ाने की अपेक्षा उसमें आवश्यक सभी सुधार ध्यान में लेकर एक बार दाईं तरफ और एक बार बाईं तरफ करते हुए इस क्रिया को तीन-चार बार दोहराएँ।

घुटनों का गठिया हो तो घुटनों के पीछे तौलिए या नैपकिन की तह रखी जाए (चित्र 4), जिससे मोड़ते समय हड्डियाँ एक-दूसरे से घिसेंगी नहीं । साथ ही कमर की हड्डी के जोड़ में और पीठ में दर्द होने पर यह तह जंघा और अधोदर के बीच में रखी जाए। (चित्र 5) इससे वहाँ घर्षण नहीं होता। इस आसन में घुटना मोड़ा जाता है, लेकिन उसपर प्रत्यक्ष भार नहीं पड़ता। जंघाओं पर पड़नेवाले विपरीत तनाव के कारण वहाँ का दर्द कम होता है। साइटिका के दर्द में पैर सहसा सीधे नहीं किए जा सकते। अत: यह क्रिया रीढ़ को पकड़नेवाले तनाव के कारण सुखद प्रतीत होती है। इस आसन से अवगत होने पर इसके बाद की क्रिया—अर्थात् सुप्त पादांगुष्ठासन करना सीखा जाए।

□

24

सुप्त पादांगुष्ठासन

घुटने से पैर मोड़ने की क्रिया समझने पर अब पैर घुटने में कड़ा रखना सीखना है। नौसिखियों के लिए पहले आकुंचन और बाद में प्रसरण क्रिया सुलभ होती है। जोड़ों की गतिविधि खुली होने के बाद स्नायुओं को तनाव देना आसान होता है। खासकर घुड़नस सिकुड़ने के कारण जंघा के स्नायु तानना असंभव हो जाए तो पहले घुटने मोड़ें और बाद में तानें। इसके विपरीत जोड़ों के दर्द के कारण, जिनके लिए घुटने मोड़ना संभव ही नहीं, उन्हें ऊर्ध्व प्रसारित पादासन के समान प्रथम घुटने कड़ा करना सीखें और फिर मोड़ना सीखें। इस अध्याय में सुप्त पादांगुष्ठासन के प्रकार दोनों पद्धतियों से देखेंगे। पहले सुप्त एकपाद आकुंचनासन करके सुप्त पादांगुष्ठासन की ओर बढ़ना है।

सुप्त पादांगुष्ठासन-1

क्रिया

1. दीवार से समकोण बनाकर लेटें। दोनों तलवे दीवार से पूरी तरह से टिकाकर रखें। पिछले अध्याय में बताए गए तरीके से ट्रैक्शन की क्रिया करते हुए पार्श्व भाग के स्नायुओं को जंघाओं की दिशा में लंबा करें।
2. साँस लें। बायाँ पैर सीधा रखकर दायाँ पैर घुटने में मोड़ें। दाईं जंघा पेट के पास लाएँ और तलवे के चारों ओर नाड़े को लपेटें। दोनों हाथों से नाड़े को पकड़ें। (चित्र 1)
3. अब साँस छोड़ते समय पैर कड़े करें। पर कंधों को उठने न दें। पैर उठाते समय दाएँ पार्श्व भाग के बाहरी किनारे और बाएँ पैर की पिछली जाँघ अपने आप उठाई जाती है। ध्यान रखें कि वह नीचे ही रहे।

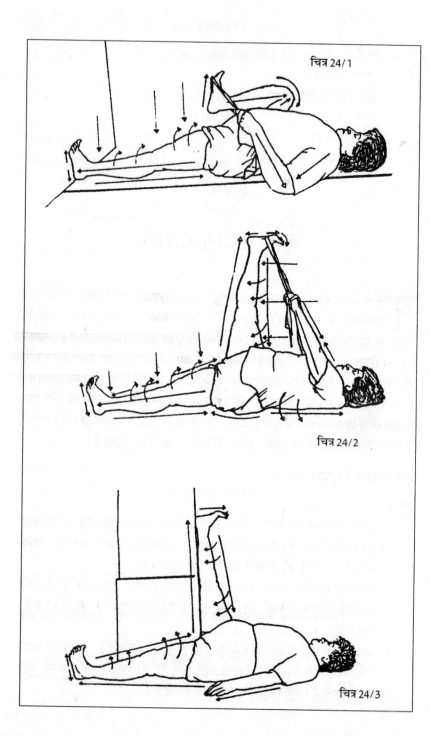

चित्र 24/1

चित्र 24/2

चित्र 24/3

4. दायाँ पैर जरा सा दाईं तरफ झुकाते हुए दाएँ पार्श्व के किनारों की बाहरी बाजू जमीन पर रखें।
5. उसे वैसा ही नीचे दबाए रखकर अब पैर सीधी रेखा में लाएँ। (चित्र 2) दायाँ पार्श्व किनारा जमीन पर उठाया जाए तो कमर के दर्द की आशंका बनी रहती है।

   आरंभ में पैर पार्श्व भाग की रेखा में अर्थात् जमीन से लंब रूप रखें। दाईं जाँघ के पीछेवाली घुड़नस को कड़ा करें। इस नस के खुल जाने पर ही कदम आगे खींचा जा सकता है। पैर कड़ा न होता हो, तब केवल कमर की हड्डी का जोड़ ही आसानी से आगे जा सकता है, इसलिए पैर को आगे न खींचें। इससे पैरों और पीठ के स्नायुओं को चोट पहुँचती है। पैर को आगे खींचते समय दायाँ पार्श्व भाग जमीन पर ही रहने दें। बाईं जाँघ को न उठाएँ। ध्यान रहे, बाएँ पैर का जमीन पर पड़ा दबाव और निचली रीढ़ की हड्डी का तनाव कम नहीं होने पाए।
6. अब साँस छोड़ें। दायाँ पैर घुटने में मोड़ें, कदम जमीन पर रखें और पैर कड़ा करें। उसे कड़ा करते समय घुटना और जंघा उठाए नहीं जाएँ, इस बात की सावधानी रखें। ट्रैक्शन जैसी क्रिया फिर से करें।
7. बायाँ पैर घुटने में मोड़कर सुप्त एकपाद आकुंचनासन करें। कदम के चारों ओर नाड़ा डालकर उपर्युक्त क्रिया बाईं तरफ करें।

   यह आसन कम-से-कम तीन-चार बार करें। हर समय 15 से 20 सेकंड रुकें।

निम्नलिखित क्रिया ध्यानपूर्वक करें—

(अ) पहले जमीन पर रखे हुए पैर पर ध्यान दें। वह पैर मुड़ा तो पीठ की हड्डी को धक्का लगेगा। नीचे का पैर कड़ा करते समय उठाया हुआ पैर कड़ा करना असंभव भले लगे, पर निचला पैर कड़ा व जमीन की तरफ दबाया हुआ रखें। यह क्रिया प्रथम आत्मसात् करें। रीढ़ की हड्डी को किसी भी तरह से ठेस न पहुँचने पाए, इसलिए इसका ध्यान रखना आवश्यक है। यह क्रिया बार-बार करने से गलतियाँ भी ध्यान में आती हैं और स्नायुओं को खुली गतिविधियों के लिए अवकाश मिलता है।

(ब) पैर ऊपर कड़े करते समय प्रथम घुटने की कटोरी को अंदर की तरफ खींचकर घुटने का पिछला हिस्सा कड़ा करें। तत्पश्चात् जंघाओं का पिछला हिस्सा एक-दूसरे की विपरीत दिशा में तानें। बायाँ पैर नीचे दब जाता है तो दायाँ पैर दाईं एड़ी की तरफ सीधा होता है।

(स) दोनों पार्श्व भाग एक सीध में रखें। उठाए हुए पैर के पार्श्व भाग को ऊपर न जाने दें। निचली रीढ़ की हड्डी के स्नायुओं को न सिकोड़ें। दोनों कटिबंध एक सीध में रखें।

यह आसन सहारा लेकर, कम तनाव देकर, गलतियों को ध्यान में लेते हुए—खासकर जोड़ों के दर्द के कारण घुटना मोड़ना असंभव होने पर—निम्नानुसार किया जा सकता है।

इसमें अलमारी का किनारा अथवा दरवाजे के पास की अथवा पैसेज की दीवार का इस्तेमाल किया जाता है। चित्र 3 में दरशाए अनुसार बायाँ पैर जमीन पर सीधा और दायाँ पैर अलमारी के किनारे से टिकाए रखें। दाएँ पैर का पिछला हिस्सा अलमारी से सटाकर रखें और बाएँ पैर की अंड-संधि व भीतरी किनारा अलमारी से टिकाएँ। लेटते समय ही अलमारी के पास या दीवार के पास इस तरह लेटें कि उससे यह कोण साधा जा सके। हाथ जमीन पर रखें (चित्र 3)। एक से दो मिनट इस स्थिति में रुकने के बाद घुटना मोड़ना संभव हो तो दायाँ तलवा दीवार से सटाकर रखें और घुटना पेट के पास लाएँ। यह सुप्त एकपाद आकुंचनासन होगा। बाद में बाईं तरफ मुड़कर उठा जा सकता है। जिनके लिए पैर मोड़ना संभव नहीं हो, वे सीधे बाईं तरफ मुड़ें और उठें। अब बायाँ पैर रखने के लिए अलमारी के दूसरी तरफ जाना पड़ेगा—अर्थात् विपरीत दिशा में लेटकर बायाँ पैर ऊपर और दायाँ पैर नीचे रखें।

घुटने में, टखनों में सूजन हो अथवा उदरावकाश की हड्डी दुखती हो, असह्य कमर दर्द हो, रीढ़ की चकती सरक गई हो तो इस पद्धति में अलमारी से सटकर आसन करने पर यह आरामदेह होता है और तनाव देना कष्टकर प्रतीत नहीं होता। साथ ही सुधार के लिए अवकाश रहता है।

कमर दर्द में दर्द की जगह निरंतर महसूस होनेवाली पीड़ा, एक प्रकार का असंतुलन, अकड़े हुए स्नायुओं के कारण गतिविधियों में आनेवाली बाधाओं आदि के कारण उचित मिलान से दोनों तरफ समान तनाव आता है तथा कमर और पैर खुल जाते हैं। लेकिन ये सरल तरीके ध्यानपूर्वक सावधानी से कई बार दोहराना आवश्यक होता है। आसन के इस प्रकार में पैरों को छत की ओर सीधे करना सीखने के पश्चात् फिर अगले प्रकार का अभ्यास करें—

सुप्त पादांगुष्ठासन-2

सुप्त पादांगुष्ठासन का यह दूसरा प्रकार है, अर्थात् उठाया हुआ पैर बाजू की तरफ सीधा ले जाना है।

क्रिया

1. इसके लिए पहले दायाँ पैर घुटने में मोड़कर सुप्त एकपाद आकुंचनासन करें।
2. तलवों को नाड़े के फंदे में अटकाएँ।
3. मोड़ा हुआ पैर दाईं तरफ झुकाएँ।

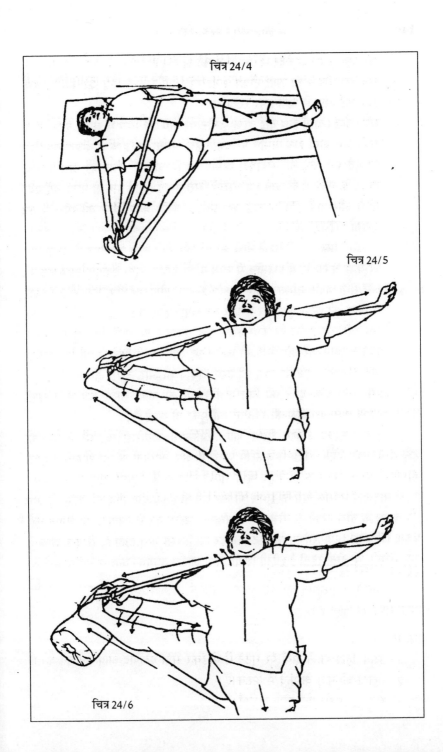

चित्र 24/4

चित्र 24/5

चित्र 24/6

4. दाईं अंड-संधि अधोदर से दाईं बाजू की ओर मुक्त करें।

5. अब दायाँ पैर सीधा ऊपर लेकर कड़ा करें। दाएँ हाथ से नाड़े को पकड़ें। बायाँ हाथ बाईं ओर से जमीन पर रखें।

6. साँस छोड़ें। दायाँ हाथ दाईं तरफ जमीन पर कंधे की सीध में लाएँ। घुटना कड़ा रखें। अब बायाँ हाथ जमीन पर दबाते हुए अथवा इस हाथ से कंबल का सिरा पकड़ते हुए नाड़े की सहायता से पैर को खिंचाव दें (चित्र 4) अथवा नाड़ा गरदन के पीछे से ले जाते हुए उसका सिरा पकड़ें। बाएँ हाथ से नाड़ा बाईं ओर खींचें और दाएँ हाथ से नाड़े को उठाएँ, जिससे कदम कंधे की सीध में आ जाएगा। (चित्र 5)

इस आसन में भी पहले नीचे का पैर और फिर बाजू की तरफ ले जाया गया पैर कड़ा करना सीखें। जमीन से जंघा को न उठाएँ। सुप्त एकपाद आकुंचनासन और सुप्त पादांगुष्ठासन प्रकार–1 और 2—इन तीनों प्रकारों में जंघाओं को बाहर से अंदर की तरफ वृत्ताकार घुमाना महत्त्वपूर्ण होता है।

7. अब साँस छोड़ें और पैर ऊपर उठाएँ तथा प्रकार 1 पर आएँ। फिर सुप्त एकपाद आकुंचनासन करें और पैरों को जमीन पर लाएँ। यही क्रिया बायाँ पैर उठाकर बाईं ओर करें। एक पैर बाजू की तरफ जमीन की ओर, दूसरा दीवार की ओर— इस प्रकार एक-दूसरे की विपरीत दिशाओं को तानते समय अंड संधि खुली होकर कमर के जोड़ की गतिविधियाँ मुक्त हो जाती हैं।

उसका सहारा अवश्य लिया जाए। 'ऑस्टियो-पोरोसिस' बीमारी में पैरों की हड्डियाँ कमजोर होकर अति नाजुक हो जाती हैं और आसानी से टूट सकती हैं। इस बीमारी में पैर के अब तक सीखे हुए सभी आसन उपयुक्त हैं। सुप्त पादांगुष्ठासन प्रकार-2 को महिलाएँ मासिक धर्म के समय भी कर सकती हैं। केवल बाजू की तरफ ले जाए गए कदम के नीचे टखने के नीचे मसनद रखकर सहारा देने से स्नायुओं पर तनाव नहीं पड़ता (चित्र 6)। रज-स्तंभन के बाद अधोदर का हिस्सा भारी होता है, सिकुड़ जाता है और बेचैनी-सी होती रहती है। ऐसी स्थिति में ये आसन उपयुक्त कारगर साबित होते हैं।

□

25

घुटनों के जोड़-1

घुटने का दर्द और कमर दर्द का आपस में गहरा संबंध है, यह हम पहले जान चुके हैं। चलते समय कदम जब अपने आप बाहर मुड़ते हैं, तब घुटनों के भीतरी अस्थि-बंध पर अति भार पड़ता है। कालांतर में अस्थि-बंध धीरे-धीरे छीजते जाते हैं। ऐसे समय अस्थि-बंधन के पास कभी-कभी जलन होने लगती है। पैरों का आकार भी बदलकर धनुषाकार होने लगता है। इससे पैरों पर असमान भार पड़ने लगता है। कार्टिलेज (चक्रिका) छीजने लगता है। इसकी पूर्ति करना संभव नहीं होता। अतः घुटने जैसे नाजुक जोड़ बहुत नजाकत से मोड़ने पड़ते हैं।

पैरों का मध्य ध्यान में रखते हुए पैरों को मोड़ना उचित है। खासकर गठिया रोग के विकार में स्नायुओं का दबाव घुटनों पर असमान पड़ता है। हड्डियों के जोड़ों का हिलना-डुलना स्नायुओं पर अवलंबित होता है। स्नायु गलित होने पर हड्डियाँ भी गलती हो जाती हैं। स्नायुओं का तनाव असमान हो जाने पर हड्डियों के ऊपर का भार भी असमान हो जाता है। ऐसे समय में जोड़ों की हड्डियों की रचना, उनकी गतिविधि, उनका इस्तेमाल—इन सब पर असर के लिए पैरों को घुटने में मोड़ने की क्रिया को ठीक ढंग से करना होता है।

घुटनों और पैरों के दर्द पर बताए गए आसन-प्रकारों का क्रम इस दृष्टिकोण से समझ लेना आवश्यक है। जिस प्रकार दाँतों की रचना ठीक रखने के लिए ब्रश किया जाता है, उसी प्रकार पैरों का मध्य सीधा रखने के लिए आरंभ में पैरों को पट्टे से लपेटकर बाँधा जाता है। इससे हड्डियाँ धीरे-धीरे सीधी होने लगती हैं। उसके बाद पैर कड़ा करने की क्रिया देखी। बाद में पैर मोड़ने की क्रिया भी हमने देखी। लेटी हुई स्थिति में सुप्त एकपाद आकुंचनासन करते समय घुटनों पर शरीर का भार बिलकुल ही न पड़े, इस तरह उन्हें मोड़ने की क्रिया भी हमने देखी। अब यह क्रिया उत्थित स्थिति में, साथ

ही पेट के बल लेटे हुए, जंघा के जोड़ों सहित मोड़कर और न मोड़ते हुए, दोनों तरीकों से करने के अलग-अलग प्रकार देखेंगे।

इन प्रकारों के अभ्यास के कारण आगे घुटनों पर भार देकर उन्हें मोड़ने की क्रिया करना आसान होता है। उत्थित स्थिति में पैरों का मध्य न बदलते हुए उसे दो तरीकों से मोड़ा जा सकता है।

उत्थित एकपाद आकुंचनासन

इस आसन में घुटनों की रचना उत्थित मरीच्यासन जैसी होती है।

पूर्व तैयारी—दीवार के पास जंघा की लंबाई जितना ऊँचा स्टूल रखें। यदि स्टूल की लंबाई-ऊँचाई कम हो तो स्टूल पर ईंट रखकर पैरों के लिए ऊँचाई बढ़ाएँ।

क्रिया

1. स्टूल 4 से 6 इंच की दूरी पर सामने रखकर सम स्थिति में खड़े रहें। दायाँ पैर मोड़कर उठाएँ और स्टूल पर रखें। (चित्र 1)

2. उठाया हुआ कदम और दूसरा कदम, ये दोनों सामने सीधे रखें। बाहर की तरफ मुड़ने न दें। पीठ की हड्डी सीधी रखें। इस स्थिति में पिंडली की हड्डियों का घुटनों को सहारा मिलता है, जिससे दुखनेवाले घुटनों को आराम (उत्साह) मिलता है। पर स्टूल की ऊँचाई अगर कम हो तो घुटना भारी लगता है, अत: घुटने की ओर से मिलनेवाले संकेत पर ध्यान देना जरूरी होता है। ऐसे समय घुटने के पीछे कंबल अथवा नैपकिन वृत्ताकार लपेटकर रखने से भीतर अस्थि-बंधन सिकुड़ नहीं जाते। घुटनों की गतिविधियाँ खुलकर होने लगती हैं और वहाँ की हड्डियों की छीजन को रोका जाता है (चित्र 1)। आगे चलकर घुटनों के लिए आसनों के जो अन्य प्रकार बताए जाएँगे, उनमें इस उपाय को स्वीकार करना आवश्यक होता है। गठिया के कारण पैरों को मोड़ने पर बहुत अधिक पाबंदी आ जाने के कारण घुटनों के पीछे जितना अंतर खुला रहेगा उतना ही बड़ा कपड़ा लपेटना पड़ेगा अथवा तकिया, मसनद जैसी भारी, पर मुलायम वस्तुओं का इस्तेमाल करना पड़ेगा।

इसमें उठाए हुए पैर की जाँघ का पिछला हिस्सा ताना जाता है—एक बार दाईं ओर तथा एक बार बाईं ओर। इस प्रकार पैर उठाकर स्टूल पर रखें और यह आसन दो से तीन बार करें। आसन स्थिति में 1 से 2 मिनट तक रुकें।

उत्थित एकपाद आकुंचनासन में उठाए पैर की जाँघ और अंड-संधि की खाँच में कंबल की तह रखकर दीवार एवं खिड़की की सलाख पकड़कर आगे झुकना कमर दर्द के लिए लाभकारी साबित होता है।

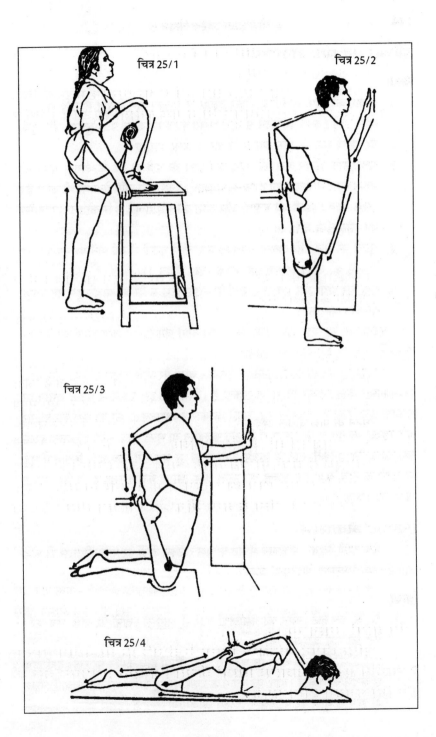

चित्र 25/1

चित्र 25/2

चित्र 25/3

चित्र 25/4

उत्थित एकपाद भेकासन-1

क्रिया

1. दीवार की तरफ मुखातिब होकर दीवार से सटकर सम स्थिति में खड़े रहें।
2. साँस छोड़ें। दायाँ पैर घुटने में मोड़ें। ऐसा करते समय पैर पीछे मुड़ेगा और दायाँ पैर पार्श्व भाग के पास बाहरी किनारे के पास आएगा।
3. बायाँ हाथ दीवार पर रखें और दाएँ हाथ के पंजे से पैर के अगले भाग को पकड़कर उसे दीवार की तरफ आगे दबाएँ। इनमें एड़ी जाँघ के पास भी जाती है। इसके बीच पिंडली की हड्डी और जंघा की हड्डी को न सिकोड़ते हुए जमीन की ओर लंबी करें।
4. घुटनों पर सूजन हो अथवा उपर्युक्त कारणों से घुटनों में दर्द होने पर नैपकिन या तौलिए की लपेट अथवा तह करके रखें। (चित्र 2)
5. एक बार दायाँ और एक बार बायाँ पैर—इस क्रम से पैर को मोड़ते हुए यह प्रकार दो-तीन बार करें।

घुटना जरा सा पीछे और जंघा तथा कदम आगे जाएँगे, इस तरह हाथों का पैरों पर दबाव दें। यह पैर वीरासन जैसा होगा।

यही क्रिया बैठकर यानी घुटने पर टेककर बायाँ पैर पीछे उष्ट्रासन जैसा और दायाँ पैर भेकासन जैसा रखकर किया जा सकता है (चित्र 3)। इस प्रकार में घुटना जमीन पर टिकाया हुआ होता है। हालाँकि इस सहारे के कारण आसनकर्ता को डर नहीं लगता; पर खड़े रहकर करनेवाले की क्रिया में जितना खुलापन या मुक्त भाव आता है, उतना इसमें नहीं आता। पैर लटकता रहने के कारण अगर घुटने पर भार लगे, तब खड़ी स्थिति में मुड़े पैर घुटने के नीचे यथोचित ऊँचाई का स्टूल और उसपर कंबल रखकर भी यह आसन किया जा सकता है।

एकपाद भेकासन

भेक यानी मेढक। भेकासन में पेट के बल लेटकर दोनों पैर पीठ की तरफ से मोड़े जाते हैं। यह 'एकपाद भेकासन' कहलाता है।

क्रिया

1. पेट के बल लेटें। सीने की पसलियाँ उदर से आगे लें। दोनों पैर पीछे लंबे करें। पैरों को पास जोड़कर रखें।
2. अब साँस छोड़ें और दायाँ पैर घुटने में मोड़ें। बायाँ हाथ जमीन पर रखें। दाएँ हाथ से कदम को पकड़ें। हाथ का कोना उठाकर कदम जमीन की ओर दबाएँ (चित्र 4) हाथ से घुटने पर पड़नेवाला दबाव आजमाया जाता है। इसमें घुटनों को मोड़ने

की सहन-शक्ति को भी आजमाया जाता है।

3. पैर छोड़ें। दायाँ हाथ जमीन पर रखें और पैर सीधा करें। अब बायाँ पैर घुटने से मोड़ें। बाएँ हाथ से कदम पकड़ें। हाथ का कोना उठाकर कदम जमीन की ओर दबाएँ। दायाँ और बायाँ पैर अदल-बदलकर मोड़ें। यह क्रिया दो-तीन बार 10 से 15 सेकंड करें।

इसमें भी घुटने के पीछे नैपकिन या कंबल को आवश्यकतानुसार लपेटकर अथवा तह करके यह आसन किया जा सकता है। इन सभी प्रकारों में, जिनका घुटना कुछ ज्यादा ही दब रहा हो, वे नैपकिन की लपेट गुंडेरी करके उसे घुटने के पीछे बननेवाले साँचे में रखें। घुटने के पीछे के शरीर के हिस्से और नैपकिन के बीच में अंतर नहीं रहना चाहिए। दर्द कम हो तो छोटी सी तह पर्याप्त होती है। घुटने मोड़ने की क्रिया में एक सीमा आ जाने पर मोटी सी लपेट लेना आवश्यक होता है। जिस प्रकार कूर्चा जोड़ों की खुली जगह में रहकर हड्डियों के सिरों को संरक्षा देता है, ठीक उसी प्रकार यह लपेट बाहर से काम करती है और जोड़ों में यथावश्यक अंतर बनाए रखती है।

इन सभी प्रकारों में मोड़े हुए पैर की पिंडली और जंघा का हिस्सा अंदर से बाहर की ओर मोड़ना है और अगली जंघा बाहर से अंदर की तरफ मोड़नी है। उसी प्रकार घुटने के अंदरूनी और बाहरी दोनों सिरे लंबे करने होते हैं। उत्थित एकपाद आकुंचनासन में उन्हें ऊपर और भेकासन के प्रकारों में शरीर की लंबाई में खींचना होता है। भेकासन के तीनों प्रकारों में जंघाएँ लंबाई में खींची जाती हैं। इससे सिकुड़े हुए स्नायु खुलते हैं, जिससे घुटनों को लाभ होता है।

इन सभी प्रकारों में साँस छोड़ते हुए घुटना मोड़ना श्रेयस्कर होता है। साँस को रोकते हुए घुटना मोड़ने पर उसमें दर्द होता है। श्वास छोड़ते हुए इन्हें करने पर घुटना हलका होता है। आसन स्थिति में रुकने पर सामान्य श्वास लेते हुए उच्छ्वास करें।

□

26

घुटनों के जोड़-2

घुटनों पर भार न डालते हुए उन्हें धीरे-धीरे मोड़ने की क्रिया जानने के बाद भार देते हुए उन्हें किस तरीके से मोड़ना है, इस क्रिया को जानेंगे।

घुटना पिंडली की हड्डी पर खड़ा होता है और जंघा की हड्डी उसपर खड़ी होती है, अतः इस आसन प्रकार में पिंडली की हड्डी का सहारा लेते हुए घुटना मोड़ना है। उत्कटासन, मालासन, पाशासन आदि आसनों में पैर जिस क्रिया से मोड़े जाते हैं, उस क्रिया का प्रयोग इस आसन में भी किया जाता है; लेकिन घुटनों में विकार (दर्द) होने के कारण उसमें जरा सा बदलाव करके यह प्रकार किया जाता है।

मालासन

यह मालासन की मध्य स्थिति है। खिड़की की सलाखों के सामने या मजबूत खाट या मेज का सहारा लेकर यह मालासन का प्रकार किया जा सकता है।

पूर्व तैयारी—कंबल की वृत्ताकार लपेट बनाएँ। जिसके सहारे करना हो, उस दीवार अथवा पलंग से 10 से 12 इंच की दूरी पर लपेटा हुआ कंबल अथवा लकड़ी की तख्तियाँ रखें।

क्रिया

1. खिड़की के सामने अथवा जिसका सहारा लेना है, उसके सामने खड़े रहें। एड़ियाँ उठाएँ और लपेटे कंबल पर (या तख्तियों पर) रखें। पंजों को नीचे टिकाएँ। पंजे नीचे होने के कारण घुटनों पर भार नहीं पड़ता।
2. आरंभ में दोनों कदमों में 6 इंच का अंतर रखें।

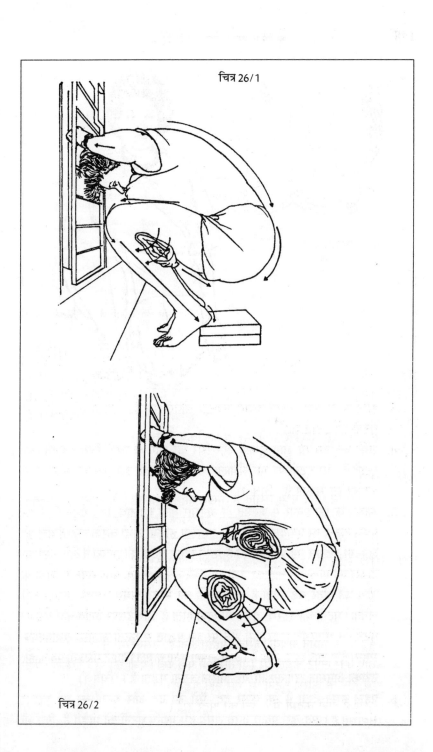

चित्र 26/1

चित्र 26/2

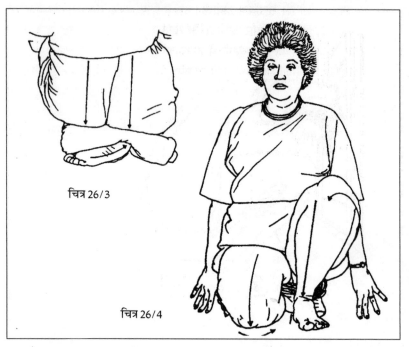

चित्र 26/3

चित्र 26/4

3. हाथों से सलाख अथवा तत्सम मजबूत सहारा पकड़ें। पिंडली की हड्डी पर घुटनों को उठाते जाएँ।

4. शरीर को जरा सा आगे झुकाएँ और सिर को आगे ले जाएँ, जिससे घुटने कम दुखते हैं और घुटनों पर भार सँभाला जाता है या नहीं, इस बात का अनुमान भी लगाया जा सकता है (चित्र 1)।

5. आसन के इस प्रकार में जरूरत के अनुसार कुछ बदलाव करने पड़ते हैं। जिस प्रकार घुटनों पर एकदम भार न पड़े, इसलिए हड्डियाँ ऊँची करके उन्हें कंबल को लपेटपर रखकर यह प्रकार करते हैं, उसी प्रकार घुटनों को झटका न लगे, इसलिए कंबल की गोलाकार नलिका जैसी लपेटकर उसे घुटनों के पीछे रखने से जोड़ों के बीच का अंतर बढ़ जाता है और घुटनों को मोड़ते समय एकदम झटका नहीं लगता। घुटनों का अस्थि-बंधन भी लंबा होता है और उसपर तनाव नहीं पड़ता। घुटनों के भीतर चिकनाई कम होने पर इस पद्धति से घुटनों के पीछे यथावश्यक सहारा देना आवश्यक होता है। अतः लपेटा हुआ कंबल जितना मोटा या पतला हो, उसका अनुमान लगाकर ही यह आसन करना पड़ता है। (चित्र 1)

6. पहले हमने देखा है कि कमर दर्द, पैरों का दर्द और घुटनों का दर्द परस्पर संबंधित हैं। अतः इस प्रकार करते समय हम यद्यपि घुटनों को मोड़ते हैं, फिर भी

कमर दर्द होने की संभावना होती है। उसके लिए कंबल की तह अथवा लपेटा हुआ कंबल जंघाओं और अधोदर के ठीक मोड़ने-झुकने के खाँचे के अंदर बिठाया जाए (चित्र 2)। घुटनों में होनेवाला घर्षण जिस प्रकार घुटनों के पीछे कंबल से रोका जा सकता है, वैसे ही जंघा के घर्षण को भी कंबल से रोका जा सकता है। फिर कमर दर्द अथवा पीठ दर्द (लंबर) होने पर इस कंबल के कारण वहाँ के स्नायु रीढ़ से पसर जाते हैं, उससे पीठ दर्द और कमर दर्द कम हो जाता है। इससे चतु:शिरस्क स्नायुओं पर भार व तनाव कम होकर घुटने मोड़ना सहज और आसान हो जाता है। मासिक धर्म के समय महिलाओं को होनेवाले कमर दर्द की पीड़ा में यह प्रकार उपयुक्त सिद्ध होता है। पेट का फूलना, पेट दर्द, पित्त होना आदि विकारों में भी यह प्रकार उपयुक्त होता है।

अभ्यास से दर्द कम होने लगने पर घुटनों पर भार सँभालना संभव होता है। उसके पश्चात् घुटनों के पीछे, एड़ियों के नीचे के और जंघाओं के जोड़ों में लिये गए कंबल की लपेट का आकार कम किया जा सकता है; पर संधिवात (जोड़ों का दर्द) होने पर आसन सहारा लेकर करना ही बेहतर होता है। (चित्र 2—एड़ियों के नीचे)

जब ऑस्टियो ऑर्थराइटिस जैसी बीमारी में घुटनों को मोड़ना असंभव होता है, तब घुटनों के पीछे तकिए अथवा मसनद जैसी मोटी पर मुलायम वस्तु का सहारा लेना पड़ता है। सहायक को हाथ से सहारा देने के लिए बताकर यह आसन किया जा सकता है।

आरंभ में घुटने जितना सह सकें उतने समय के लिए ही, 20 से 30 सेकंड तक रुकें और पीछे धीरे-धीरे पार्श्व भाग पर सरकते हुए नीचे बैठें अथवा पीछे मसनद रखकर उसपर पार्श्व भाग को टिकाया जाए। उसे फिर से करने के लिए एड़ी के नीचे के कंबल, घुटने के पीछे के कंबल या जंघा और पेट के साँचे में रखे कंबल को फिर एक बार ठीक-ठाक करके आसन दो-तीन बार किया जाए।

अर्धमत्स्येंद्रासन
यह अर्धमत्स्येंद्रासन में बैठने की मध्य स्थिति होती है।

क्रिया
1. जमीन पर कंबल फैलाएँ। यथासंभव दीवार के सामने अथवा खिड़की के सामने मुखातिब होकर बैठें। इससे जरूरत पड़ने पर हाथ से दीवार या खिड़की का सहारा लिया जा सकता है।
2. कंबल पर दोनों घुटनों पर खड़े रहें। यह स्थिति उष्ट्रासन की है।
3. अब दायाँ पैर उसी स्थिति में रखें और बायाँ कदम आगे बढ़ाएँ, जिससे तलवे जमीन पर और घुटने छत की दिशा में रहेंगे।

4. अब दाएँ पैर पर बैठना है, इसलिए बायाँ पैर सामने मुड़ी हुई स्थिति में रखें।
5. दाएँ पैर की रचना ऐसी रहने दीजिए कि जिससे दोनों पार्श्व भागों को बैठने के लिए कदमों की पीठ तैयार हो जाएगी। कदम टखनों में से अंदर इस पद्धति से घुमाएँ कि एड़ी का हिस्सा दाएँ पार्श्व भाग के नीचे और उँगलियाँ व पंजा बाएँ पार्श्व भाग के नीचे आएगा। (चित्र 3)
6. बायाँ पैर मोड़ते समय एड़ी जंघा के पास लें और घुटना छत की दिशा में रखें।
7. दायाँ कदम ठीक रखने पर कंबल की तह उसपर रखें। श्वास छोड़ें और पार्श्व भाग दाएँ चरण की ओर लाते हुए ऊपर बताए गए अनुसार टिकाएँ और दाएँ चरण पर बैठें। (चित्र 3)
8. जंघा का पिछला हिस्सा पिंडली पर रखें। दाएँ पार्श्व भाग की हड्डी दाईं एड़ी पर आने दें। अब पीठ की रीढ़ की हड्डी सीधी रखें और इससे पैरों पर शरीर का भार पड़ेगा, इस पद्धति से बैठें। (चित्र 4, सामने से)

घुटने दुखते हों तो कंबल की तह घुटनों के पीछे पार्श्व भाग के नीचे आएगी, इस तरीके से रखें। दोनों हाथ बाजू की तरफ नीचे रखें और न रखें तो ईंट पर रखें अथवा सामने छोटा स्टूल या कुरसी रखें और उसपर दोनों हाथ रखें। दोनों हाथों से किनारे पकड़ें। इस सहारे के कारण पैरों से सँभले, उतना ही भार उनपर डालना संभव हो पाता है। विशेषकर पैरों में अधिक दर्द हो तब और आदत न होने के कारण उनपर एकदम ज्यादा भार नहीं डाला जा सके, तब यह सहारा उपयुक्त सिद्ध होता है। रीढ़ की हड्डी जब सीधे उठाई नहीं जा सकती, तब दीवार या खिड़कियों की सलाखें पकड़कर शरीर को ऊँचा उठाया जा सकता है।

पीठ के दर्द में, खासकर तलवे, एड़ियाँ, एड़ी के अंदर का किनारा व पिंडलियाँ दुख रही हों अथवा पैरों में वेरिकोज वेंस हों, एड़ियों में 'स्पर्स' हुए हों, पैर निरंतर कसकते हों, तब यह आसन किया जाए। चरण ठंडे होना, चरण के अँगूठे के पास की हड्डी बाहर आना, पिंडलियों में रह-रहकर दर्द उभरने की शिकायत बार-बार होना, पैरों में दुर्बलता का अनुभव होना, पैर सुन्न पड़ जाना अथवा अकड़ जाना आदि पर यह प्रकार अत्यंत उपयोगी व लाभकारी होता है।

9. आसन करते समय एक बार दाएँ पैर पर और एक बार बाएँ पर—इस प्रकार अदल-बदल कर बैठें। आरंभ में जितना सँभल सकता है, उसके अनुसार एक-दो मिनट करते हुए आगे चलकर अधिक समय रुकें। पैर दर्द ज्यादा होने पर अधिक समय तक बैठा नहीं जा सकता और स्थिति बदलनी पड़ती है। पर पैर पार्श्व भाग के नीचे स्थिर हो जाने पर बाजू बदलने से पहले यथासंभव अधिक समय रुकें।

□

27

वीरासन

हमने शरीर की अलग-अलग स्थितियों में घुटने मोड़ने की क्रिया सीखी। पीठ के बल या पेट के बल लेटकर, उत्थित स्थिति में घुटनों पर भार न डालते हुए उसे मोड़ा। उसके बाद बैठी स्थिति में मालासन सीखा और अर्ध मत्स्येंद्रासन की मध्य स्थिति में चरण पर बैठने का तरीका सीखा। अब वीरासन में बैठी स्थिति में घुटने पूर्णतः मोड़कर उनपर बैठना है।

इस आसन में घुटने, टखने और एड़ियाँ अलग-अलग स्थिति में रखकर उनका प्रभावकारी उपयोग करके या जोड़कर यह आसन करना है। इसलिए, एक ही प्रकार के आसन से पैर के किसी हिस्से का दर्द कैसे ठीक किया जा सकता है, यह सोचना होगा।

अब हम इस आसन को घुटनों और कदमों के इलाज के दृष्टिकोण से जानेंगे। घुटने और अंड-संधि में मोड़ने की क्रिया ठीक तरह से न कर पाने पर पार्श्व भाग जमीन पर नहीं जा सकता। पिंडलियाँ और जंघाएँ मोटी हों तो यह पैर दर्द का एक कारण हो सकता है। अतः अगर पार्श्व भाग जमीन पर न टिकता हो तो यह आसन करते समय उसे नीचे से सहारा दें।

वीरासन

क्रिया

1. कंबल पर बैठें और पीठ के पीछे मसनद रखें। दोनों घुटने मोड़ें और उन्हें जमीन पर टिकाएँ।
2. शुरू-शुरू में घुटनों में कुछ अंतर रखें।
3. अब पार्श्व भाग मसनद के पास टिकाने के लिए नीचे लाएँ। परंतु उससे पूर्व दाएँ

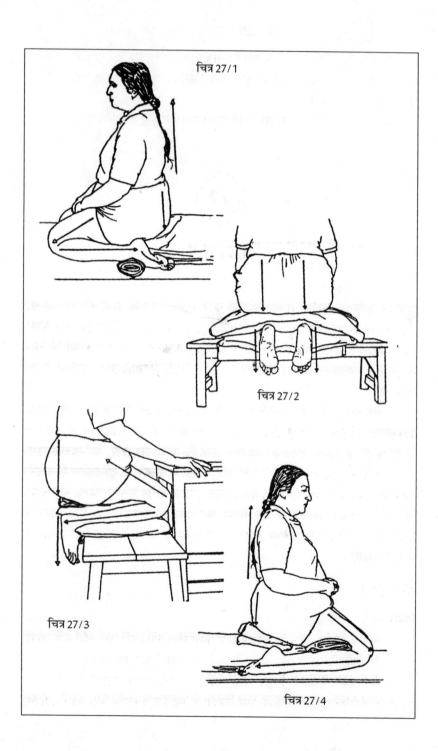

चित्र 27/1

चित्र 27/2

चित्र 27/3

चित्र 27/4

हाथ से दाईं पिंडली अंदर से बाहर घुमाकर नीचे बैठते हुए पेट को बाहर मोड़ना महत्त्वपूर्ण है। इससे घुटनों पर भार पड़कर झटका नहीं लगता और पैर की मध्य रेखा नहीं बदलती।

4. चरण उँगलियों की तरफ सीधे लंबे तानते समय टखनों का अगला हिस्सा ताना जाने पर कदमों में 'वाम' आते हैं। खासकर तलवे की कमान नष्ट होने पर भार सँभाला नहीं जा सकता। ऐसे समय में जमीन पर स्थित टखनों के नीचे तौलिए या नैपकिन को लपेटकर रखने पर टखने पर सीधे भार नहीं पड़ता (चित्र 1)। खासकर चलते समय, खेलते समय किसी प्रकार की चोट आई हो तो टखनों पर सीधे पड़नेवाला भार वे सँभाल नहीं पाते। ऐसे समय में तौलिए या नैपकिन को लपेटकर वहाँ रखने से उसे गद्देनुमा सहारा मिल जाता है।

5. जिन्हें नीचे बैठने की जरा सी भी आदत नहीं होती, उन्हें पैरों को लटकाकर रखना उचित होता है। घर में बेड पर इस प्रकार वीरासन में बैठिए, जिससे बेड के मुलायम किनारों से पंजे और उँगलियाँ नीचे जमीन की ओर लटकती रहें— अर्थात् पार्श्व भाग के नीचे कंबल की तह और मसनद होने के कारण (चित्र 2) वह हिस्सा नीचे नहीं जाएगा और कदमों के अगले हिस्से के स्नायुओं पर, खासकर टखने की हड्डियों पर (मेटाटार्सस/टार्सस) भार नहीं पड़ेगा। उसके कारण कम-से-कम घुटने मोड़कर बैठा तो जा सकता है (चित्र 3)। पीछे गिरने का यदि डर लगता हो तो आगे हाथ से पकड़कर रखने के लिए एक स्टूल रख लेना चाहिए।

6. अब जब घुटनों को मोड़ना ही कठिन होता है, ऐसे समय घुटनों के पीछे नैपकिन अथवा कंबल की तह रखी जाए और आवश्यकतानुसार पार्श्व भाग के नीचे कंबल की ऊँचाई बढ़ाएँ (चित्र 4)। इस पद्धति से झुके हुए अस्थि-बंधनों पर सीधा दबाव नहीं पड़ता। घुटनों पर यदि सूजन हो अथवा हड्डियों के सिरों पर जगह छूट गई हो, जोड़ सूख गया हो तो यह क्रिया लाभदायक सिद्ध होती है।

7. पैरों पर शरीर का वजन नित्य लगातार पड़ता रहता है। शरीर के नीचे एड़ियाँ हमेशा दबाती रहती हैं। दरअसल एड़ी के नीचे गद्दे जैसी मोटी सी मेद की तह होती है, मानो प्राकृतिक जूता हो। पर एड़ी की हड्डियों का वजन इस मोटी मेद की सतह पर नित्य पड़ता रहता है। इससे एड़ी की हड्डी और मेद का एक-दूसरे से घर्षण होता रहता है और एकाध काँटे जैसी नोक बाहर झाँकने लगती है। तलवों में चुभने लगती है और वह 'कैल्केनियम स्पर्स' कहलाता है। इस प्रकार के 'स्पर्स' यदि तलवे से बाहर झाँक रहे हों तो दोनों कदम वीरासन में यथासंभव करीब लें। एड़ियों को ठीक ऐसी स्थिति में रखें कि वे पार्श्व भाग की हड्डी के

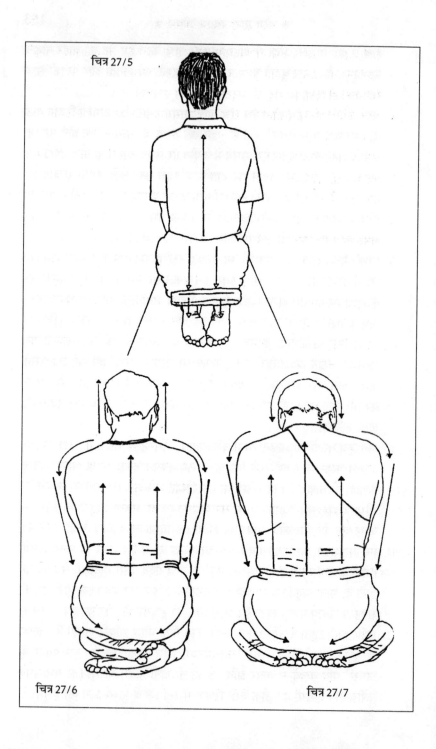

चित्र 27/5

चित्र 27/6

चित्र 27/7

नीचे आएँ। एड़ियाँ तथा पार्श्व भाग की हड्डी के बीच कंबल की गोलाकार नलीनुमा पक्की तह रखें। इससे भार सीधे एड़ी के पिछले भाग पर पड़कर एड़ी के नीचे की मुलायम मेद की गद्दी हड्डियों से लंबी हो जाती है और 'स्पर्स' की पीड़ा धीरे-धीरे कम होती है। (चित्र 5) खासकर 35 से 45 वर्ष की महिलाओं को यह पीड़ा सताती है। यह दर्द सामान्य ही सही, पर अत्यंत पीड़ादायी होता है। यह आसन दिन में यथासंभव अधिक बार करें। आरंभ में यह बहुत देर नहीं रोका जा सकता, पर आगे चलकर अभ्यास से यह अवधि बढ़ाई जा सकती है।

8. वीरासन में एड़ियों के अंदर के किनारों पर भार लेने के लिए और कमान के हिस्सों को तानने के लिए पार्श्व भाग के नीचे पैरों को अंदर की तरफ घुमाकर एक-दूसरे पर रखा जाए। चित्र में दाएँ कदम पर बायाँ कदम आड़ा रखा हुआ है। (चित्र 6) पैरों की यह स्थिति अदल-बदल करके की जाए। इससे पैर मुलायम हो जाते हैं। यह कदमों और तलवों को तेल लगाकर मृदु मालिश करने की क्रिया है। इस आसन के कारण मर्दन जैसी क्रिया हो जाती है। साथ ही एड़ियाँ बाहर गोलाकार रखकर, कदमों की उँगलियाँ अंदर मोड़कर, पैरों का अर्धवृत्ताकार पीढ़ा तैयार करके उसपर बैठने से एड़ियाँ पार्श्व भाग के दबाव से बाहर धकेली जाती हैं। इससे कदमों की कमान का मर्दन होता है और उँगलियाँ भी दबाई जाती हैं। (चित्र 7)

9. आसन से बाहर आने के लिए साँस लें। धड़ ऊपर उठाएँ। कदम आगे बढ़ाएँ और दंडासन में आराम करें।

10. वीरासन के इस प्रकार में रुकने की अवधि 1 मिनट से धीरे-धीरे आगे बढ़ाएँ।

इस वीरासन में कदमों और पैरों की अलग-अलग रचना के कारण पैर दर्द दूर करने में सहायता मिलती है। कुछ देर तक उस स्थिति में रुकने से रक्त-संचार नियंत्रित रहता है। आरंभ में झुनझुनी होती है, पर बाद में रक्त-संचार बढ़ता है। विशेष रूप से 5-10 मिनट इस स्थिति में बैठने के बाद पैर जब दंडासन में खुले छोड़े जाते हैं, तब रक्त-संचार तेज होता दिखाई देता है। इससे वेरिकोज वेंस के रहते ये अलग-अलग क्रियाएँ उपयुक्त लाभकारी साबित होती हैं।

❑

28

उपयुक्त बद्धकोणासन

हमने वीरासन में कदमों की स्थिति अलग-अलग प्रकार से रखकर आवश्यकतानुसार पेडिंग देकर आसन करने की क्रिया जानी। वीरासन ऐसा आसन है, जिसमें घुटनों पर शरीर का भार सीधा पड़ता है। खासकर अंड-संधि और घुटने के भीतरी अस्थि-बंधन पर यह तनाव पड़ने के कारण यदि कमर का जोड़ और घुटनों के जोड़ सहज रूप से मोड़ना संभव न हों तो भी अत्यधिक परिश्रम से पैर थक गए हों तो यह सहा नहीं जाता। वयस्क प्रौढ़ लोगों के लिए भी उन्हें अगर पैर कभी भी मोड़कर बैठने की आदत न हो तो वीरासन करना मुश्किल होता है। ऐसे समय बद्धकोणासन उपयुक्त होता है। इस आसन में घुटनों पर भार नहीं पड़ता, पर घुटनों के जोड़ों को धीरे से मोड़ा जाता है।

घुटनों का दर्द साधारणतया खिलाड़ियों में ज्यादातर पाया जाता है। दौड़ते समय, छलाँग लगाते समय अनजाने ही पैरों पर उलटा-सीधा भार पड़ता है, चोट लगती है। अंड-संधि के जोड़ खुले न होने पर खेलते समय गतिविधियों के लिए आवश्यक सहजता वहाँ नहीं होती। उसके कारण क्रिया पर असर होता है। यहाँ बद्धकोणासन—खासकर घुटनों, अंड-संधि पर कदमों के दृष्टिकोण से देखेंगे।

बद्धकोणासन

क्रिया

1. दीवार के पास कंबल की मोटी सी तह रखें। पार्श्व भाग से सिर तक का पीठ का हिस्सा दीवार से पूरी तरह टिका रहे, इस तरीके से बैठें। दोनों पैर सामने सीधे करें। यह दंडासन की स्थिति है। (चित्र 1)
2. अब दोनों पैर घुटनों में मोड़ें। घुटनों को बाजू की तरफ मोड़ें, यानी घुटनों और जंघाओं को दोनों तरफ फैलाएँ।

3. एड़ियों को पास अर्थात् शरीर की ओर खींचें। दोनों एड़ियाँ आरंभ में एकदम पास लाना संभव नहीं होगा। ऐसे समय पहले दाईं, फिर बाईं एड़ी इस क्रम से एक-एक पैर खींच लें। पहले चरण में घुटने मुड़ने पर एड़ियाँ अंदर आती हैं। दूसरे चरण में टखने पकड़कर पास खींच लाने के कारण एड़ियाँ हलकी सी होकर अंदर आती हैं।
4. उसके पश्चात् जंघा के स्नायु और पिंडलियों के स्नायु अंदर से बाहर—अर्थात् एक-दूसरे की विपरीत दिशा में खींच लेने पर पैरों की तह ठीक बैठ जाती है। इस स्थिति में थोड़ी देर रुकें।
5. अब मोटी सी डोर लें। उसे दो परत अथवा चौपरत करें। (चित्र 2) डोरी का वृत्ताकार फंदा कदमों में से घुटने तक सरकाएँ। घुटने मोड़ने के कारण उत्पन्न घुटनों के खाँचों में डोरी इस प्रकार अंदर रखें कि सटकर बैठ जाए। दाएँ और बाएँ पैरों के घुटने के पीछे डोरी बिठाने के बाद फिर एक बार बद्धकोणासन में पैरों की तह ठीक-ठाक बैठाएँ। पिंडलियाँ अब मुड़ी जंघाओं के पिछले हिस्से के पास लाएँ।
6. दाएँ पंजे से दाईं तरफ की और बाएँ पंजे से बाईं तरफ की डोरी को पकड़कर दोनों हाथों से बाहर की ओर तानें (चित्र 3)। घुटने बाजू की ओर तानने से आनेवाले खिंचाव के कारण अस्थि-बंधन पर उलटा-सीधा या अतिरिक्त तनाव नहीं आता। खासकर जोड़ों में कूर्चा सुरक्षित रहता है। घुटनों की 'स्प्रिंग' गतिविधि मुक्त हो जाती है।
7. आसन में यथासंभव समय तक रुकें। पैरों को सामने दंडासन में मुक्त करें।

वीरासन में घुटनों को मोड़ने की क्रिया 'फ्लेक्शन' (जोड़ों का आकुंचन) है। बद्धकोणासन में घुटने मोड़ने पर भी अंड-संधि में शरीर की मध्य रेखा से अंग दूर ले जानेवाली बहि:क्षेपण की क्रिया है। शरीर से जंघाएँ बाहर घूम जाती हैं। वीरासन में वे मुड़ जाती हैं। फिर बद्धकोणासन की विशेषता यह है कि अंड-संधि, जंघाएँ और घुटने गोलाकार मुड़ते हैं। घुटनों के भीतरी अस्थि बंध केवल लचीले नहीं होते, बल्कि लंबे ताने जा सकते हैं और भार-रहित होते हैं। वीरासन का गठन लंब रूप है, जबकि बद्धकोणासन का गठन भू-पृष्ठ के समानांतर फैलने वाला है—अर्थात् दोनों आसन बैठी स्थिति के हों, फिर भी उनकी जाति एक नहीं। वीरासन में जोड़ों में खुली जगह अधिक नहीं रहती। बद्धकोणासन में ऐसी जगह भरसक होती है। जोड़ों के भीतर का कार्टिलेज उससे दबता नहीं और उसका घर्षण भी नहीं होता। इस दबाव का तनाव उसपर नहीं पड़ता और गतिविधि लचीली (स्प्रिंग की तरह) रहती है।

गठिया के कारण जिनके घुटनों के जोड़ कड़े होकर जरा सी मुड़ी हुई स्थिति में

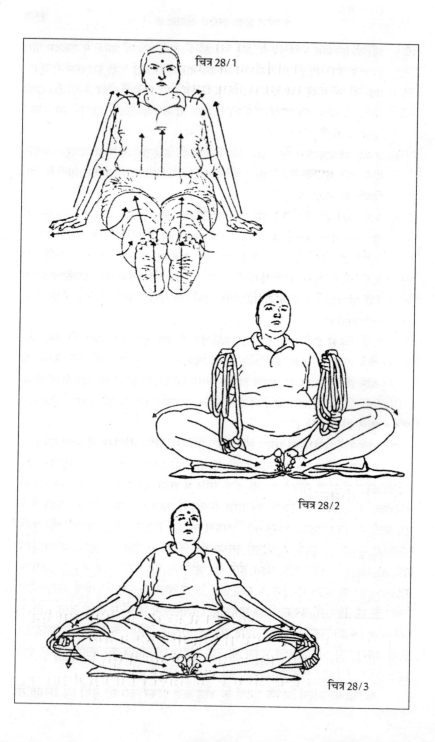

चित्र 28/1

चित्र 28/2

चित्र 28/3

होंगे, उनके शरीर के तनाव कमर के जोड़ की हड्डी एवं अंड-संधि पर पड़ता हो और जिनके घुटनों व जंघाओं की गतिविधियों पर सीमा आ गई हो, उनके लिए यह आसन उपयुक्त है। पैरों को गोलाकार घुमाकर तानना इसकी विशिष्टता है। संक्षेप में, तना होने के बावजूद वहाँ तनाव नहीं रहता, बल्कि आराम महसूस होता है।

मासिक धर्म के समय लड़कियों की अंड-संधि, पेट, पिंडलियाँ दुखती हैं, पैरों में मरोड़ उठने लगती है और मासिक धर्म पूर्णत: रुकने पर आयु के 50 के आस-पास स्नायु सिकुड़ने लगते हैं। अधोदर में भारीपन आता है, घुटनों में दर्द होता है। ऐसे समय अथवा दूर तक चलकर आने के बाद पैरों का दर्द और पैरों की थकान को मिटाने के लिए यह आसन उपयुक्त है। आरंभ में इस आसन में थोड़ा समय बैठकर फिर डोरी लगाकर घुटनों को खींच लें। खिंचाव ठीक से बैठने पर स्वस्थता आती है और कुछ अधिक अवधि तक रुका जा सकता है।

मध्यम आयु में, खासकर महिलाओं की एड़ियों में 'कॅल्केनियल' स्पर्स आते हैं। इससे पैरों को जमीन पर टिकाया नहीं जा सकता। 'स्पर्स' के लिए वीरासन में पार्श्व भाग में एड़ियाँ रखकर उनपर भार दिया जाता है। इस आसन में एड़ी पर सीधे वजन रखकर यह किया जा सकता है। साधारणतया 25 पौंड वजन की तश्तरियाँ एड़ियों के अंदर के सिरों की नोक पर हाथों से खड़ी रखें। घर में बट्टा हो तो दाईं और बाईं एड़ी पर अदल-बदलकर रखा जाए। एड़ियों पर इस प्रकार का वजन लेना हो तो एड़ियों को अंड-संधि से जरा सा आगे बढ़ाएँ। इससे वजन की तश्तरियों का भार निश्चित जगह पर पड़ता है। (चित्र 4 और 5)

मासिक धर्म के समय डोरी और वजन न लेकर यह आसन करना अच्छा रहता है।

ऊर्ध्वपाद दंडासन

आरंभ में पैरों पर उपाय बताते समय लेटकर दोनों पैर दीवार से सीधे रखने को कहा (ऊर्ध्व प्रसारित पादासन) जाए। अब दंडासन का यह प्रकार जानेंगे—

जिन्हें पैरों का दर्द, घुटनों का दर्द, सूजन, जलन, गठिया रोग (जोड़ों का दर्द) हो और जिन्हें निरंतर पानी में (गीली जगह पर) खड़े रहना पड़ता है, उनके लिए पैरों को जरा सा ऊँचा—अर्थात् छोटी संदूक, छोटा स्टूल आदि पर रखकर बैठना बेहतर होता है।

ढलती उम्र में नीचे बैठना संभव न होने पर ऊँचे स्टूल अथवा कुरसी पर बैठकर पीठ को आधार दिया जाए और कदमों को ऊँचाई अर्थात् स्टूल या बॉक्स पर रखें। पैरों और एड़ियों के नीचे मुलायम तकिए या कंबल की तह रखने से स्टूल के किनारे चुभेंगे नहीं। स्टूल अथवा बॉक्स के चारों ओर से डोरी का फंदा लेते हुए उसे हाथों में पकड़ें और

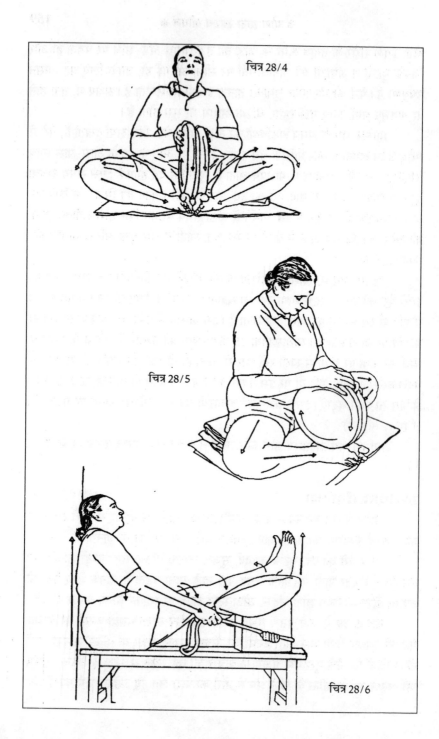

चित्र 28/4

चित्र 28/5

चित्र 28/6

बीच-बीच में पैर सीधे करते जाएँ। (चित्र 6)

पैर ऊपर रहने से अशुद्ध रक्त वापस जाने में सहायता मिलती है। पैर उठाए हुए होने पर घुटने कड़े होते हैं। गुरुत्वाकर्षण के विपरीत रखे गए पैर हलके हो जाते हैं। इन आसनों के अतिरिक्त वामदेवासन, एकपाद, मूलबंधासन आदि आसन उपयुक्त हैं। पर किसी भी दर्द में आरंभ में सरल पर आवश्यक आसन बढ़िया होते हैं। विपरीत स्थिति का शीर्षासन, सर्वांगासन, हलासन, विपरीतकरणी—ये आसन भी इसके लिए उपयुक्त हैं; परंतु इन आसनों में संतुलन करना जरूरी होता है। अगले अध्याय में पैर दर्द पर शवासन का विचार करते हुए पैरों के दर्द पर उपयुक्त आसनों के इस भाग का समापन करेंगे।

□

29

उपयुक्त शवासन

पैरों के संदर्भ में शवासन की ओर दोहरे दृष्टिकोण से देखना पड़ता है। एक तो कई कारणों से होनेवाला पैर दर्द और मानसिक तनाव के कारण होनेवाली पैरों की थकान। दूसरी बात यह है कि शवासन करते समय मन शांत नहीं रहता, विचार जारी रहते ही हैं। अधिकांश लोगों की यही शिकायत होती है। पर यह भी सच है कि दिमाग की अशांति पैरों में उतरती है और जंघाएँ बेचैन तो दिमाग बेचैन! इसीलिए हमने रात को सोते समय खासकर पैरों, तलवों और सिर में तेल मालिश करके सोना बताया है। चेता-संस्थान अति उद्दीप्त अथवा मन उद्विग्न, चिंताग्रस्त और भयग्रस्त हो तो उसका असर शरीर पर होकर जंघाएँ एवं पैर बेचैन होते हैं और दुखने लगते हैं।

जंघाओं और पिंडलियों के स्नायु थकान के कारण अथवा उनपर अतिरिक्त तनाव आ जाने के कारण दुखते हैं। ऐसे समय शवासन में जंघाओं और घुटनों के नीचे पैरों पर वजन रखने से स्नायु और मज्जा-तंतु शांत होकर पीछे हट जाते हैं—अर्थात् शांत हो जाते हैं। वजन की तश्तरियाँ रखने के लिए सहायक की जरूरत होती है। लेकिन घरेलू गद्दियाँ, मसनद और तकिए आदि वजनदार वस्तुएँ स्वयं रखने में कोई हर्ज नहीं।

शवासन

क्रिया

1. शवासन में पहले सीधे लेटें। शरीर सीधी रेखा में रखें। उदरावकाश और त्रिकास्थि की हड्डी के पास के स्नायु सिकुड़ रहे हों तो पैर मोड़ें। पार्श्व भाग के किनारे और पृष्ठीय स्नायु शेष धड़ से अलग करें तथा एक-एक पैर धीरे-धीरे लंबा करें। जंघाएँ अंदर से बाहर की ओर ढीली करें।

2. अब सहायक को जंघाओं के मध्य में और घुटनों के नीचे पिंडली की हड्डी के मध्य पर—अर्थात् जिससे पिंडलियों पर दबाव बने, इस तरीके से भार रखने के लिए कहें। (चित्र 1) वजन की तश्तरियाँ सीधे रखने के बजाय तकिया अथवा कंबल की तह पर रखने से पैर के स्नायुओं को वजन चुभेगा नहीं और उन्हें सँभाला भी जाएगा।
3. जंघाएँ अथवा पार्श्व भाग मोटे होंगे तो घुटनों की तरफ वजन की तश्तरियों के सरक जाने की संभावना रहती है। उसके लिए घुटनों की तरफ रखी वजन की तश्तरियों के किनारों के नीचे नैपकिन अथवा कंबल की तह रखी जाए। उससे वजन का चक्र नीचे नहीं खिसकेगा—अर्थात् कंबल की यह तह गतिरोधक का काम करेगी।
4. वजन रखने के पूर्व जंघाएँ लंबी करने की और जंघाओं के पिछले हिस्से को सिकुड़ने न देने की सावधानी रखनी पड़ती है, अन्यथा जंघाओं पर वजन तश्तरी का भार गलत भी पड़ता है। साधारणतया 25 से 50 पौंड का वजन जंघाओं पर सहज रूप से सँभाला जा सकता है। समस्या वजन सँभालने की नहीं होती, जंघाओं को शिथिल करना होता है। भार के कारण पैरों में झुनझुनी नहीं आए, इतना ही वजन लिया जाए और जंघाओं की अपेक्षा पिंडलियों पर वजन कम हो।
5. आँखें बंद कर लें। शांति से शवासन करें। 5 से 8 मिनट शवासन में रहें। शांति से आँखें खोलें। सहायक को वजन हटाने के लिए कहें। थोड़ी देर शांत रहें। पैर सुन्न हो जाएँ तो उन्हें एकदम हिलाएँ नहीं। साँस को न रोकें। पैरों में रक्त-प्रवाह चालू होने का अहसास होने लगेगा। तब दाईं करवट पर मुड़ते हुए उठें।
6. यदि पैर मूलतः बहुत दुर्बल हों और सीधे करने का तनाव भी सहा नहीं जाता हो तो पैरों को जरा सा मोड़कर घुटनों के पीछे मसनद अथवा कंबल को गोलाकार लपेटकर रखें। (चित्र 2) बड़ी नस घायल हुई हो अथवा दुर्घटना से घुटना घायल हो गया हो तो पैर सीधा करना भी मुश्किल होता है। तब यह स्थिति उपयुक्त व लाभप्रद होती है।
7. ऑस्टियो ऑर्थराइटिस में कई बार घुटने झुक जाते हैं। ऐसे घुटने संभवतः सीधे नहीं होते। ऐसी स्थिति में घुटनों और टखनों के बीच लपेटे हुए कंबल को रखें। लपेटा हुआ नलीनुमा कंबल घुटने से लेकर टखनों तक पहुँचना चाहिए। अब चार अथवा छह पट्टे लेकर घुटनों के ऊपरी, मध्य और घुटनों के पास की जंघाओं पर; घुटनों के नीचे टखनों तक ऊपरी, बीच की और निचली पिंडली की हड्डियों पर तीन पट्टे—इस प्रकार कुल छह पट्टे कसे जाएँ। (चित्र 3) दोनों पैर नजदीक आने के कारण घुटने कितने झुक गए हैं, इसे आजमाया जाता है। अब

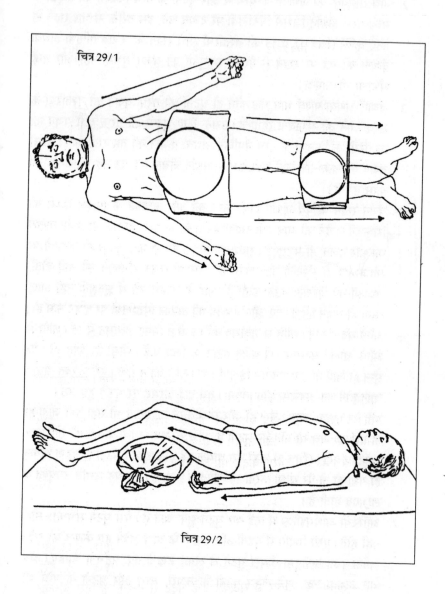

चित्र 29/1

चित्र 29/2

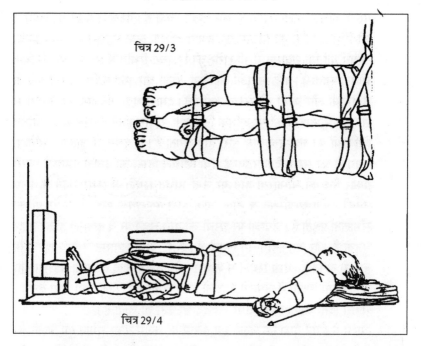

चित्र 29/3

चित्र 29/4

घुटनों के पिछले हिस्से से जमीन तक जो अंतर होगा, उतने ही आकार की कंबल की लपेटनुमा मोटी सी तह नीचे रखी जाए। कम या अधिक न रखें। दोनों कारणों से घुटनों में दर्द हो सकता है। अत: कंबल का इतना ही सहारा हो, जिससे अंतराल को भरा जाए। अब घुटनों पर तकिए अथवा कंबल की तह रखकर जितनी सँभले उतने वजन की तश्तरी रखी जाए।

पट्टे बँधे होने के कारण कदम भी जुड़े रहते हैं। गठिया रोग के कारण या दुर्घटना के कारण किसी का एक पैर छोटा और दूसरा लंबा हो गया हो तो दोनों कदम दीवार से टिकाए एड़ियों से उँगलियों तक सीधे रहेंगे। इस प्रकार आवश्यक पेडिंग दें। (चित्र 4)

8. शवासन में कदमों को बाहर घुमाकर शिथिल छोड़ने पर जिनके घुटने और अस्थि-बंधन अधिक मजबूत नहीं होते, उन्हें वहाँ तनाव महसूस होता है। ऐसी स्थिति में तलवों को दीवार से सटाकर उन्हें पट्टे से टखनों के पास बाँधकर शवासन करना उपयुक्त होता है और इससे पैर हलके हो जाते हैं।

9. शवासन यानी पीठ के बल शव की भाँति लेटना। यह आसन होने पर भी पोलियो, लकवा जैसी बीमारी अथवा दुर्घटना के कारण की गई शल्य-क्रिया के बाद पैर में स्टील प्लेट लगाई गई हो तो कई बार पैर जमीन की ओर ढीले छोड़ने

पर वे अधिक बेजान लगते हैं और दुखने लगते हैं। पैर लूले पड़ने पर शवासन की स्थिति में पैरों को विश्राम की बजाय अधिक कष्ट महसूस होता है। इसका तात्पर्य यह कि शवासन में भी शरीर को निश्चित स्थिति में हलका और शिथिल छोड़ना पड़ता है। यदि स्नायुओं को लूला, ढीला और अति शिथिल छोड़ा जाए तो वे हड्डियों और जोड़ों को सहारा नहीं देते। दमा अथवा एक्जिमा की बीमारी में शवासन में फेफड़ों को भी अधिक निर्जीवता महसूस होती है। ऐसे समय पीड़ित व्यक्तियों का श्वासोच्छ्वास भारी होने लगता है। वे बेचैन हो जाते हैं। सीने के स्नायुओं को सहारा देना पड़ता है तथा शिथिल हिस्से को उठाना पड़ता है। उसी प्रकार पैरों की बीमारियाँ होने पर उन्हें उचित स्थिति में स्थिर रखने के लिए उनकी रचना व्यवस्थित व ठीक-ठाक होना आवश्यक होता है। स्नायुओं को सँभालना पड़ता है। जंघाओं पर चरबी की परत चढ़ने पर वे ढुलमुल होकर बाहर मुड़ती हैं और चेतनाहीन-सी लगती हैं। कभी-कभी शवासन में पैर बाहर फेंके हुए-से लगते हैं। ऐसी स्थिति में शवासन से उठने के बाद तरोताजा महसूस नहीं होता। ऐसी स्थिति में जंघाओं के दोनों तरफ कंबल का 'रोल' नली जैसा बनाकर सहारा दिया जाए। इससे कमर का दर्द भी कम हो जाता है।

आरंभ में हमने देखा कि चलते हुए कइयों को कदम बाहर घुमाते हुए चलने की आदत होती है। उसमें भी एक पैर बाहर अधिक मुड़ता है। अधिक मुड़नेवाला पैर शवासन में और अधिक भारी हो जाता है। ऐसी स्थिति में पैर को पट्टे से दृढ़तापूर्वक बाँधना और पैरों के बाहरी हिस्से को सहारा देना, तलवे दीवार से सटाकर रखना—इन सभी क्रियाओं को अपनाकर शवासन करना पड़ता है। आदत न होने के कारण पैर यदि तत्काल शिथिल नहीं हुए तो फिर भी वे तीन-चार मिनटों के बाद स्थिर होकर शिथिल होते हैं।

शवासन में मनःशांति और शिथिलता दोनों भले ही संभव हों, तब भी उनकी कमियों को ध्यान में रखना आवश्यक है, वरना शरीर में होनेवाली चुभन मन को भी चुभती रहेगी और वह दर्द व तमोगुण को भी बढ़ाएगी।

❑

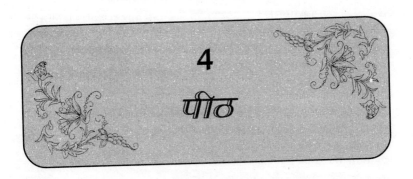

4
पीठ

30

पीठ का दर्द

पीठ का दर्द और कमर दर्द अनेक लोगों की शिकायत होती है, जो आमतौर पर आखिरी समय तक साथ नहीं छोड़ती। पीठ की बीमारी पीठ पर लादकर जब तक काम करना संभव होता है, तब तक साधारणतया टाल-मटोल की जाती है; पर जब हिलना-डुलना ही कठिन हो जाता है, तब उपाय ढूँढ़ने की कोशिश शुरू होती है; क्योंकि कमर के बिना कोई भी गतिविधि असंभव हो जाती है। इसीलिए घुटने, कमर और गरदन को सँभालना हर एक के लिए अति आवश्यक होता है।

मनुष्य की हर गतिविधि से जुड़ी उसकी रीढ़ जब जर्जर हो जाती है, तब उसके कार्य में बाधा उत्पन्न होती ही है; साथ ही मन की व्यथा, बेचैनी और परेशानियाँ क्या होती हैं, इसका भी अहसास मनुष्य को अच्छी तरह से हो जाता है।

मेरुदंड (चित्र 1) 33 मनकों का बना होता है और शरीर का आधार-स्तंभ है। उसका अगला यानी भीतरी भाग शरीर की ओर और पिछला हिस्सा पीठ की ओर होता है। शरीर की ओर का मनकों का हिस्सा वृत्ताकार होता है। वह शरीर को मजबूती देता है। दो मनकों के बीच चक्रिकाएँ अर्थात् कार्टिलेज की गद्दी होती है। एक-पर-एक बिठाए गए-से ये मनके अस्थि-बंधन से बँधे होते हैं। पीठ की ओर के मनकों के बीच के अवकाश से चेता-तंतु गूँथे हुए होते हैं और मनकों से वे बाहर शरीर में फैले होते हैं। चेता-तंतु की आपूर्ति रीढ़ की हड्डी से संपूर्ण शरीर को होती रहती है और उसमें से चेता-शक्ति का वहन होता रहता है। पीठ की ओर से रीढ़ के साथ कई स्नायु जुड़े होते हैं। इन स्नायुओं के कारण हम सीधे खड़े रहना, बैठना, लेटना, आगे-पीछे झुकना, दोनों तरफ घूमना आदि कई प्रकार की गतिविधियाँ कर पाते हैं। रीढ़ की हड्डी सीधी डंडी जैसी न होकर आगे और पीठ की ओर टेढ़ी, सर्पाकार-घुमावदार होती है। उसके कारण

हमारी गतिविधियों में लचीलापन आ जाता है। हर एक मनके के जोड़ की गतिविधि निश्चित रूप से हमारे लिए उपयुक्त होती है। पीठ की ओर से यदि मेरुदंड देखा जाए तो गरदन के मनके अंतर्वक्र तो सीने के पीछे पीठ के मनके बहिर्वक्र होते हैं। पेट के पास के उदरावकाश के पीछे के मनके अंतर्वक्र और त्रिकास्थि के अंतर्वक्र होते हैं, जो सिरे की ओर जरा से बहिर्वक्र (कॉनवेक्स) होते हैं।

रीढ़ और रीढ़ के स्नायुओं के किसी भी भाग में चोट लगे तो उसका कम या ज्यादा असर शरीर की सभी गतिविधियों पर होता है। रीढ़ की हड्डी का जख्मी होना, उसे चोट लगना, झटका लगना, उसी प्रकार उदरावकाश के अंगों की बीमारी के—अर्थात् कैंसर, ट्यूमर, महिलाओं की गर्भाशय या मासिक धर्म संबंधी शिकायतें आदि से अथवा ऐसे ही कई कारणों से रीढ़ के पास दर्द होने लगता है। मनकों की हड्डियों की छीजन (क्षति) होना, छीजन के कारण मनके का पृष्ठभाग खुरदरा हो जाना, मनकों के बीच की चक्रिका का सरक जाना, उसके कारण चेता-तंतु का जकड़ जाना अथवा रीढ़ के स्नायु आकुंचित होना, मनकों में सहसा झटका लगने जैसा दर्द होना आदि कई कारण पीठ दर्द और कमर दर्द के पीछे हो सकते हैं। हमारी सभी गतिविधियाँ रीढ़ पर ही निर्भर होने के कारण उसकी ठीक देखभाल न रखने पर क्षति होने में देर नहीं लगती। स्नायुओं पर पड़नेवाला दबाव इस प्रकार का होता है कि मामूली छींक आने पर या खाँसी से भी कमर जकड़ जाती है और दुखती है। पेट में गैस या कब्ज होना भी इसके पीछे कारण हो सकते हैं। काम का तनाव स्नायुओं पर पड़ने पर स्नायुओं के कारण रीढ़ की गतिविधि मुश्किल हो जाती है। रीढ़ के स्नायु यदि कमजोर हों तो ठंड या बारिश के कारण वे जकड़ जाते हैं और पीठ पत्थर की तरह कड़ी हो जाती है तथा हिलना भी मुश्किल हो जाता है। खून की आपूर्ति में कमी, नसें बंद होना आदि कारण भी हो सकते हैं। स्नायुओं का लचक जाना या जकड़ जाना वैसे तो सीधी-सादी बात है; लेकिन हर तरह की गतिविधि में बड़ा योगदान देनेवाले पीठ के स्नायु हर छोटी-छोटी गतिविधि में रोड़ा अटकाते हैं। ये स्नायु निष्क्रिय नहीं रह सकते, क्योंकि कोई भी शारीरिक काम इनके बिना या इन्हें टालकर नहीं किया जा सकता। इसलिए जरा भी हिले तो जकड़ा हुआ हिस्सा दुखने लगता है। एक और बात पर ध्यान देना आवश्यक है कि हर एक के उठने-बैठने-चलने का अपना अलग ढंग होता है, जिसके कारण होनेवाली शारीरिक गतिविधियाँ और स्नायुओं पर पड़नेवाला भार कम-अधिक हो सकता है। इस कारण स्नायुओं को टेढ़ा रहने की आदत के कारण भी पूरी पीठ में दर्द हो सकता है। फिर एकाध स्थान पर जकड़ जाने के कारण तो दूसरे स्थान पर ताने जाने से स्नायु फूलते हैं और उनपर सूजन आ जाती है। मेरुदंड से अपने शरीर का भार और लंबाई सँभाली न जाए तो भी मेरुदंड के स्नायुओं में दर्द होता है। मेरुदंड के स्नायुओं की रचना, उनका फैलना, उनपर का तनाव और भार उचित होना आवश्यक होता

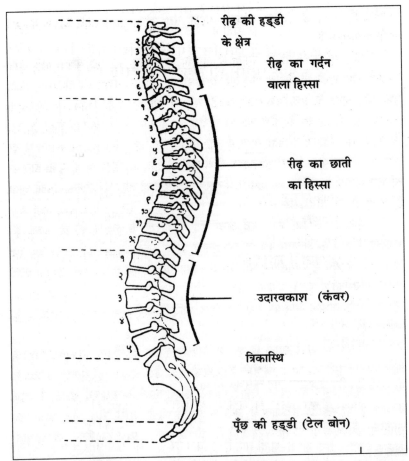

रीढ़ की हड्डी
के क्षेत्र

रीढ़ का गर्दन
वाला हिस्सा

रीढ़ का छाती
का हिस्सा

उदारवकाश (कंवर)

त्रिकास्थि

पूँछ की हड्डी (टेल बोन)

है। अन्यथा मामूली बालटी उठाते समय, झुककर बैठकर किए जानेवाले काम करते हुए, रीढ़ के लचीलेपन का गैर-इस्तेमाल करते समय अथवा मामूली सा झटका लगने से चलते समय लड़खड़ाने से भी कमर दर्द हो सकता है। फिर चोट आई हो तो ऑर्थराइटिस, स्पॉण्डिलाइटिस, ऑस्टियो पैरोसिस आदि व्याधियों की तकलीफें होने पर और साथ ही मनकों की हड्डी कहीं पर टूटी हो अथवा उसकी वक्रता बदल गई हो तो पीठ का दर्द स्वाभाविक ही है।

इस बात को जानना आवश्यक होता है कि पीठ की बीमारी सिर्फ दोषपूर्ण रचना के कारण है या स्नायुओं की कमजोरी के कारण या कि गैर-इस्तेमाल या बिलकुल इस्तेमाल न करने से है, विषाणु संसर्ग से, चेता-तंतुओं पर आनेवाले दबाव से अथवा उपर्युक्त अन्य कारणों से है। मानसिक बीमारियाँ भी पीठ दर्द का कारण हो सकती हैं।

मनोधैर्य खो जाना, हिस्टीरिया, परिश्रम, हताशा, भय, शोक, चिंता आदि कारण पीठ दर्द के लिए पर्याप्त हैं।

पीठ दर्द कभी भी हो सकता है। इसके लिए आयु का कोई बंधन नहीं होता। एकदम छोटे बच्चे भी निरंतर पीठ दर्द या कमर दर्द की शिकायत करें तो स्वादु-पिंड, मूत्र-पिंड आदि के कुछ विकार तो नहीं हैं, यह जाँचना जरूरी है। चिकित्सा विज्ञान के अनुसार 20 से 45 वर्ष के बीच की उम्र में रीढ़ की बीमारियाँ अधिक पाई जाती हैं। उम्र के साथ-साथ हड्डियाँ छीजती रहती हैं और गठिया दर्द जैसे विकार उत्पन्न होने में देर नहीं लगती। उपर्युक्त किसी भी कारण से बीमारी हो और वह तीव्र वेदना-युक्त होने पर भी तीन महीनों से अधिक की अवधि में उसका दर्द मिटे तो वह तात्कालिक समझी जाती है; परंतु बीमारी यदि इससे लंबे समय तक खिंच जाए तो वह पुरानी समझी जाती है।

पीठ दर्द अथवा कमर दर्द अन्य कई बीमारियों के लक्षण भी हो सकते हैं। इसलिए बीमारी के अनुसार इस दर्द का इलाज करना आवश्यक होता है। फिर दर्द एक जगह पर, उसका मूल कारण दूसरी जगह—ऐसा भी हो सकता है। अत: इलाज करते समय साधारणतया पूर्णत: आराम, अलग-अलग प्रकार से गरमी देने, सेंकने के उपचार, 'ट्रैक्शन' और कार्यकलापों का प्रयोग, कसरत आदि क्रियाएँ अथवा शल्य-चिकित्सा का सहारा लेना पड़ता है।

योगोपचार करते समय भी दर्द के निश्चित कारण को ढूँढ़ना आवश्यक होता है और उपचार उसी पर आधारित होते हैं। सबको एक जैसे उपाय नहीं बताए जा सकते। फिर भी, कुछ उपाय या उपचार ऐसे हैं जिनके कारण कम-से-कम दर्द अंशत: नियंत्रण में आता है या सहनीय हो जाता है; क्योंकि आसन अंतत: शरीर, रीढ़, पीठ, हाथ-पाँव आदि के इस्तेमाल से ही तो करने होते हैं। बीमार व्यक्ति स्वयं इस क्रिया में सहभागी होता है।

स्नायुओं को विश्राम देना, उनकी रचना में सुधार करना, उनमें उचित गतिविधियाँ लाना, कार्यकलापों का ठीक होना, उनमें सशक्तता, सहजता लाना आदि कई बातों की ओर ध्यान देकर आसन करने पड़ते हैं। कमर में अत्यधिक दर्द होने पर पूर्ण विश्राम की सलाह दी जाती है। हम भी अपने योगोपचारों में प्रथम 'सुप्त' स्थिति से ही आरंभ करेंगे।

□

31

स्वस्थ कमर

पीठ दर्द और कमर दर्द के पीछे ट्यूमर, अल्सर, क्षय, जंतु संसर्ग, कर्क रोग, प्रोस्टेट ग्रंथि के विकार, कब्ज अथवा महिलाओं के संदर्भ में बच्चेदानी का सरक जाना, मासिक धर्म—इन कारणों को दूर रखकर केवल रीढ़ की छीजन, स्नायुओं का जकड़ जाना, रीढ़ का बाँस जैसा कड़ा होना, स्नायु असंतुलित होना, रीढ़ की तनाव सहने में अक्षमता, वहाँ के स्नायु कड़े और कमजोर हों, स्नायुओं के सिकुड़ने-फैलने की क्रिया में सहजता का न होना, जंघाओं में—खासकर पार्श्व भाग में चरबी बढ़ जाने से रीढ़ पर उसका अतिरिक्त भार, रीढ़ से यह भार सहा न जाना आदि स्नायु और अस्थि की कमजोरी के कारण उत्पन्न होनेवाले कमर दर्द में पहले से अशांत स्नायुओं को शांत करना आवश्यक होता है।

कमर के नीचे का हिस्सा निरंतर किसी भी प्रकार की गतिविधि से दुखना सामान्यत: 90 प्रतिशत लोगों की शिकायत होती है। उसके पीछे का कारण बहुत गंभीर भले ही न हो, फिर भी स्नायु शांत नहीं बैठने देते। कोई भी काम करते समय—फिर वह घरेलू काम हो अथवा अन्य शारीरिक परिश्रम या बैठे-बैठे किया जानेवाला काम ही हो—होनेवाला अंगों का चालन जरूरी नहीं कि बिलकुल सही ढंग से किया जा रहा हो। साथ ही स्नायुओं के दर्द की वजह उनका बेहद कड़ा या लचीला होना भी हो सकता है।

गठिया जैसे विकारों में दर्द कशेरुओं के जोड़ों का होने के बावजूद जोड़ों में सूजन होती है और आस-पास के स्नायु भी दुखने लगते हैं। उदरावकाश के दबाव में मेरुदंड की चक्रिका सरक जाने से आसपास के स्नायुओं पर दबाव बढ़ जाता है। साइटिका होने पर चेता-तंतुओं की जड़ दब जाती है और वह दर्द आस-पास के स्नायुओं में फैल जाता है। रीढ़ और वहाँ के स्नायुओं के कार्यकलाप निरंतर होते रहते हैं, इस कारण से यह दर्द कम होने का समय नहीं मिलता। अत: इसके लिए पहले क्या करना होगा, हम यह

जानेंगे।

शवासन-1

क्रिया

1. पहले कंबल फैलाकर उसपर शवासन में लेट जाएँ।

2. अब ध्यान में आएगा कि उदरावकाश में और त्रिकास्थि की रीढ़ पैरों की ओर सीधी लंबी नहीं होती। ऐसे समय दोनों पैरों को पहले घुटनों से मोड़ें और कदम पार्श्व भाग से 4-6 इंच दूरी पर रखें। पैर मोड़ने से पीठ के निचले स्नायु सिकुड़कर उठते हैं। कमर दर्द नहीं रहनेवालों को वहाँ झटका-सा महसूस होगा और वह हिस्सा ऊपर उठाया जाता है।

3. अब पीठ, कमर और पार्श्व भाग के स्नायु सीने की दिशा में सिकुड़ने न देते हुए फिर एक बार पैरों की दिशा में लंबे खींचते हुए पसारें। खासकर कशेरु के पास के स्नायुओं को जान-बूझकर लंबा तानें। वह हिस्सा अधिकांश सपाट होना आवश्यक है।

4. उदरावकाश के पीछेवाले कशेरु की रचना बहुत ही अंतर्वक्र हो तो जमीन से पीठ तक के अंतराल में कंबल की तह रखकर तह के साथ पार्श्व भाग को नीचे पैरों की दिशा में लंबा करें, जिसमें कमर का हिस्सा जमीन की ओर अधिकाधिक जाने दें। उस हिस्से को नीचे उतारें।

5. अब एक के बाद एक पैर इस प्रकार सीधे करें कि कमर सिकोड़ी नहीं जाए और न ही उठाई जाए।

6. एफिलोसिस हो तो जंघाएँ और घुटने सिकुड़कर अकड़ जाते हैं। ऐसे समय पैरों के पीछे जंघाओं का हिस्सा एड़ियों की तरफ लंबा करें। एड़ियों और टखनों के पीछे के खाँचे में कंबल का उतना ही रोल रख दें। उसके कारण यह कशेरु और नीचे जाता है।

7. अब इस स्थिति में पेट और जंघाओं पर तकिया अथवा मोटा सा कंबल रखकर जितना सहा जा सके, उतने वजन की तश्तरी सहायक को रखने के लिए कहें। (चित्र 1)

8. आँखें बंद और दिमाग को शांत रखकर भार से पीठ की रीढ़ के स्नायुओं को नीचे दरी की तरफ शांत होते-पसरते अनुभव करें।

9. दीर्घ श्वसन न करें, बल्कि उच्छ्वास सहित स्नायुओं को शांत होने के लिए समय दें। श्वासोच्छ्वास की गतिविधि से स्नायुओं को धक्का न लग पाए। आदत न होने के कारण एक-दो मिनट बेचैनी महसूस होगी। उसके बाद वजन के भार से

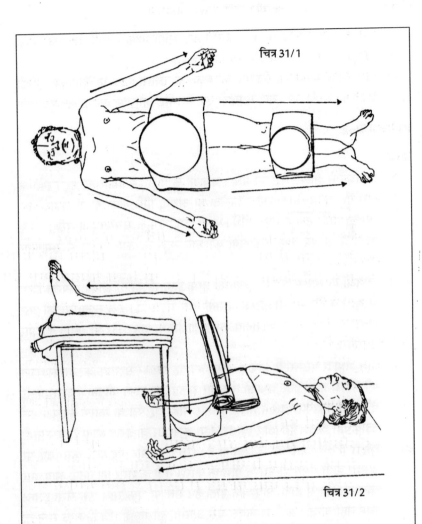

चित्र 31/1

चित्र 31/2

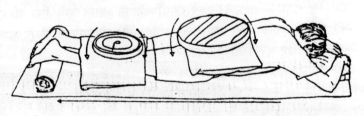

चित्र 31/3

पीठ के स्नायु जमीन की ओर उतरेंगे और शांति महसूस होगी तथा जलन रुक जाएगी। 5 से 10 मिनट इस स्थिति में रुकें।

10. शांति से आँखें खोलें। सहायक को वजन की तश्तरी हटाने के लिए कहें। थोड़ी देर शांति से लेटे रहें। बाद में पहले एक पैर मोड़ें और दाईं करवट लेते हुए उठें।

शवासन-2

क्रिया

1. शवासन में लेटकर पैरों को मोड़ें। जंघाओं के पीछे इस प्रकार का स्टूल रखें कि उसे पूरा सहारा मिले। स्टूल हिलता हो अथवा पीछे जाता हो तो जंघाओं का अगला भाग स्टूल के साथ बाँधें। पट्टा जंघा के मूल से सटा हुआ रखें।
2. घुटनों से एड़ियों तक पिंडलियों का भाग स्टूल के ऊपर जमीन से समानांतर रखें।
3. जंघाओं के भार से वे यदि स्टूल की तरफ झुक रहे हों तो उनकी विपरीत दिशा में स्टूल के पैर जरा से उठाकर उसके नीचे सहारा दें। अब स्टूल पैरों की ओर झुकने के कारण कमर का तनाव कम होता है तथा कमर और भी जमीन की ओर उतरती है।
4. अब अधोदर पर मसनद अथवा कंबल की तह रखकर सहायक को उसपर वजन की तश्तरी खड़ी और जंघाओं की ओर झुकती हुई रखने को कहें। उससे कमर के स्नायु पसरकर विश्राम करते हैं और मोड़े हुए पैरों के कारण स्नायुओं पर तनाव नहीं आता। पैरों को सीधा रखने पर कमर पर जो तनाव आता है, उसे मोड़ी हुई स्थिति में दूर किया जा सकता है। (चित्र 2) पीठ दर्द और कमर दर्द पर उपचार करते समय बीमारी के पीछे के कारण रोगी के शरीर का गठन, आयु और व्यवसाय मालूम होना आवश्यक होता है। सब पर एक साथ एक जैसा इलाज काम नहीं करता। यहाँ पर केवल ऐसे आसन चुने गए हैं, जिन्हें करने से ठीक महसूस होता है और कोई नुकसान नहीं होता। इसलिए आरंभ कहाँ से किया जाए, यह समझ में आता है। पहले सुप्त स्थिति के आसन करके फिर परिवृत्त और पूर्वप्रतन आसन किए जाएँ। फिर उत्तिष्ठ और पश्चिमप्रतन आसन करके विश्राम के लिए सुप्त स्थिति के आसन किए जाएँ।

आरंभ में शवासन के उपर्युक्त प्रकार 1 और 2 अथवा दोनों करने के बाद अगले अध्याय में दिए जा रहे आसनों का अभ्यास करें। अंत में शवासन पेट के बल लेटकर करना है। वह पद्धति यहाँ बताई जा रही है।

शवासन-3

क्रिया

1. पेट के बल लेट जाएँ।

2. दोनों हाथ कुहनियों से मोड़कर कंधे की सीध में सिर की दिशा में और हथेलियों को जमीन की ओर रखकर हाथों को शांत स्थिति में रखें।

3. हाथों के लिए कंबल की तह अथवा पतला-सा तकिया लें। उसपर अगला हिस्सा माथे का टिकाएँ। खयाल रखें कि नाक दब न जाए। गरदन घुमाकर एक बार माथे की दाईं बाजू और एक बार बाईं बाजू नीचे टिकाएँ। इससे गरदन, सिर और हाथों पर तनाव नहीं पड़े, इस बात की सावधानी बरतें।

4. अब पैरों की ओर और पीठ की ओर ध्यान दें।

5. पेट का हिस्सा सीने की ओर न जाने दें, बल्कि बाजू की तरफ तथा पैरों की ओर पसारें। पैरों और कदमों में अंतर रखें। देखिए छत की ओर, कदम अंदर की तरफ, उँगलियाँ एक-दूसरे के सामने और एड़ियाँ विपरीत दिशा में रहेंगी। आगे की जंघाएँ बाहर से अंदर की ओर और पिछली जंघाएँ अंदर से बाहर की ओर वृत्ताकार घुमाएँ। पार्श्व भाग के स्नायुओं को खींचें नहीं। उन्हें ढीला छोड़कर दोनों पार्श्व भाग को अलग-अलग करें। यह आसन बवासीर, भगंदर अथवा भगचीर के विकार में भी उपयोगी होता है।

6. टखना उठ रहा हो तो कंबल का छोटा सा रोल उसके नीचे रखें।

7. उदरावकाश के पीछेवाला रीढ़ का हिस्सा अंतर्वक्र होने के कारण अंदर जाता है। ऐसी गड्ढे से बनी जगह पर कंबल की तह रखकर पार्श्व भाग, कमर व पीठ को एक स्तर पर लाएँ और सहायक को उसपर वजन की तश्तरी रखने के लिए कहें। (चित्र 3)

8. घुटने जमीन पर टिकाए होने के कारण यदि उनमें दर्द हो तो चतुःशिरस्क स्नायुओं के नीचे तौलिए या नैपकिन की पतली सी तह पैड जैसी लगा दें, जिससे घुटने की कटोरियाँ जमीन पर घिस अथवा दब नहीं पाएँगी। पेट के बल की स्थिति के शवासन में स्नायु और चेता-तंतुओं पर भार नहीं पड़ता। स्नायु पसरते हैं और उनका कड़ापन कुछ कम हो जाता है।

9. वजन के साथ पीठ के भाग को शांत करें और 5 से 8 मिनट शांतिपूर्वक लेटे रहें। बाद में भार हटाने के लिए कहें। उपर्युक्त तीनों प्रकारों में वजन हटाते ही उठने की अथवा हिलने की जल्दी न करें। 2 मिनट रुकें, करवट लें, रुकें और बाद में उठें।

◻

32

कमर दर्द का उपचार-1

पैर दर्द के लिए आसन बताते समय पैर दर्द का कमर दर्द के साथ संबंध बताया गया था। आपने यह भी जाना कि पैर दर्द की जड़ कई बार कमर के कशेरू में पाई जाती है। अब कमर दर्द पर ध्यान केंद्रित करते समय जो आसन जाने थे, उन्हें छोड़कर आगे नहीं बढ़ सकते; क्योंकि वे आसन अगले आसन की नींव हैं। उदाहरण के लिए, पैर दर्द के सुप्त एकपाद आकुंचनासन और सुप्त पादांगुष्ठासन, इन आसनों की जानकारी लेते हुए यह भी जाना कि पीठ की कमर के पास की रीढ़ की हड्डी को किस प्रकार से ताना जाए। साथ ही भरद्वाजासन, गरदन दर्द के लिए उपाय और ऊर्ध्वमुख श्वानासन, गरदन का अंतर्वक्र होना—ये आसन भी गरदन दर्द के संदर्भ में आपने जाने।

आसनों का क्रम सुप्त एकपाद आकुंचनासन, सुप्त पादांगुष्ठासन, भरद्वाजासन, उत्थित मरीच्यासन और ऊर्ध्वमुख श्वानासन—इस प्रकार रखकर इन्हीं आसनों को फिर एक बार कमर दर्द और पीठ दर्द के संदर्भ में जानेंगे।

आसनों के बारे में हमारी नजर केवल उस संबंधित आसन के कंकाल की ओर अर्थात् रचना की ओर और आसन करने की पद्धति अर्थात् क्रिया की ओर जाती है। लेकिन हर एक आसन में शरीर के हर भाग के स्नायुओं और जोड़ों की ओर से कोई विशेष क्रिया एवं स्थिरता अपेक्षित होती है। उसका जो उचित और आवश्यक सहभाग होता है, उसे ध्यान में रखना होगा। ऐसे समय शरीर का लचीलापन कभी-कभी अभिशाप साबित होता है, क्योंकि इसके कारण शरीर टेढ़ा-मेढ़ा घुमाव लेकर झुकता है। क्रिया में बताए गए हिलने-डुलने, स्थिरता, लचीलेपन और कड़ेपन का प्रत्येक आसन में अंदाज लेकर निश्चित रूप से कैसे और कौन से स्थान पर इस्तेमाल किया जाए, यह भी देखना पड़ता है। क्रिया करते समय उसकी प्रतिक्रिया शरीर या मन पर विपरीत दिशा में नहीं

होगी और क्रियाशीलता एवं अक्रियाशीलता में संतुलन बना रहेगा, यह देखना एक तरह का कौशल ही है। अंततः शरीर और आसन दोनों हमारे साधन होते हैं। साधन और यंत्रों का इस्तेमाल निश्चित रूप से किस प्रकार, कितना और कहाँ करना है, यह उसे इस्तेमाल करनेवाले को—अर्थात् कर्ता को तय करना होता है। तात्पर्य यह कि प्रत्येक आसन समग्र दृष्टिकोण से आत्मसात् करना होता है। प्रत्येक आसन में चित्त का ध्यान निश्चित रूप से कहाँ हो, उसका संपर्क कहाँ हो, चित्त विचलित न होने की दृष्टि से आसन की स्थिति कैसी हो, शरीर और मन की पूरी लगन कहाँ हो—इस बात के बारे में सोचना आवश्यक है। जहाँ असर डालना होता है, वहाँ बुद्धि का प्रक्षेपण और संवेदनाओं का अहसास होना आवश्यक है। प्रत्येक आसन में चित्त के 'सर्वार्थता' और 'एकाग्रता' जैसे गुणों के परिणाम को कैसे पाया जाए, इन सबको समझते समय उस आसन-साधना में अनुभव होनेवाला आनंद कुछ और ही होता है। ये सभी बातें यहाँ सविस्तार बताना असंभव है। कुछ बातें प्रत्यक्षतः सीखनी पड़ती हैं। जो आसनों के संबंध में बताया है, वही प्राणायाम, प्रत्याहार, धारणा, ध्यान आदि सबकी साधना के लिए लागू है। यहाँ पर सब बताने का कारण यही है कि आसन भले वे ही हों, फिर भी कमर दर्द में निश्चित रूप से क्या साधना है, इस बात को विशेष रूप से जानना होता है, बल्कि साध्य ही योगोपचार का मुख्य सूत्र है।

शवासन में कमर के स्नायु इस्तरी करने के बाद फैले कपड़े की तरह लंबाई में फैलकर स्व-स्थान पर स्थिर हो जाते हैं। कमर के स्नायुओं की यह स्थिति न बिगाड़ते हुए सुप्त एकपाद आकुंचनासन और सुप्त पादांगुष्ठासन कमर दर्द के लिए करने होते हैं। इन दोनों आसनों में पैर घुटनों में मोड़कर पेट की तरफ लाना अथवा पैर ऊर्ध्व दिशा में सीधे करके जोड़ों या पैरों को खुला करना, यही मुख्य क्रिया नहीं है। यह क्रिया करते समय उदरावकाश और त्रिकास्थि के मनकों के जोड़ों को लंबा करके वहाँ के स्नायुओं को तानकर पसारते समय होनेवाली विशिष्ट क्रिया और पैरों की स्थिरता का उसमें समावेश होता है। चित्त का ध्यान कमर की ओर ही होना अ।वश्यक होता है। अगर वे विचलित हुए तो वहाँ के स्नायु, चेता-तंतु और जोड़ों में कोई-न-कोई गफलत हो जाती है। एक लता पर दूसरी लता चढ़ जाए, इस तरीके से स्नायु परस्पर आड़े-तिरछे चढ़ें तो उनमें घर्षण होने लगता है। शरीर के बीच उत्पन्न संघर्ष को टालने के लिए और गुत्थी सुलझाने के लिए चित्त को विचलित होने दिए बगैर कुछ क्रियाएँ अच्छी तरह समझ-बूझकर करनी पड़ती हैं। कक्षा के बच्चों पर अध्यापक का ध्यान न होने पर बच्चे जैसे हल्ला मचाते हैं, ठीक वैसी ही हलचल वहाँ का कोशिका समूह करता है। अंतर केवल इतना ही है कि बच्चों के हो-हल्लों के कारण शोर मचता है और बात स्पष्टतः ध्यान में आती है, जबकि कोशिकाएँ अर्थात् स्नायु-जोड़ आदि आवाज न करते हुए अनुशासन

तोड़ते हैं। इसलिए इन दोनों आसनों में उठाए गए पैर की ओर की कमर अनजाने ही सिकुड़ जाती है। वह वैसी न सिकुड़े, इसलिए मन को अनुशासनपूर्ण होना आवश्यक होता है। साथ ही उसके साथ जिस निश्चित जगह पर ध्यान देना होता है, उस स्थान पर मन केंद्रित हो जाता है। उसे सिर्फ उसी जगह पर विस्तारित करना आवश्यक होता है, जो अभ्यास और जिज्ञासा वृत्ति से साधा जा सकता है।

भरद्वाजासन के अंतर्गत अथवा उत्थित मरीच्यासन की परिवृत्त क्रिया—यानी रीढ़ को बाजू की तरफ घुमाने की क्रिया है; परंतु रीढ़ को घुमाते समय पीठ को अपनी धुरी नहीं छोड़नी चाहिए। कई बार शरीर घुमाते समय झटका लगता है, स्वाभाविक ही स्नायु भी टेढ़े होकर घूमते हैं। इससे अपेक्षित लाभ नहीं होता। रीढ़ की धुरी लंब रूप और सीधी रखने के लिए रीढ़ को घुमाते समय कशेरु के स्नायु हर बार अर्थात् घुमाने की प्रत्येक क्रिया की गतिविधि में समांतरित करने पड़ते हैं। ऐसे में सिर्फ लचीलापन काम नहीं आता बल्कि घुमाने की क्रिया का विरोध करने के लिए तात्कालिक मामूली कड़ी बननेवाले स्नायुओं में स्थित अंतर्विरोध को दूर करना होता है और उच्छ्वास सहित उसे मुलायम बनाना होता है। समांतरित होने के बाद उन्हें स्थिर करना होता है।

ऊर्ध्वमुख श्वानासन की क्रिया पीछे पीठ की तरफ झुकने की है। लेकिन इस प्रकार झुकते समय सीना, पीठ और पार्श्व भाग को नजरअंदाज करके पीछे झुकने से दर्द कम होने के बजाय बढ़ने की संभावना अधिक होती है। उसका कारण यह है कि पीछे झुकने की पूर्वप्रतन क्रिया की ओर देखते समय सबका ध्यान पहले रीढ़ के झुकने की क्रिया के लचीलेपन की ओर जाता है। बाहर की अपेक्षा आंतरिक क्रिया बिलकुल अलग ही होती है। वस्तुतः इस क्रिया में पीछे झुकते समय रीढ़ को ध्यानपूर्वक लंबा करना और वहाँ के स्नायुओं का संकुचन नहीं करना महत्त्वपूर्ण होता है। संभवतः उसका ऊर्ध्वमुख नामकरण यही संकेत देता है। पीठ की रीढ़ को ताड़ासन के समान ऊँचा करके पीछे झुकना पड़ता है। कशेरु परस्पर बिलकुल घिसें नहीं, उनका घर्षण हो या वे नीचे दब जाएँ तो उन्हें ऊपर उठाए जाने की क्रिया नहीं हो पाती। ऐसे समय आसन में कोई तथ्य नहीं बचता; परंतु आसन्न की ओर देखने से प्रत्यक्ष ज्ञान होता है सिर्फ पीछे झुकने का। इसलिए उठाने की क्रिया को समझना आवश्यक है।

इतने ऊहापोह का कारण यह है कि इसके पश्चात् हम सही आसन जानने जा रहे हैं; पर उनकी ओर केवल पुनरावृत्ति के रूप में न देखकर कमर और पीठ के संदर्भ में इन आसनों का कैसे अनुसरण किया जाए, इस बात को देखना आवश्यक है।

□

33

कमर दर्द का उपचार-2

सबसे पहले हम सुप्त स्थिति के आसन जानेंगे।

सुप्त एकपाद आकुंचनासन

क्रिया

1. इस आसन में तलवे दीवार से सटाकर पीठ के बल लेट जाएँ।
2. घुटनों को मोड़कर कमर और पार्श्व भाग का ऊपरी हिस्सा दीवार की तरफ धकेलें। (चित्र 1)
3. पैरों को घुटनों में कड़ा करते समय कमर और उदरावकाश का भाग शरीर की तरफ अंतर्वक्र न होने देना। (चित्र 2)
4. दायाँ पैर मोड़कर पेट की तरफ लाते समय पेट स्नायु, दायाँ पार्श्व किनारा और पार्श्व भाग का दायाँ किनारा सिकुड़ सकते हैं; पर उन्हें सिकुड़ने न दें, बल्कि लंबा करें (चित्र 3)। फिर भी अगर वे सिकुड़ जाएँ तो जंघा और पेट के खाँचे में ठीक बैठे, इतनी कंबल की तह रखें। इससे कमर का भाग लंबा रह जाएगा। (चित्र 4)
5. साथ ही जंघा से बायाँ पैर जमीन से ऊपर उठाया जाएगा, पर वैसे उसे न उठने दें।
6. उच्छ्वास ज्यादा जोर का हो तो उदर का भाग मनकों की ओर जाएगा। पर वैसा न होने दें, अन्यथा कमर के स्नायु सिकुड़ जाएँगे और पार्श्व भाग (नितंब) उठाया जाएगा।
7. बायाँ पैर सीधा रखें। बाईं ओर झुक जाने पर दर्द अधिक बढ़ने की संभावना होती है। इन गलतियों को टालें।

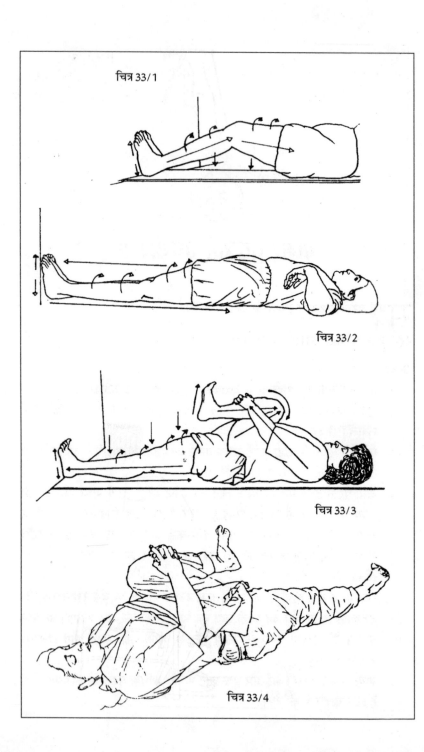

चित्र 33/1

चित्र 33/2

चित्र 33/3

चित्र 33/4

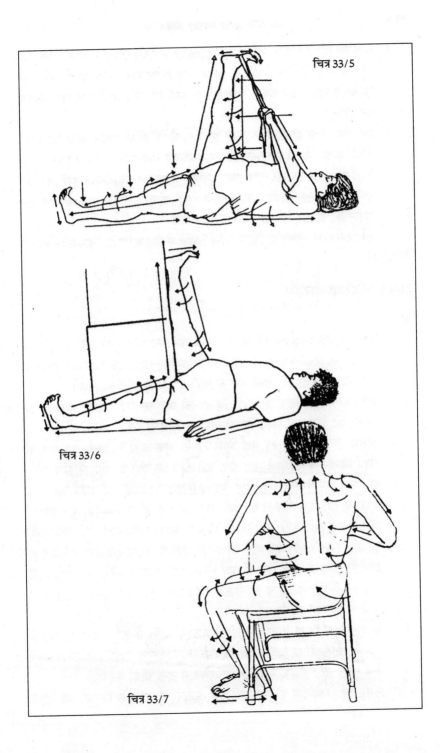

चित्र 33/5

चित्र 33/6

चित्र 33/7

8. दायाँ पैर मोड़ते समय कमर और उदरावकाश के स्नायु लंबे करें। दोनों नितंब एक रेखा में रहने दें। इस स्थिति में आधा-एक मिनट रुकें, साँस छोड़ें। कमर को झटका न लगे—इस प्रकार सावधानी से दायाँ पैर नीचे जमीन पर रखें। बाद में इसे सीधा करें।
9. अब यह क्रिया दूसरी तरफ करते समय दायाँ पैर सीधा रखकर बायाँ पैर मोड़ते समय कमर और उदरावकाश के स्नायुओं को लंबा करें। ऊपर आठवें बिंदु में बताई गई बातों का बाईं तरफ शत-प्रतिशत परिपालन करें। केवल दाएँ और बाएँ शब्द की अदला-बदली कीजिए। ध्यान रखें, मोड़ा हुआ पैर एकदम सीधे नीचे जमीन को झटका लगे, इस तरीके से न छोड़ें।

इस आसन की सविस्तार क्रिया 'सुप्त स्थिति में रीढ़ का गठन' नामक अध्याय में दी गई है।

सुप्त पादांगुष्ठासन

क्रिया

1. सुप्त एकपाद आकुंचन की क्रिया 1 से 4 करें। कदम के चारों ओर चौड़ा फीता डालें। सुप्त पादांगुष्ठासन में (चित्र 5) दिखाए अनुसार दायाँ पैर ऊपर उठाने पर बाएँ हाथ से कदम के चारों ओर से लपेटे हुए चौड़े फीते को पकड़ें।
2. दाएँ हाथ से दाईं जाँघ के बाहरी किनारे को जरा सा पीछे दबाएँ। बाहर के इस किनारे को और दाएँ पार्श्व किनारे को एक सीध में रखें।
3. अकसर पैर उठाने पर वह बाईं तरफ जरा सा झुक जाता है। इससे दाईं तरफ का पार्श्व किनारा और पार्श्व भाग दोनों जरा से उठाए जाते हैं। ऐसा न होने दें।
4. दरअसल दाएँ पैर को दाईं तरफ जरा सा झुकने दें। इससे दाएँ पार्श्व किनारे का बाह्य किनारा नीचे टिकता है। दाईं जंघा एवं धड़ की अंड-संधि खुल जाती है और अकड़ नहीं जाती। वह उठाई भी नहीं जाती। यही पार्श्व भाग नीचे जमीन की ओर रखकर और दाईं जंघा को कड़ा न होने दें अथवा उसे ऊपर न उठाते हुए दायाँ पैर फिर से लंबी रेखा में लाएँ। अब दोनों हाथों से फीते को पकड़ें (चित्र 5)। उस स्थिति में 20 से 30 सेकंड रुकें।
5. घुटने से मोड़कर ही पैर को नीचे लाएँ।
6. जो दाईं तरफ किया जाता है, बाईं तरफ उसी पद्धति से करें। संक्षेप में, रीढ़ की ओर के स्नायुओं को बाजू की तरफ प्रसारित करें। सुप्त एकपाद आकुंचनासन में उन्हें लंबा करें, जबकि सुप्त पादांगुष्ठासन में उन्हें चौड़ा करें।
7. कमर दर्द असहनीय हो तो पहले यह आसन अलमारी के किनारों का आधार

लेकर करें (चित्र 6)। यह आसन करते समय 'सुप्त पादांगुष्ठासन' अध्याय भी देखें।

भरद्वाजासन

कुरसी पर बैठकर किए जानेवाले भरद्वाजासन की सविस्तार क्रिया 'गरदन दर्द का इलाज-1' में दी गई है।

क्रिया

1. दाईं जाँघ कुरसी की पीठ से सटकर रहेगी, इस तरीके से बैठें और दोनों हाथों से कुरसी की पीठ के किनारे पकड़ें तथा दाईं तरफ मुड़ें। (चित्र 7)
2. शरीर पीछे की ओर मोड़ते समय गरदन पहले तुरंत मुड़ जाती है। शेष रीढ़ नहीं मुड़ती और गरदन के पहले मुड़ने पर रीढ़ का बाकी हिस्सा मुड़ने की क्रिया में ज्यादा सहभागी नहीं होता। रीढ़ के अन्य हिस्से की तुलना में गरदन को घुमाना आसान होता है, इसलिए उदरावकाश और त्रिकास्थि की हड्डी को मोड़ना हो तो गरदन को पहले कहना होगा कि 'तू मुड़ मत'। मोड़ने की क्रिया में उदरावकाश और त्रिकास्थि की हड्डी को पहल करनी होती है। यह निचली हड्डी जरा सी भी मुड़ जाए तो गरदन तुरंत मुड़ती है, इसलिए गरदन को रोककर साँस छोड़ते हुए नीचे की रीढ़ की हड्डी को मोड़ें।
3. शुरू में जहाँ दर्द होता है; वह भाग जरा भी हिलता-डुलता नहीं। उसके लिए गरदन को रोककर रीढ़ से काम करा लेना होता है।
4. त्रिकास्थि से गरदन तक रीढ़ को सीधा रखें। धड़ को सीधा रखकर उस सीधी धुरी के चारों ओर मुड़ना है। मुड़ते समय सीने का मध्य भी मध्य में है या नहीं, इसे जाँच लें; क्योंकि सीना दाईं तरफ टेढ़ा होने की संभावना होती है। ऐसे समय रीढ़ को मोड़ते समय आरंभ में सीने के मध्य की हड्डी अर्थात् उरोस्थि को मोड़ें। उससे उरोस्थि कुरसी की पीठ के सामने रहेगी। रीढ़ का हिलना-डुलना, खुला होने के बाद अथवा उसे मोड़ना संभव होने पर उरोस्थि स्थिर होती है।
5. आरंभ में साँस को छोड़कर उरोस्थि को मोड़ें, जिससे शरीर तिरछा (टेढ़ा) नहीं होता। रीढ़ थोड़ा मुड़ती है और रुकती है। शरीर उसी स्थिति में रखकर उच्छ्वास को जरा सा दीर्घ पर तीक्ष्ण और भेदक करते हुए, धुरी को न छोड़ते हुए कमर को घुमाएँ। पेट अंदर लेकर पीठ से न लगाएँ। यहीं पर गलती हो जाती है। पेट अंदर जाता हो तो कुरसी की पीठ और पेट-सीना इनके बीच के अवकाश में तकिया अथवा मसनद रखें और धड़ का अगला भाग उसपर टिकाएँ। (अध्याय-13, च्रित्र 1)
6. धोती अथवा साड़ी को निचोड़ते समय हम आरंभिक ऐंठन हलकी देते हैं, क्योंकि

उसमें ज्यादा पानी होता है। आरंभ में पानी निकालते समय ज्यादा ऐंठन नहीं देनी पड़ती। बहुत सारा पानी निकल जाने पर शेष पानी निचोड़ने के लिए हम निचोड़ ऐंठन पक्की करते हैं—अर्थात् कपड़ा निचोड़ते समय हलकी ऐंठन धीरे-धीरे पक्की करते जाते हैं और पानी निकल जाने की जाँच कर लेते हैं। परंतु अंतिम ऐंठन ऐसी देनी होती है कि उससे न कपड़ा फटे और न सूत-सिलाई आदि टेढ़ी-मेढ़ी हो। इसी प्रकार कमर को मोड़ते समय हलकी सी ऐंठन देनी है, जिससे रीढ़ मुड़े और कहाँ रुकना है, यह भी समझ में आता है।

7. मोड़ने की इस क्रिया में रीढ़ को ऊँचा ही रखें। मोड़ना, उठाना और ऊँचा होना—ये क्रियाएँ एक ही समय साध्य करनी होती हैं। यदि एक बार रीढ़ नीचे चली जाए तो उसे उठाना मुश्किल होता है, इसलिए चूकना नहीं चाहिए।
8. भरद्वाजासन में रीढ़ दाईं ओर मोड़ते समय बायाँ घुटना आगे जाता है। उसके साथ बायाँ पार्श्व भाग भी आगे सरकता है और मेरुदंड बाईं ओर मोड़ते समय दायाँ घुटना और पार्श्व भाग आगे सरकता है। वैसा उसे जाने न दें। दरअसल विपरीत दिशा का (चित्र में बायाँ) पैर 'स्थिर बिंदु-टेकू' होता है। वह हिलना नहीं चाहिए।
9. हाथ बाजू की ओर चौड़ा करके हथेलियों से कुरसी इस प्रकार पकड़ें कि विपरीत दिशा में होनेवाला पैर और पार्श्व भाग आगे नहीं जाएगा। पैरों और कदमों में अंतर हो सकता है, पर आगे-पीछे नहीं होने चाहिए।
10. साँस छोड़ें। मेरुदंड और धड़ को ढलने न देते हुए धड़ जाँघ के सामने लाएँ। बाईं जाँघ कुरसी की पीठ से सटी हुई होगी। इस प्रकार बैठें और यह आसन हूबहू दाईं तरफ भी करें।

उत्थित मरीच्यासन

इस आसन की क्रिया 'गरदन दर्द का इलाज-1' अध्याय में सविस्तार दी गई है।

क्रिया

1. इसमें बायाँ पैर नीचे और कदम सामने है। यह पैर कई बार बाहर की ओर मुड़ने की संभावना होती है। अगर कदम बाहर मुड़ जाएँ तो मेरुदंड के बाईं तरफ के निचले हिस्से के स्नायु नीचे पैर की ओर खिंच जाते हैं, शब्दश: कहना हो तो वे ढह जाते हैं। वैसा न हो, इसलिए कदम सामने होना आवश्यक है।
2. दूसरी बात यह कि उठाए गए पैर का (चित्र में दायाँ) कदम यदि ज्यादा पास खिंच जाए तो दाईं तरफ के धड़ का हिस्सा सिकुड़ जाता है। इसलिए कदम इतनी दूरी पर रखें कि रीढ़ के निचले हिस्से के स्नायु सिकुड़ें नहीं। यथासंभव घुटने

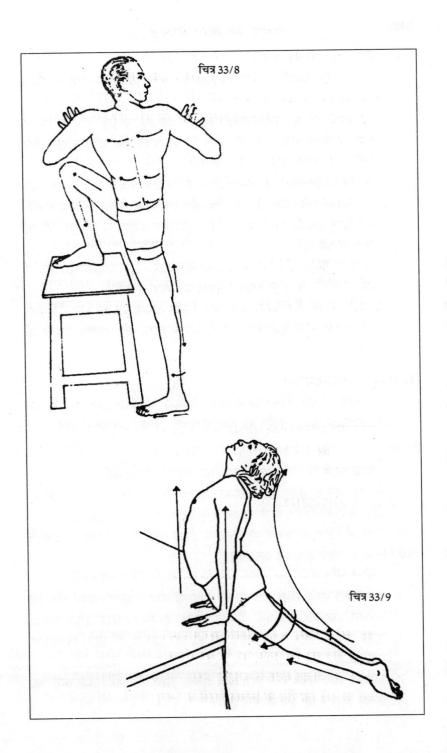

चित्र 33/8

चित्र 33/9

और कदम लंब रेखा में रखें।

3. अब पार्श्व किनारा मोड़ते समय भरद्वाजासन में बताए बिंदुओं पर ध्यान दें। पैर से सिर तक शरीर सीधी रेखा में रखें।
4. दोनों पार्श्व भागों के नीचेवाला जाँघ का भाग एक स्तर पर रखें। मोड़े हुए पैर की तरफ का पार्श्व भाग ऊपर और सीधे पैर का पार्श्व भाग नीचे न रखें। ऐसी गलतियों के कारण कमर दर्द बढ़ जाता है।
5. दाईं ओर का किनारा मोड़ते समय रीढ़ के स्नायु दोनों तरफ फैले हों। और जमीन के समानांतर रखें। एक तरफ से नीचे और एक तरफ से ऊपर—ऐसा न करें। भरद्वाजासन की क्रिया के क्रम 2 से 7 का इस आसन में भी शत-प्रतिशत परिपालन करें।
6. अब पहले गरदन और फिर मेरुदंड को सीधा करें। स्टूल की विपरीत दिशा में आएँ। बायाँ पैर स्टूल पर रखकर आसन दाईं तरफ से करें।
7. इन दोनों आसनों में से वापस आते समय मेरुदंड अथवा धड़ का भाग नीचे ढलने न दें। अर्थात् मोड़ा हुआ शरीर धीमी गति से सीधा करें, अन्यथा मेरुदंड को झटका लगेगा।

ऊर्ध्वमुख श्वानासन

यह आसन सहारा लेकर किया गया ऊर्ध्वमुख श्वानासन (चित्र 9) है। इस आसन की सविस्तार क्रिया 'गरदन की अंतर्वक्र स्थिति' नामक अध्याय में देखें।

क्रिया

1. इस आसन में भी पीछे झुकते समय पहले गरदन पीछे न करें।
2. मेरुदंड स्नायुओं सहित ऊपर उठाकर बगल का हिस्सा खुला करें। ध्यान रखें कि ऊर्ध्व बाहु की स्थिति में बगलें दब न जाएँ।
3. ऊर्ध्व जाँघें मेज के किनारों पर टेकने पर उनका सहारे के समान इस्तेमाल करके हाथों के सहारे पूरा धड़ ऊपर उठाएँ।
4. उरोस्थि की हड्डी ऊपर उठाए बिना मेरुदंड मोड़ने की जल्दी न करें।
5. पीछे झुकते समय पार्श्व भाग का ऊपरी हिस्सा ऊपर न उठाएँ। पार्श्व भाग पीछे जाने पर ऊपर उठाया जाता है और उदरावकाश का मेरुदंड अंदर खींचा जाता है।
6. पार्श्व भाग को जान-बूझकर नीचे पैरों की ओर रहने दें, पर पार्श्व किनारों को ऊपर उठाएँ।
7. साथ ही उदरावकाश का मेरुदंड नीचे दबाकर शरीर पीठ की ओर न मोड़ें। वह हिस्सा ऊँचा उठाते हुए ही पीछे झुकें।

8. मेरुदंड उठाते समय कंधे ऊपर न उठाएँ।

9. आसन से वापस आते समय पहले गरदन को सीधी करें। जाँघें सहारे से बाहर लाएँ और ऊपर उठाएँ। पीछे ताड़ासन में आएँ। ध्यान रखें कि पीठ को झटका न लगे।

इन पाँचों प्रकारों में अंतिम स्थिति में 15 से 20 सेकंड रुकें। अधिक समय रुककर ऊपर बताई गलतियाँ मोल न लें। रुकने के समय आसन सदोष स्थिति में नहीं होना चाहिए। प्रत्येक आसन दो से तीन बार करें। दर्द वाले हिस्से की रचना को सुधारना महत्त्वपूर्ण होता है।

❑

34

उत्तिष्ठ वर्ग के आसन-1

रीढ़ (मेरुदंड) का दर्द हो या पीठ और कमर के स्नायु कमजोर हो गए हों, उसके लिए खड़ी स्थिति के आसन निश्चित रूप से उपयुक्त होते हैं। पैरों पर खड़े होने अथवा चलने पर पीठ दर्द अथवा कमर दर्द शुरू होता है, यह नित्य का अनुभव है। पैरों पर खड़े हुए बिना तो काम ही नहीं चलता, कोई चारा ही नहीं होता। फिर दर्द भी सहना और पैरों पर खड़े होना, इन दोनों बातों को कैसे सहन किया जाए, इसका हम अध्ययन करेंगे। पर कमर दर्द के संदर्भ में उन्हें नए तरीके से जानेंगे।

घर में ढाई-तीन फीट दूरी की दो समानांतर दीवारें ढूँढ़ें। कमरे का दरवाजा, पैसेज, बालकनी की दो दीवारों के बीच में इतना अंतर हो सकता है। वैसा न हो तो दीवार से ढाई-तीन फीट की दूरी पर होनेवाली अलमारी, ट्रंक, मोटे फर्नीचर से भी काम चल जाएगा। अब अगले आसन करें।

उत्थित हस्तपादासन

क्रिया

1. दो दीवारों में पैरों को फैलाकर खड़े रहें। दोनों हथेलियाँ दीवार पर टिकाएँ।

2. कदमों के बाहरी किनारे दीवार से सटाकर रखें। कदमों की कमानें नीचे ढलने न दें। टखनों की हड्डियों के अंदर का किनारा उठाएँ। दोनों हथेलियाँ दीवार पर दबाते हुए पैरों के अंदर के किनारे घुटनों में से कमर के जोड़ तक ऊपर उठाएँ।

3. अगली जाँघें पीछे ढकेलें। पिछली जाँघें अंदर से बाहर की ओर घुमाएँ। दोनों पार्श्व हिस्से बिना सिकोड़े बाहर फैलाएँ। त्रिकास्थि के कशेरु को ऊपर न ढकेलते हुए लंबा करें।

4. सीना और धड़ के पार्श्व किनारे ऊपर उठाएँ। शरीर को ढीला छोड़कर खड़े रहने के बजाय ऊँचे उठाएँ। (चित्र 1) इस स्थिति में पैरों को दोनों तरफ फैलाकर सहारे के साथ खड़े होने के कारण अकड़े हुए स्नायु खुल जाते हैं। आरंभ में एक-दो मिनट खड़े रहें।

5. पैर फिर से पास में लाकर पीठ, सिर का पिछला हिस्सा, एड़ियाँ और पिछली जाँघ दीवार से टिकाकर सीधे खड़े रहें।

पार्श्व हस्तपादासन

इस प्रकार में एक पैर को बाहर की तरफ घुमाना है।

क्रिया

1. ऊपर दिए गए तरीके से दो समानांतर दीवारों में खड़े रहकर उत्थित हस्तपादासन करें।

2. बाएँ कदम का बाहरी किनारा दीवार से वैसे ही रखकर दायाँ कदम दीवार से जरा सा अंदर की तरफ लें। दायाँ पैर, जंघा और कदम दाईं ओर घुमाएँ। दाएँ पैर की उँगलियाँ पंजे से उठाकर अंदर की तरफ मोड़कर दीवार से लगा सकते हैं। उससे मजबूत सहारा मिलता है।

3. बाएँ कदम की कमान को उठाएँ। अब दोनों पैरों पर ध्यान रखें। बाएँ पैर का अंदर का किनारा ऊँचा उठाएँ। उसे दीवार की तरफ ढकेलें। दाईं अंड-संधि को अंदर न लें। बायाँ हाथ कुहनी में मोड़कर दीवार पर दबाते हुए यह क्रिया करें।

4. दाईं हथेली दीवार पर रखकर दाईं जाँघ और घुटना अंदर से बाहर की ओर घुमाएँ। पर दोनों पार्श्व भाग एक सीध में रखें। दोनों पार्श्व किनारे ऊपर उठाएँ। सीना दाईं ओर से बाईं ओर जरा सा घुमाते हुए सामने लाएँ। आरंभ में यह स्थिति 1 से 2 मिनट तक करें।

पैरों को दीवार का सहारा मिलने के कारण जंघाएँ परस्पर दूर जाती हैं और बाँह की ओर घूमनेवाली जंघा (दाईं) खाँचे से घुमाई जा सकती है। बहुत कम मात्रा में ही सही, पर पार्श्व भाग के पास के कशेरु के स्नायुओं को मजबूती मिलने लगती है। बहुत ज्यादा कमर दर्द होनेवाले व्यक्ति को इसका तीव्र अहसास होता है।

5. अब यह दूसरी तरफ करने के लिए हाथ दीवार पर दबाते हुए धड़ को ऊँचा उठाएँ। दायाँ पैर अंदर की तरफ घुमाएँ। बाहर का किनारा दीवार से टिकाएँ। बायाँ पैर घुमाते हुए दीवार से सटा दें। क्रिया 3 और 4 दाएँ-बाएँ की अदली-बदली करते हुए शत-प्रतिशत परिपालन करें। अंत में दाईं तरफ की गई पूरी क्रिया बाईं तरफ करें।

चित्र 34/1

चित्र 34/2

चित्र 34/3

चित्र 34/4

अगले आसन करते हुए इन दोनों मूलभूत आसनों की बाह्य क्रिया की अपेक्षा अंत:क्रिया को ध्यान में रखना महत्त्वपूर्ण है।

उत्थित त्रिकोणासन

उत्थित त्रिकोणासन के लिए दीवार का कोना और पास की खिड़की उपयुक्त रहेगी। दीवार भी ठीक है।

क्रिया

1. बाएँ पैर की एड़ी का किनारा दीवार से सटाएँ। दायाँ पैर घुटना और जाँघ सहित बाहर की तरफ घुमाएँ। वह कदम दीवार से जरा सा आगे रखकर उसके पीछे ईंट रखें।
2. बाईं हथेली दीवार से और दाईं हथेली खिड़की पर रखकर शरीर कमर से ऊँचा उठाएँ। उत्थित हस्तपादासन व पार्श्व हस्तपादासन में बताए अनुसार पार्श्व भाग के स्नायु ऊपर न उठाते हुए और कड़े न करते हुए कमर की हड्डी को लंबा करना आवश्यक है।
3. अब साँस छोड़ते हुए दायाँ हाथ नीचे ईंट पर रखें। पर नीचे झुकते समय दाएँ पार्श्व किनारे को सिकुड़ने न दें। दाईं हथेली ईंट पर रखें। (चित्र 3)
4. बाएँ हाथ से सलाख पकड़कर रीढ़ की हड्डी को सिर की दिशा में तानते हुए सीना और उदर का भाग ऊपर घुमाएँ। बाईं जाँघ आगे से ऊपर घुमाएँ। इसके लिए सलाख का सहारा लेना है। इस स्थिति में 10 से 15 सेकंड रुकें और साँस लेकर चित्र 2 तथा उसके बाद चित्र 1 की स्थिति में आएँ।
5. इस आसन से शरीर को ऊपर उठाते समय जाँघें ढीली न छोड़ें। कमर का हिस्सा ढलने न दें। धड़ को ऊँचा उठाते हुए ऊपर आएँ। अब दूसरी तरफ से यही आसन करने के लिए दीवार के दूसरे किनारे की ओर आएँ। दाएँ पैर की एड़ी का किनारा दीवार पर दबाकर यह पूरी क्रिया बाईं तरफ करें।

वीरभद्रासन

यह आसन उत्थित त्रिकोणासन के समान दीवार के कोने में कदमों को सहारा देकर किया जा सकता है। साथ ही यह बालकनी के छज्जे का सहारा लेकर भी किया जा सकता है।

क्रिया

1. बाएँ कदम का किनारा दीवार से टिकाकर रखें। पैरों में 4 फीट की दूरी रखें। दाएँ पैर को बाहर घुमाएँ।

2. दोनों हाथ छज्जे पर रखकर साँस छोड़ते हुए दायाँ घुटना समकोण में मोड़ें। (चित्र 4) समकोण साधने के लिए दायाँ पैर पीछे या आगे जरूरत के अनुसार बढ़ाएँ।

3. छज्जे पर दोनों हाथ इस प्रकार रखें मानो वे 'क्रचेस' हैं। चाहें तो हाथ कुहनी से जरा सा मोड़ें। हाथ छज्जे पर दबाते हुए धड़ और रीढ़ उठाएँ। यह सब करते समय त्रिकास्थि की हड्डी पर ध्यान केंद्रित हो।

4. दायाँ घुटना और जंघा दीवार से आगे न लाएँ। वैसा करने से पार्श्व भाग पीछे जाकर उदरावकाश की हड्डी अंदर की तरफ आएगी और झटका लगने जैसा दर्द होगा। उसके लिए मोड़े हुए पैर का घुटना और अंदर की जाँघ तथा सीधेवाले पैर की अगली जाँघ को पीछे दबाएँ और अंड-संधि को खुला करें।

5. आसन में पहुँचने पर जाँघों को पीछे धकेलते हुए धड़ को उठाना महत्त्वपूर्ण होता है। इस स्थिति में 10 से 15 सेकंड रुकें।

6. अब साँस लेते हुए पैर सीधे करें। बालकनी के दूसरे छोर पर जाएँ। दायाँ पैर दीवार से टेकें और इसी क्रिया का अनुसरण करें।

क्रिया के बारे में पढ़ते समय और इसे समझते समय यह सब कठिन महसूस होता है, पर प्रत्यक्षत: उसे करते समय यह सब इतना कठिन नहीं होता; लेकिन इसे सतर्कतापूर्वक करना महत्त्वपूर्ण होता है। सबको यही लगता है कि शरीर अपने आप उस स्थिति में जाएगा, पर ऐसा कभी नहीं होता। आदत से वह सहज साध्य लगता है, आरंभ में वैसा नहीं होता। हर आसन की बारीकियाँ प्रयासपूर्वक ही समझनी पड़ती हैं।

उदाहरण के लिए—इस आसन में बाएँ पैर का बाहरी किनारा जमीन पर दबाना और दीवार की तरफ धकेलना, कमान को उठाना, दाएँ पैर की एड़ी को दबाकर दायाँ पार्श्व किनारा पार्श्व भाग से ऊपर उठाना, दोनों हाथ छज्जे पर डालकर सीने के पास और बगल के पार्श्व किनारे उठाना—ये सब निश्चित रूप से एक ही समय की जानेवाली क्रियाएँ होने पर भी उन्हें करने के लिए पहले प्रत्येक क्रिया को अलग-अलग ठीक से समझ लेना आवश्यक होता है और वैसा करने पर ही कमर दर्द कम हो सकता है।

इन सभी आसनों में पैर सीधे रखने की क्रिया महत्त्वपूर्ण है। पैर ढीले पड़ने पर रीढ़ भी शिथिल पड़ जाती है—अर्थात् रीढ़ का सहारा शरीर के लिए अपर्याप्त हो जाता है।

❑

35

उत्तिष्ठ वर्ग के आसन-2

इस अध्याय में हम उत्थित पार्श्वकोणासन और अर्धचंद्रासन—इन दो आसनों के बारे में जानने वाले हैं।

उत्थित पार्श्वकोणासन

यह आसन उत्थित पार्श्वकोणासन, वीरभद्रासन और उत्थित त्रिकोणासन में सामंजस्य से बनता है। उत्थित त्रिकोणासन के अनुसार खिड़की के पास वाला दीवार का कोना चुनें। उत्थित हस्तपादासन (चित्र 1) अथवा पार्श्व हस्तपादासन (चित्र 2) और वीरभद्रासन (चित्र 3)—इस क्रम से इस आसन की मुद्रा में जाना है।

क्रिया

1. बाईं एड़ी का बाहरी किनारा दीवार से टिकाकर दायाँ पैर घुटने से समकोण में मोड़ें (चित्र 3)।
2. साँस छोड़ते हुए दायाँ हाथ दाएँ कदम के पीछे जमीन पर रखें। दायाँ हाथ जमीन तक न पहुँचता हो तो दाएँ कदम के किनारों के पास बाहर की तरफ ईंट रखें और दायाँ हाथ ईंट पर रखें। बाएँ हाथ से सलाख पकड़ें।
3. सलाख पर मजबूत पकड़ रखकर धड़ का पार्श्व किनारा दाईं से बाईं तरफ मोड़ें (चित्र 4)। आसन की ओर देखते ही लगता है कि शरीर को दाईं तरफ झुकने देना है, क्योंकि वह जमीन की तरफ झुका है; परंतु वास्तविकता यह नहीं है। सलाख पकड़कर शरीर को ऊर्ध्व दिशा में उठाना है। इससे रीढ़ के स्नायुओं पर तनाव नहीं आता और धड़ का हिस्सा वृत्ताकार छत की तरफ घुमाया जा सकता है।

चित्र 35/1

चित्र 35/2

चित्र 35/3

चित्र 35/4

यह क्रिया दाईं तरफ करते समय, सीना व उदर का भाग दाईं तरफ से बाईं तरफ करते समय और बाईं तरफ से दाईं तरफ करना होता है। इस तरीके से पार्श्व किनारे ऊर्ध्व दिशा में वृत्ताकार घुमाते हुए यथासंभव समानांतर लाने से शरीर हलका होता है और रीढ़ के स्नायु मुक्त होते हैं।

4. इस प्रकार घुमाना असंभव लगे तो ईंट पीछे रखने के बदले कदम के अंदर किनारों की तरफ यानी कमान की तरफ रखकर भुजा से मुड़ा हुआ घुटना पीछे धकेलते हुए शरीर को घुमाएँ।

चित्र 35/5

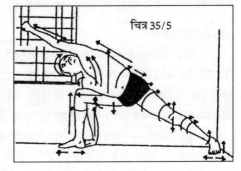

5. अब इसी आसन में हाथ कानों पर से सिर के पीछे ले जाकर उँगलियों से सलाख पकड़ें और पार्श्व किनारे को तानें। आसन दाईं तरफ करते समय बायाँ पार्श्व किनारा और कदम का बाहरी किनारा जमीन पर दीवार की ओर मजबूती से दबाकर हाथ की दिशा में तानें। (चित्र 5)
6. इसी स्थिति में 10 से 15 सेकंड स्थिर रहें। उत्थित पार्श्वकोणासन में से (चित्र 5) वापस आते समय और शरीर को ऊपर उठाते समय पहले सलाख पकड़कर (चित्र 4) शरीर ऊपर उठाएँ। इससे पीठ और कमर के स्नायुओं पर तनाव नहीं आता।
7. सीधे खड़े रहें। कदम सामने घुमाकर उत्थित हस्तपादासन में आएँ, फिर कदम को जोड़कर सम स्थिति में आएँ।
8. यही आसन बाईं तरफ करने के लिए दीवार के दूसरे किनारे आएँ। दाएँ कदम की एड़ी का किनारा दीवार पर मजबूती से रोपकर ऊपरी तरीके से क्रमानुसार करें। बाईं तरफ करते समय दायाँ पार्श्व किनारा, कदमों का बाह्य किनारा जमीन पर और दीवार पर दबाकर हाथ की दिशा में तानें।

उत्थित त्रिकोणासन में पैर कड़े होने के कारण बाजू की तरफ झुकते समय कई बार त्रिकास्थि के, पीठ के, स्नायु सिकुड़ जाते हैं। स्नायु कड़े हो गए हों तो यह तीव्र रूप से महसूस होता है, जिससे कमर दर्द होता है। इसलिए कमर दर्द के रहते कई लोगों को उत्थित पार्श्वकोणासन ठीक लगता है और उत्थित त्रिकोणासन में दर्द होता है। ऐसे समय पहले उत्थित पार्श्वकोणासन करके, हाथ से सलाख पकड़कर उत्थित त्रिकोणासन करने से कमर दर्द कम होता है और आसन करना भी आसान होता है। पीठ के स्नायुओं की तरफ से झुकने की क्रिया में होनेवाला विरोध कम होता है।

उत्थित हस्तपादासन, उत्थित त्रिकोणासन, वीरभद्रासन और उत्थित पार्श्वकोणासन— ये चारों आसन दीवार से मुखातिब होकर उसी पद्धति से किए जाते हैं। ऐसा करने से रीढ़ के स्नायुओं पर भार नहीं पड़ता। अर्धचंद्रासन, परिवृत्त त्रिकोणासन, परिवृत्त अर्धचंद्रासन— ये तीन आसन पीठ दर्द और कमर दर्द पर अधिक असरदार हैं। पर पहले बताए गए आसन किए बगैर ये आसन ठीक तरीके से समझ में नहीं आते और ठीक से नहीं किए जा सकते। उन आसनों को नजरअंदाज करके इन आसनों पर छलाँग नहीं लगाई जा सकती। इसलिए इनका क्रम ध्यान में रखना आवश्यक है।

अर्धचंद्रासन

हाथ-पैरों की गतिविधियों में खुलापन लाने के लिए, कमर और पीठ के स्नायुओं में आई चोट का इलाज करने के लिए, बड़ी नस को तानने के लिए, गठिया रोग के कारण मुड़ा हुआ घुटना सीधा व कड़ा करने के लिए और मासिक धर्म के समय अधोदर में दर्द हो अथवा अतिस्राव हो, तब यह आसन उपयुक्त सिद्ध होता है।

पूर्व तैयारी—(चित्र अ) उत्थित त्रिकोणासन इस आसन की मँझली सीढ़ी है। उत्थित पार्श्वकोणासन के लिए चुनी हुई जगह इसके लिए निश्चित करें। दीवार से सटकर कमर तक या उससे थोड़ा ऊँचा स्टूल रखें। बायाँ पैर स्टूल के पास रखें। दायाँ पैर आगे 3.5 से 4 फीट की दूरी पर रखें।

क्रिया

1. उत्थित त्रिकोणासन में जाने के लिए बताई गई सभी सीढ़ियाँ ध्यान में रखकर आसन करें। उसके संबंध में 'उत्तिष्ठ वर्ग के आसन' अध्याय में हमने सविस्तार जाना है।

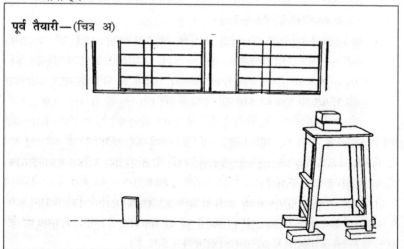

पूर्व तैयारी—(चित्र अ)

चित्र : अ/6

2. साँस छोड़ते हुए दायाँ पैर घुटने में जरा सा मोड़ें और हाथ कदम से एक से सवा फीट की दूरी पर ईंट पर रहें।
3. बाएँ पैर की एड़ी उठाएँ, जिससे शरीर का भार दाईं ओर दाएँ पैर पर और हाथ की ओर सरक जाएगा तथा बायाँ पैर उठाने के लिए हलका रहेगा। इस स्थिति में एक-दो सेकंड रहें।
4. शरीर सिर की दिशा में से आगे खिसकने पर भी शरीर का भार हाथ पर अथवा पैर पर पड़ेगा, इस तरीके से न झुकें। धड़ के भाग को उठाए हुए ही रखें।
5. साँस छोड़ें और बायाँ पैर उठाएँ। पैर उठाने की क्रिया, धड़ का भाग सिर की दिशा में लंबा करने की और शरीर को ऊपर छत की ओर उठाने की—तीनों क्रियाएँ—एक साथ करें। गतिशील क्रिया में अचूकता होना आवश्यक होता है। उठाया हुआ बायाँ पैर स्टूल पर रखें। कटिबंध और पैर सीध में रहने दें। बाएँ हाथ से सलाख को पकड़कर शरीर को ऊँचा उठाएँ और सिर की दिशा में लंबा खींचें। उठाया हुआ पैर जाँघ सहित कमर के जोड़ से एड़ी की ओर धड़ से विपरीत दिशा में तानें (चित्र 6)।
6. आसन में 10 से 15 सेकंड रुकें। दायाँ घुटना मोड़ें और साँस छोड़ते हुए बायाँ पैर नीचे लाएँ। फिर सलाख पकड़कर शरीर को ऊँचा उठाकर उत्थित हस्तपादासन से सम स्थिति में आएँ।
7. दूसरी तरफ से आसन करने के लिए स्टूल को दीवार के दाएँ कोने में सरकाएँ। दायाँ पैर स्टूल पर और बायाँ हाथ नीचे ईंट पर रखकर दाएँ हाथ से सलाख पकड़ें और ऊपर की पूरी क्रिया बाईं तरफ हूबहू करें।

देखने में जटिल लगनेवाला यह आसन शरीर को हलका बनाता है और मन पर होनेवाले तनाव तथा दबाव को कम करता है। सीने में, खासकर उरोस्थि के पास, महसूस होनेवाला भारीपन कम करता है। इसलिए श्वासावरोध, दमा आदि बीमारियों में यह आसन उपयुक्त साबित होता है।

जिस समय यह आसन सहारा न लेते हुए किया जाता है, तब दायाँ हाथ जमीन पर टिका हुआ, बायाँ पैर अधर में और बायाँ हाथ ऊपर तना हुआ रहता है। इस प्रकार की स्थिति होने के कारण इससे शरीर के अंगों में निश्चित रूप से खुलापन आता है। पर आदत न होने के कारण संतुलन सँभालने की कसरत भी करनी पड़ती है। पीठ दर्द अथवा कमर दर्द वालों के लिए यह आसन कुछ कठिन लगता है; क्योंकि इसमें संतुलन सँभालने के लिए स्नायुओं पर आड़ा-तिरछा भार पड़ने की संभावना रहती है। अतः इस आसन में शरीर का व्यवस्थापन ठीक करने के लिए बायाँ कदम स्टूल पर रखकर धड़ का भाग जमीन की तरफ झुकने न पाए, इसलिए दायाँ हाथ ईंट पर रखकर और बाएँ हाथ से सलाख पकड़कर शरीर ऊँचा उठाने की क्रिया, लंबा तानने की क्रिया, स्नायुओं को फैलाने की क्रिया, शरीर का भार कम करके उसे हलका करने की क्रिया—आदि सब साध्य किया जा सकता है।

कमर दर्द के रहते इस आसन में दोनों पार्श्व भाग एक सीध में लाना और उनके स्नायुओं को शरीर की ओर खींचना, दाएँ कदम के अंदर की तरफ का किनारा दबाकर कमर के जोड़ को खुला करना, रीढ़ के स्नायुओं को लंबा तानना—यह सब इस सहारे के कारण संभव होता है। बीमारी के अनुसार निश्चित रूप में जिस स्थान पर योग्य क्रिया साधनी होती है, वह संभव होता है। निश्चित आसन करके बीमारी को नियंत्रण में किया जा सकता है।

किसी को ऐसा लगना संभव है कि क्या इतनी कोशिशें करके ये आसन करने चाहिए? जब तक इनसे मिलनेवाले आनंद का अनुभव नहीं होता, सेहत बेहतर होने का अहसास नहीं होता, तब तक यह सब करना सिर्फ कठिन प्रयास लगता है। पर एक बार कमर को अच्छा लगने लगे तो आसन करने के लिए मन ललचाने लगता है। उसका सुख कुछ और ही है।

इन दोनों आसनों में, खासकर रीढ़ के स्नायुओं को घुमाना, तानना, अंदर ले लेना, बाजू की तरफ फैलाना—इन क्रियाओं का लाभ होता है। कमर दर्द के उपाय के रूप में ये आसन उपयुक्त हैं, इसलिए ये आसन दो-तीन बार किए जाएँ। आसन में 10 से 15 सेकंड रुककर वह ठीक तरह से किया गया या नहीं, इस बात की जाँच करना जरूरी है।

❑

36

उत्तिष्ठ वर्ग की परिवृत्त क्रियाएँ

खड़े यानी उत्तिष्ठ स्थिति के आसनों में रीढ़ के स्नायुओं को लंबा तानने और चौड़ा करने पर बल देने के कारण अकड़े हुए स्नायु खुल जाते हैं। उन्हें मानो अंदर और बाहर से मसाज किया जाता है। अब उत्तिष्ठ स्थिति के आसन में परिवृत्त क्रिया में पहुँचना है। रीढ़ को पीछे-आगे, दाएँ-बाएँ मोड़ने की क्रिया साधारणतया दैनिक गतिविधियों में पाई जाती हैं; परंतु घुमाने की क्रिया तो गरदन तक ही सीमित रहती है। शायद ही कभी देर तक बैठने के कारण शरीर को एक बार दाईं तरफ और एक बार बाईं तरफ घुमाया जाता है! खिलाड़ी खेल के पहले वार्मअप करने के लिए खड़े-खड़े ही अधिकतर कमर को एक बार दाईं ओर और एक बार बाईं ओर घुमाते हैं अथवा पैरों को फैलाकर दाएँ हाथ से बाएँ पैर को और बाएँ हाथ से दाएँ पैर को स्पर्श करते हैं।

रीढ़ दाईं या बाईं तरफ घुमाने की इस परिवृत्त क्रिया में रीढ़ और स्नायु की रचना एक सीध में होना आवश्यक है। रीढ़ के स्नायुओं को घुमाना भी महत्त्वपूर्ण होता है। रीढ़ घुमाने की हर क्रिया में स्नायुओं को बाजू में फैलाना, अंदर लेना और वृत्ताकार घुमाना—इन क्रियाओं को सुव्यवस्थित तरीके से करना पड़ता है। पीठ की तरफ होनेवाली यह क्रिया हम देख नहीं सकते, इसलिए बुद्धि के सहारे इसे समझते हुए नजाकत से करनी पड़ती है; क्योंकि स्नायुओं का हिलना-डुलना भी उसी प्रकार जटिल होता है। त्रिकास्थि की हड्डी पर पूरी रीढ़ संतुलन सँभाले होती है और एक के ऊपर एक—इस खंडित रूप में रखे मनकों से बनी रीढ़ सहज रूप से खुलेपन से हिलती है, घूमती है और झुकती-मुड़ती भी है। पर ये सभी गतिविधियाँ अंततः स्नायुओं पर निर्भर रहती हैं। रीढ़ से दूर स्थित बाजू की ओर के स्नायु स्वाभाविक रूप से घूमते हैं, पर रीढ़ के पास के स्नायु अपेक्षाकृत अधिक कड़े होते हैं, सो वे सहजता से नहीं घूमते। इसलिए परिवृत्त क्रिया में

चित्र 36/1

चित्र 36/2

चित्र 36/3

मनकों के पास के स्नायुओं के आवरण भी घुमाए जाते हैं, यह भी देखना पड़ता है। उसके लिए पैर, कमर का जोड़, पार्श्व भाग और कमर का सहयोग लेना पड़ता है; क्योंकि रीढ़ वहीं से घूमती है। अगले कुछ आसन इस संदर्भ में ही देखेंगे—

परिवृत्त त्रिकोणासन

परिवृत्त यानी घुमाया हुआ अथवा चारों ओर मुड़ा हुआ। यह आसन घुमाया हुआ त्रिकोण है। परिवृत्त त्रिकोणासन की स्थिति उत्थित त्रिकोणासन के विपरीत होती है।

इसके लिए भी दीवार, दीवार का कोना अथवा पास की खिड़की इस प्रकार की जगह चुनें। वैसी जगह न मिलने पर बरामदा, छत, बालकनी का छज्जा अथवा पलंग, दीवान आदि फर्नीचर का सहारा लें।

क्रिया

1. पीठ दीवार से सटाकर खड़े रहें। पैरों में साढ़े तीन से चार फीट का अंतर रखें (चित्र 1)। दायाँ पैर उत्थित त्रिकोणासन के समान संपूर्णतः दाईं तरफ 90 अंश पर घुमाएँ और दीवार से सटाकर बायाँ कदम अंदर की तरफ घुमाएँ। (चित्र 2)
2. दाएँ कदम के बाहरी किनारों के पास एकाध ईंट अथवा तत्सम वस्तु रखें। कारण, बायाँ हाथ पहले ही दाईं तरफ ले जाकर जमीन पर रखना उचित नहीं होता। वैसा करने से रीढ़ जमीन के समानांतर नहीं रहती। पार्श्व भाग की ओर का हिस्सा ऊपर और गरदन की तरफ का भाग नीचे रहता है, इस प्रकार धड़ झुका रहेगा।
3. अब साँस छोड़ें और धड़ का हिस्सा पार्श्व भाग से घुमाएँ। पार्श्व भाग घूम न सके तो बायाँ कदम और अंदर लेते हुए बाईं जाँघ को मोड़ें। गुदा से बायाँ पार्श्व भाग बाहर की ओर घूमना महत्त्वपूर्ण होता है।
4. साँस छोड़ते हुए हाथ दाईं तरफ लाकर कदम के पास रखी ईंट पर रखें।
5. दाएँ हाथ से ऊपर खिड़की की सलाख को पकड़ें। सिर और पार्श्व भाग को पैर की सीध में रखें। इसमें सिर दीवार से दूर और पार्श्व भाग दीवार के पास रहने की संभावना होती है। पर वैसा न होने दें। (चित्र 3)
6. इस स्थिति में (अ) बायाँ पार्श्व भाग और सिर एक सीध में रखें। दोनों पार्श्व भाग एक रेखा में हों, फिर भी दाएँ पार्श्व भाग का बाहरी किनारा बाएँ पैर की दिशा में और दायाँ पार्श्व भाग वृत्ताकार घूमेगा। इसके कारण कमर का जोड़ समानांतर, लेकिन लंबा ताना जाएगा। इस प्रकार त्रिकास्थि के घुमाव पर रीढ़ के घूमने की दिशा निर्भर होगी। (आ) पीठ का हिस्सा सिर की दिशा में लंबा होगा और सीना आगे आएगा। (इ) खासकर सीने का मध्य और फेफड़ों का अधोभाग

अंदर न जाने पाए। रीढ़ की हड्डी टेढ़ी न हो। सीने के पीछे की रीढ़ की हड्डी पहले ही बाहर कूबड़ निकाले होती है, वह कूबड़ (कायफोसिस) अधिक न होने पाए। सीने की पसलियाँ और उसके स्नायु जरा सा दबाकर ही बिठाए जाएँ और उदरावकाश की रीढ़, जो स्वभावत: अंदर होती है, उसे अंदर न लेते हुए (लॉर्डोसिस) लंबा तानें। (ई) उदर के स्नायु गुँधे हुए आटे के समान मुलायम रखकर उन्हें पीठ की ओर ले जाते हुए अधिक न सिकोड़कर और बिना दबाए हुए घुमाने से रीढ़ अंदर नहीं जाती बल्कि लंबी तन जाती है। दाएँ हाथ से सलाख पकड़कर और बायाँ हाथ ईंट पर दबाकर ये सब क्रियाएँ करें। (चित्र 3)

7. घुमाने की क्रिया चरण-दर-चरण करें। प्रत्येक चरण पर साँस छोड़ते हुए क्रिया करें। अर्थात् रीढ़ के स्नायुओं के सिर की दिशा में लंबे करना और दीवार की तरफ घुमाना, इस क्रम से समझते हुए करें। 'रुकें और मुड़ें' नियम का यहाँ भी पालन करें, जिससे पेट के स्नायु मुलायम रहेंगे। आसन-स्थिति में पहुँचने पर इस पूरी क्रिया का अवलोकन करके उसमें परिपूर्णता लाएँ। फिर 15 से 20 सेकंड रुककर साँस लेते हुए मजबूती से पैरों पर खड़े रहें और धड़ के भाग को सिर की तरफ लंबा कर तथा ऊपर छत की ओर उठाकर उत्थित हस्तपादासन में वापस आएँ। फिर सम स्थिति में आएँ।

8. आसन दूसरी तरफ करने के लिए दीवार के दूसरे कोने में सरकें। दाईं एड़ी का बाहरी किनारा दीवार से सटाकर, दाईं तरफ से बाईं ओर इस पद्धति से धड़ को घुमाएँ। दायाँ हाथ बाएँ कदम के बाहर रखें और कमर को घुमाएँ। उपर्युक्त पूरी क्रिया का शत-प्रतिशत पालन करें। आसन में क्षणिक रुकें।

परिवृत्त अर्धचंद्रासन

यह घुमाई हुई स्थिति का अर्धचंद्रासन है।

पूर्व तैयारी—इस आसन के लिए भी अर्धचंद्रासन के लिए चुनी हुई जगह उपयुक्त है। कमर तक या उससे जरा सा ऊँचा स्टूल दीवार से सटाकर रखें। दूसरी तरफ ईंट या तत्सम वस्तु रखें। (चित्र अ)

क्रिया

1. प्रथम परिवृत्त त्रिकोणासन करें। (चित्र 3) दायाँ पैर घुटने से मोड़ें। ईंट कदम से एक-सवा फीट के अंतर पर रखें।

2. अब साँस छोड़ते हुए बायाँ तलवा दाईं तरफ ईंट पर लाएँ। दाएँ हाथ से बाएँ हाथ की रेखा में सलाख को पकड़ें। बाईं एड़ी को जरा सा ऊपर उठाएँ, जिससे बायाँ पैर सीधा रहेगा। वह हलका भी रहेगा, क्योंकि उसे ऊपर उठाना है। इस स्थिति

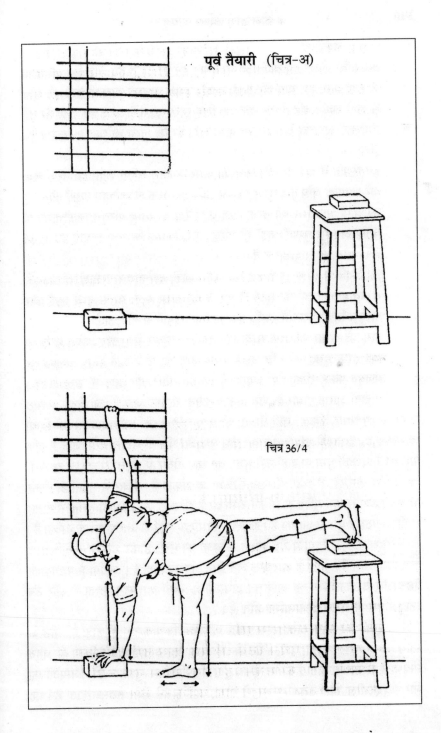

पूर्व तैयारी (चित्र-अ)

चित्र 36/4

में कुछ सेकंड रहें ।

3. अब साँस छोड़ते हुए बाएँ हाथ की हथेली ईंट पर दबाते हुए, धड़ सिर की दिशा में लंबा करते हुए बायाँ पैर ऊपर उठाएँ । उसके अनुसार हाथ भी कंधे की सीध में आगे लाएँ । चाहें तो पैर सहारे के लिए स्टूल पर रखें । पर उसके लिए पैर की उँगलियाँ स्टूल पर दबाकर उसे कड़ा करें । पैर को लूला छोड़कर लटकने न दें । (चित्र 4)

4. इस स्थिति में बाएँ पैर और जाँघ को कमर के जोड़ सहित कदम की तरफ लंबा करें । अगली जाँघ तथा घुटना पिछली जाँघ की तरफ ले जाते हुए उठाएँ और धड़ का बायाँ भाग सिर की तरफ लंबा करें । रीढ़ के स्नायु परिवृत्त त्रिकोणासन में बताए अनुसार घुमाएँ । यहाँ भी परिवृत्त त्रिकोणासन के सभी नियमों का पालन करें । सीने को सिकुड़ने न दें ।

5. इस स्थिति में 10 से 15 सेकंड रुकें । साँस छोड़ें, दाएँ हाथ से सलाख को मजबूती से पकड़कर बायाँ पैर घुटने में जरा सा मोड़कर स्टूल पर से नीचे लाएँ और परिवृत्त त्रिकोणासन में आएँ । धड़ उपर्युक्त पद्धति से ही उठाएँ ।

6. अब दाईं दीवार की तरफ सरकें और दायाँ पैर दीवार से सटाइए । उपर्युक्त क्रिया बाईं तरफ हूबहू करें । पैर उठाते समय और पैर नीचे लाते समय सलाख पर मजबूत पकड़ रखिए । पर ध्यान रखें कि हाथ पीछे और आगे भी सरकता रहे ।

ये दोनों आसन दीवार के पास दोनों पद्धतियों से किए जाते हैं । जो दीवार से पीठ टिकाकर (पूर्वाधार) किया, वही दीवार की तरफ मुँह करके (पश्चिमाधार) भी किया जा सकता है । दीवार से मुखातिब होकर पीठ घुमाने से पीठ दीवार की तरफ जाती है और पीठ का भाग कहाँ घूमा या कहाँ नहीं मुड़ा, वह भाग दीवार से समत्व से जुड़ा है या नहीं, यह अधिक बारीकी से ध्यान में रखकर किया जा सकता है । दीवार से मुखातिब होकर परिवृत्त क्रिया साधना मुश्किल लेकिन असरदार है (चित्र 5, 6) । उसकी तुलना में दीवार से पीठ लगाकर घुमाना आसान है । इसलिए नौसिखिए यहीं से आरंभ करें तो अच्छा है ।

इस परिवृत्त क्रिया में रीढ़ सहित स्नायुओं का मंथन होकर भरसक रक्ताभिसरण के कारण गरमी पैदा होती है और सेंक लेने जैसा अनुभव होता है । उदरांगों में पड़नेवाली ऐंठन और उसका होनेवाला आकुंचन अवयवों के अंगों का मर्दन करता है और उन स्नायुओं पर भी असरदार प्रमाणित होता है ।

घुमाने की क्रिया अंततः एक प्रकार का सूक्ष्म क्रियाकलाप ही होता है । पीठ के स्नायु अस्त-व्यस्त न हो जाएँ—पीठ के स्नायुओं का अंतर्भाव इस क्रिया में बहुत सावधानी से साधना होता है । पीठ घुमाते हुए मांसपेशियों में चुभन न हो । स्नायुओं का जोर संवेदनशील चेता-तंतुओं पर पड़ने से वहाँ सुई चुभने जैसा महसूस होता है । यह

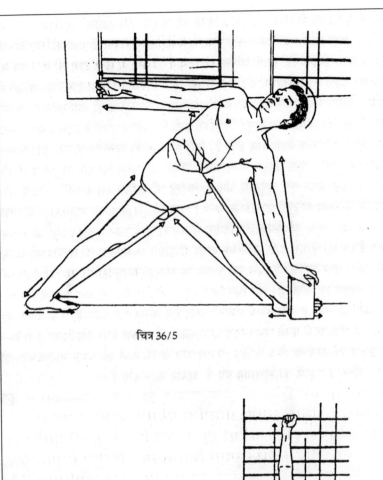

चित्र 36/5

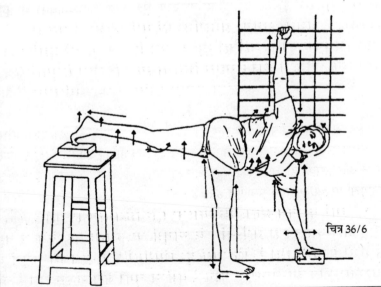

चित्र 36/6

संवेदनाहीनता किसी काम की नहीं। किसी भी नाजुक और बारीकी से किए जानेवाले कला-कौशल का अथवा चित्र-रेखांकन का काम हो, उसमें होनेवाली हाथों की गतिविधियाँ मात्र हिलना-डुलना नहीं होतीं, बल्कि वह दिमाग की ओर से बुद्धि द्वारा की गई नियंत्रित गतिविधि होती है। सर्वसाधारण द्वारा रेखा खींचने और एक चित्रकार द्वारा रेखा खींचने में जमीन-आसमान का फर्क होता है; क्योंकि कलाकार सिर्फ रेखा ही नहीं खींचता, बल्कि उसकी रेखा दिमाग की ओर से पूर्व नियोजित होती है, नियंत्रित होती है। उसमें सुव्यवस्था, निश्चितता, अचूकता आदि सब होता है; क्योंकि कला का सर्जनात्मक मूल स्रोत दिमाग में होता है। उसी प्रकार आसन करते समय क्रिया भले शरीर की ओर से की जाती हो, फिर भी उस शरीर को अनुकूल बनाने, निर्देशों को उचित स्थान तक पहुँचाने और अवयवों के स्थिर होने की कलात्मक क्रिया दिमाग की इस कला की सर्जनशील कोशिका समूह के द्वारा होना आवश्यक है। दिमाग में उसकी प्राथमिक, मूलभूत और कलात्मक रचना तैयार करनी पड़ती है, तभी वह शरीर में उतारी जा सकती है। वहाँ स्नायुओं को जैसे-तैसे दबाव डालकर निष्प्रभ नहीं बनाया जा सकता। स्नायु का हर धागा मानो उसकी स्वतंत्र अलग रेखा होती है! और फिर जिस प्रकार फ्री हैंड ड्राइंग में दोनों बाजू एक समान रेखांकित की जाती हैं और उसमें समान स्वरूप एवं समान तत्त्व होता है, उसी प्रकार यह आसन दोनों तरफ से करते समय मानो कार्बन कॉपी हैं अथवा मानो ट्रेस किया हुआ है— इस प्रकार का अनुभव होना चाहिए। उसमें पीठ के स्नायुओं को सिर्फ घुमाना ही नहीं होता, बल्कि स्नायुओं को सुलझाते हुए ये आसन करने होते हैं।

□

37

त्रिविक्रम क्रिया

क मर दर्द पर आरंभ में ही सुप्त स्थिति का एकपाद आकुंचनासन और सुप्त पादांगुष्ठासन ये दोनों आसन हमने जाने हैं। साथ ही कमर दर्द और घुटने के दर्द के लिए उत्थित एकपाद आकुंचनासन के बारे में जाना। अब इस अध्याय में कमर के लिए उत्थित और पार्श्वहस्त पादांगुष्ठासन देखेंगे। इस मूल आसन में एक पाँव पर शरीर का संतुलन सँभालते हुए दूसरा पैर ऊपर ऊर्ध्व दिशा में उठाकर, दोनों हाथों से कदम पकड़कर सिर को उठाए हुए पैर के घुटने पर टिकाया जाता है और उठाया हुआ पैर बाजू की दिशा से ऊपर सीधा खड़ा किया जाता है।

दशावतार के त्रिविक्रम के अवतार में वामन ने पृथ्वी और अंतरिक्ष को पैरों से नाप लिया, यह आसन उस पुराण कथा पर आधारित है। इसमें पाश्चात्य नृत्यवाले आसन का उपयोग किया जाता है। मूल आसन करने के लिए संतुलन साधने की कला के साथ ही खाँचे में आवश्यक खुलापन और सिर घुटने पर टिकाने के लिए पीठ का लचीलापन आवश्यक होता है। यह खुलापन और लचीलापन साधने के लिए जो पूर्व तैयारी करनी आवश्यक होती है, वह कमर दर्द होने पर उपचार के रूप में उपयुक्त होती है। अत: आसन का आसान प्रकार उपचार के दृष्टिकोण से यहाँ हम जानने वाले हैं।

उत्थित एकपाद आकुंचनासन

पूर्व तैयारी—खिड़की के सामने सम स्थिति में खड़े रहें। (देखिए, पूर्व-तैयारी, चित्र अ)। सलाख के चारों ओर से निवार डालें। सामने स्टूल रखें। स्टूल पर एक बॉक्स अथवा ईंट रखें, जिससे उठाए गए कदम की उँगलियाँ दबाई जा सकें।

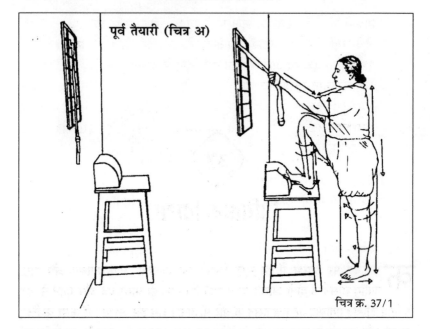

पूर्व तैयारी (चित्र अ)

चित्र क्र. 37/1

क्रिया

1. अब साँस छोड़ें और दायाँ पैर उठाएँ। उसे घुटने से मोड़ें। कदम स्टूल पर रखें। एड़ी नीचे और पंजा ऊपर इस प्रकार रखने से पैर दबाकर कमर को उठाया जा सकता है।

2. बायाँ पैर सामने रखें, जाँघ और पिंडली बाहर से अंदर की तरफ इस प्रकार सामने मोड़ें।

3. हाथों से निवार पकड़कर सामने देखते हुए रीढ़ को ऊपर उठाएँ। पार्श्व भाग को न उठाएँ और पीछे भी न ले जाएँ।

4. बायाँ घुटना कड़ा रखें। आगे से जाँघ को पीछे धकेलें। आरंभ में कदम जाँघ की ऊँचाई पर रखें। आगे चलकर अभ्यास से उसे और ऊँचा रखने में हर्ज नहीं। पर उठाए हुए पैर का पार्श्व भाग ऊपर न जाने पाए। (चित्र 1)

इस आसन प्रकार में दोनों पार्श्व भाग एक ही सीध में रखना सीखना है, क्योंकि अगले प्रकार में पैर सीधा-कड़ा रखते समय पार्श्व भाग के उठाए जाने की संभावना होती है। पार्श्व भाग के बजाय कमर उठाएँ। पार्श्व भाग उठाने से कमर अधिक दुखेगी, इसलिए उस गलती से बचें।

5. इस स्थिति में 15 से 20 सेकंड रुकें। अब साँस छोड़ें और दायाँ पैर नीचे लाएँ। दोनों पैरों को जोड़कर सम स्थिति में खड़े रहें।

6. बाद में बायाँ पैर उठाकर स्टूल पर उपर्युक्त तरीके से (पंजा ऊपर और एड़ी नीचे) रखें और कमर उठाएँ। इस तरीके से दाईं ओर और बाईं ओर दो-तीन बार यह उत्थित एकपाद आकुंचनासन करें। बाद में अगला प्रकार करें।

पैर कड़ा करते समय त्रिकास्थि की रीढ़ पीछे धकेली न जाए और न ही वहाँ के स्नायु उठाए जाएँ। इस प्रकार में त्रिकास्थि के भाग के स्नायुओं पर—यानी कमर के स्नायुओं पर ध्यान रखें। पैर कड़ा करते हुए उसे झटका न दे बैठें, इस बात की भी सावधानी रखनी होगी।

उत्थित हस्तपादांगुष्ठासन

पूर्व तैयारी में यह उत्थित पादांगुष्ठासन की मध्य स्थिति है।

क्रिया

1. ऊपरी तरीके से ही स्टूल रखकर (चित्र ब) दीवार से सामान्यतः 2.5 से 3 फीट की दूरी पर सम स्थिति में खड़े रहें।

2. साँस छोड़ें। हाथों से निवार पकड़कर दायाँ पैर घुटने से मोड़ें और वह कदम पार्श्व भाग की सीध में रखें। तलवों को दीवार से सटाएँ।

3. अब दायाँ और बायाँ दोनों पैर सीधे और परस्पर समकोण में रहेंगे। बायाँ पैर लंब

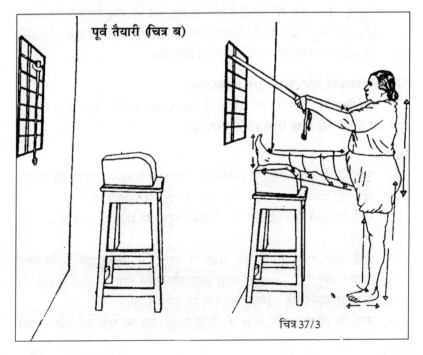

पूर्व तैयारी (चित्र ब)

चित्र 37/3

रेखा में और दायाँ जमीन से समानांतर रहेगा।

4. बाएँ कदम को बाहर न घुमाएँ। दोनों पार्श्व भाग एक स्तर पर रखें और उसे ऊपर न उठाएँ। पर बायाँ पैर सीधा रखकर हड्डियों में से ऊँचा उठाएँ।

   उठाए हुए पैर को बाहर की तरफ ढलने न दें। हाथों से पकड़ी हुई निवार की सहायता से रीढ़ को सीधी करके धड़ के भाग को ऊँचा उठाएँ। बायाँ पैर जमीन पर और दायाँ पैर दीवार पर दबाया हुआ रखकर धड़ का भाग इस प्रकार उठाना है मानो पीठ की रीढ़ में से हम किसी दीवार पर ही चढ़ रहे हैं।
5. इस स्थिति में 15 से 20 सेकंड रुकें। साँस छोड़ें। दायाँ पैर घुटने में मोड़ें और नीचे लाएँ। सम स्थिति में खड़े रहें।
6. अब ऊपर के तरीके से बायाँ पैर उठाकर स्टूल पर रखें और शेष क्रिया का शत-प्रतिशत परिपालन करें। पैर को बारी-बारी से उठाते हुए यह आसन दो-तीन बार करने में हर्ज नहीं। रीढ़ को उठाने की क्रिया करने के बाद आसन की स्थिति में रुकने की अवधि को बढ़ाएँ, ऐसे समय उसे फिर से करने की जरूरत नहीं। पर आरंभ में 'रुकना कम और करना अधिक' के नियम का परिपालन करें। साथ ही आरंभ में उठाया हुआ पैर जमीन के समानांतर रखें। आगे चलकर अभ्यास से उसे अधिक ऊँचा उठाना सीखें। पर दोनों पार्श्व भागों को ऊपर-नीचे न होने दें। पैर सामने रखकर रीढ़ को उठाना सीखने के बाद अब पैर बाजू की तरफ ले जाकर रीढ़ को सीधा रखना है। पैर के अॅब्डेक्शन की क्रिया करते समय रीढ़ के दोनों बाजुओं को समानांतर रखना महत्त्वपूर्ण होता है।

उत्थित पार्श्व हस्तपादाकुंचनासन

पूर्व तैयारी—खिड़की की सलाख के सामने खड़े होने के लिए जगह रखकर स्टूल दाईं दीवार की तरफ खिसकाएँ। (चित्र क)

क्रिया

1. खिड़की के सामने दीवार से शरीर का अगला भाग टिकाकर सम स्थिति में खड़े रहें। दाएँ हाथ की ओर एक-डेढ़ फीट की दूरी पर स्टूल होगा।
2. दायाँ पैर घुटने से मोड़ें और उसे उठाकर स्टूल पर रखें। हाथों से सलाख को पकड़ें।
3. दायाँ कदम बाहर घुमाएँ। उसे दीवार से सटाकर न रखकर दाएँ पैर के अंदर किनारा और घुटना दीवार से थोड़ा ऊपर और पार्श्व भाग की सीध में रखें; पर बायाँ पैर सामने रखें। उसका कदम बाहर घूमने न पाए।
4. बायाँ पैर सीधा रखकर शरीर को ऊँचा उठाएँ। पेट का भाग दाईं ओर से बाईं

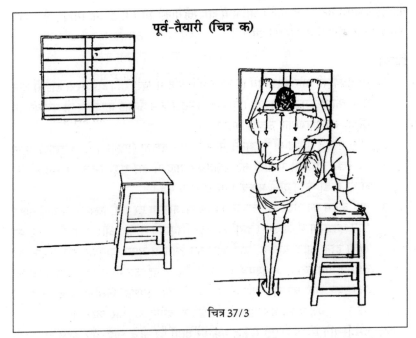

पूर्व-तैयारी (चित्र क)

चित्र 37/3

ओर, जबकि कमर का भाग बाईं ओर से दाईं ओर हो। इस प्रकार उठाया हुआ पैर मजबूती से दबाकर इसकी विपरीत दिशा में कमर को मोड़ें। पर पीठ की रीढ़ अपनी धुरी को छोड़े नहीं, शरीर टेढ़ा न होने पाए। हाथों से सलाख को पकड़कर इस क्रिया को साधना है। उठाए हुए पैर का घुटना दीवार से दूर पीछे धकेलकर कमर के दाएँ जोड़ को खुला कर दें। उसके लिए उँगलियों से सलाख को पकड़कर कुहनी पर जोर देते हुए अधोदर और उठाया हुआ पैर दोनों को परस्पर विपरीत दिशाओं में घुमाना है। कंधे पीछे और कंधे की पाँखें अंदर की तरफ खींचें। सीने को सिकुड़ने न दें।

5. अब साँस छोड़कर दायाँ पैर नीचे लाएँ। सम स्थिति में खड़े रहें। स्टूल को बाईं तरफ ले जाएँ। खिड़की की ओर मुखातिब होकर बायाँ पैर उठाकर स्टूल पर रखें और यही क्रिया बाईं तरफ करें।

आरंभ में 15 से 20 सेकंड रुककर दोनों तरफ दो से तीन बार यह आसन करें। इसे आत्मसात् करने पर अगला आसन करें।

उत्थित पार्श्व हस्तपादांगुष्ठासन

दरअसल यह उत्थित पार्श्व हस्तपादांगुष्ठासन की मध्य स्थिति है। इसमें पैर बाजू

की तरफ सीधा उठाया जाता है। आरंभ में वह खाँचे की सीध में उठाना सीखना है। आगे चलकर वह और ऊँचा उठाया जाता है।

क्रिया

1. खिड़की की ओर मुखातिब होकर सम स्थिति में खड़े रहें। दाईं तरफ ढाई से तीन फीट की दूरी पर स्टूल रखें (चित्र ड)। स्टूल कम ऊँचाई का होगा तो पूर्व कथित बॉक्स आदि रखकर ऊँचाई बढ़ाएँ।

2. साँस छोड़ते हुए दायाँ पैर घुटने से मोड़ें और तलवा (प्रकार 1 के अनुसार) स्टूल पर रखें। हाथों से सलाख को पकड़कर बाद में दाईं एड़ी स्टूल पर रखकर पैर सीधा कड़ा करें। दोनों पार्श्व भाग समतल रखें।

3. दाएँ कदम का अंदर का किनारा दीवार से जरा सा दूर रखें, जिससे पैर दाएँ पार्श्व भाग की रेखा में आएगा। दायाँ अधोदर सिकुड़ने न पाए और कमर के जोड़ का खुला होना आवश्यक है। दाईं जाँघ को आगे से बाहर घुमाकर उसे जमीन की तरफ दबाया जाना आवश्यक है, तभी रीढ़ उठाई जाएगी। हाथों से सलाख को पकड़कर जाँघ को नीचे खींचने की यह क्रिया 'ट्रैक्शन' जैसी होती है। शेष पूरी क्रिया उत्थित पार्श्व हस्तपादाकुंचनासन में बताए अनुसार करनी है।

4. इस स्थिति में 15 से 20 सेकंड रुककर दायाँ पैर नीचे लाएँ और स्टूल दाईं तरफ

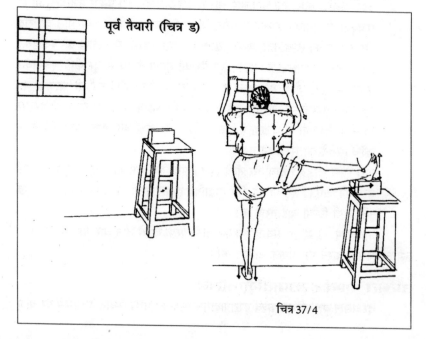

पूर्व तैयारी (चित्र ड)

चित्र 37/4

रखकर इसी क्रिया का अनुसरण करें। ये चारों आसन दीवार से पीठ, एड़ियाँ और जाँघ टिकाकर भी किए जाते हैं। उसके कारण रीढ़ सीधी रहती है। ऐसी स्थिति में स्टूल सामने और बाजू में रखकर शरीर का संपूर्ण पश्चिम भाग दीवार से सटाकर सीधा रखा जाता है।

खड़ी स्थिति का उत्थित हस्तपादासन, उत्थित त्रिकोणासन, उत्थित पार्श्वकोणासन, वीरभद्रासन, पार्श्वोत्तानासन के बारे में हम अब तक पढ़ चुके हैं। इसमें हमने पैर सीधे कड़े करना या उन्हें 90 अंश में मोड़ना भी सीखा है। वस्तुत: ये आसन एक प्रकार से पूर्व-पीठिका ही हैं। पैर मोड़ना, घुटने बाहर घुमाना, कमर के जोड़ खुले करना, अधोदर व सीना पैरों की विपरीत दिशा में उठाना और घुमाना आदि इस सरल क्रिया के कारण समझने में आसानी होती है। इससे रीढ़ और धड़ उलटे-सीधे, साथ ही तलवा और उँगलियाँ खुली रहती हैं। पीठ दर्द, कमर दर्द और वहाँ गठिया रोग के कारण तलवा सिकुड़ जाता है। अधिकांशत: यह दर्द पैर और तलवे की रचना गलत होने के कारण उभरता है।

औरतों को रज-स्तंभन के बाद कमर के जोड़ सिकुड़कर जाँघों में दर्द होने की तकलीफ होती है। वहाँ हड्डियों की क्षति भी होने लगती है। ऐसे समय ही सालेख क्रिया उपयुक्त सिद्ध होती है।

□

38

पवनमुक्त क्रिया-1

पीठ के दर्द पर हमने सुप्त स्थिति के, परिवृत्त स्थिति के और उत्थित स्थिति के आसनों के बारे में जाना। रीढ़ की मांसपेशियों की रचना को सुधारने के लिए, उन स्नायुओं को उचित तनाव देकर अपकर्षण (ट्रैक्शन) साधने के लिए ही ये आसन किए जाते हैं।

अब आसनों के इस समूह को सहारे के साथ आगे झुकने की क्रिया सहित जानेंगे। कमर व पीठ दर्द में मुख्य दर्द पीठ की तरफ होने पर भी वह पेट के हिस्से पर प्रतिबिंबित होता है। साथ ही पेट दर्द, कब्ज, सूजन, गैस होना, बदहजमी और उससे यकृत, स्वादु, मूत्रपिंड इन अंगों में दोष हो अथवा उनके कार्य में त्रुटि हो तो भी कमर और पीठ की मांसपेशियाँ दुखने लगती हैं। बीमार की जाँच करके निश्चित कारण का पता लगने पर उपचार करना उचित रहता है। पर मामूली कारणों में प्रतिबिंबित बीमारी भी ऐसी होती है कि मरीज को उस समय तात्कालिक ही सही, पर बहुत बेचैन कर देती है। वात विकार के कारण मांसपेशियाँ कड़ी हो जाती हैं। एकाध का देह स्वभाव अथवा वृत्ति होती है कि वात के कारण शरीर हमेशा दुखता रहता है, जोड़ अकड़ते रहते हैं। उन्हें बार-बार खुले करना पड़ता है। रक्त-संचार निश्चित स्थान पर बढ़ाना पड़ता है। तब अलग-अलग जोड़ों को मुक्त करने के लिए जो गतिविधियाँ की जाती हैं, वे 'पवनमुक्त क्रिया' कहलाती हैं। बैठे-बैठे कमर को घुमाना, अंग टूटना, शरीर को तानना—खासकर शरीर भारी होने पर जँभाई लेते हुए शरीर को तानना—इन सभी क्रियाकलापों का समावेश पवनमुक्त क्रिया में होता है।

कमर दर्द के संदर्भ में यह क्रिया साधार अर्थात् सालंबपूर्वक करने पर पीठ और कमर की मांसपेशियों का शोधन नहीं होता। पेट की गैस और अधोवात सरक सकता है।

मनकों के दोष के कारण कमर की मांसपेशियों पर पड़ा हुआ तनाव और दबाव भी कम होने लगता है। हूक भरना, पीठ अथवा कमर पकड़ने पर भी ये उपाय किए जाते हैं।

उत्तानासन, प्रसारित पादोत्तानासन और अधोमुख वीरासन आदि में रीढ़ को जिस प्रकार से ताना जाता है, उसकी यह एक सरल अभिव्यक्ति है।

अर्ध उत्तानासन

इसे उत्तानासन, पादांगुष्ठासन, आसनों की मध्य स्थिति कहा जा सकता है।

पूर्व तैयारी—घर में डाइनिंग या राइटिंग टेबल पर रखकर अथवा बिछौने पर कमर की हड्डी की ऊँचाई तक गद्दों की लपेटी रखकर ये आसन किए जाते हैं। दो कुरसियाँ परस्पर सामने रखकर उनपर तकिया अथवा कंबल रखकर ही ये आसन किए जाते हैं। ऊपरी तरीके से बेड पर अथवा डाइनिंग टेबल पर स्टूल, बेंच, गद्दे और मसनद की इस प्रकार रचना करें, ताकि उसके सामने खड़े होने पर उसका किनारा ठीक जंघा के ऊपर के हिस्से में आए और पूरा पेट आगे टिकाया जाए। (चित्र अ)

क्रिया

1. पैरों में एक–डेढ़ फीट का अंतर रखें। एड़ी से पार्श्व भाग के पास के खाँचे की हड्डी तक पैर को लंब रूप में सीधा रखें। अधोदर का भाग मेज पर उठाकर आगे रखा जाएगा।
2. एड़ियों को जरा सा उठाएँ। साँस छोड़कर अधोदर का हिस्सा मेज पर रखें। मेज का किनारा न चुभे, इसलिए कंबल की तह रखें।
3. हाथ से मेज का किनारा अथवा हाथ कड़ा करके सामने के किनारे को पकड़ें।
4. मेज पर शरीर का पूर्व हिस्सा लंबाई में पसारें। ठुड्डी आगे रखें। भाल (माथा)

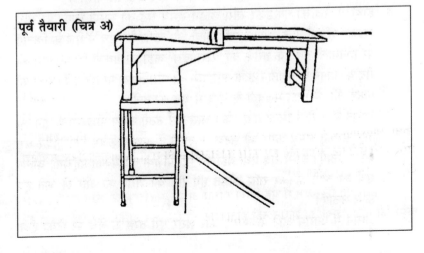

पूर्व तैयारी (चित्र अ)

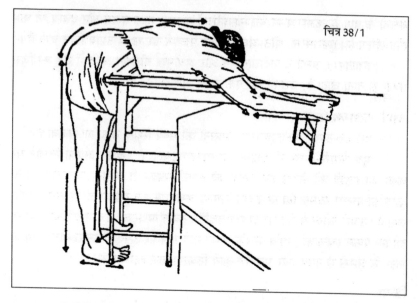

चित्र 38/1

नीचे टिकाते समय नाक दब रही हो तो माथे का भाग तौलिए की तह पर रखें। रीढ़ को पार्श्व भाग की हड्डी से गरदन की तरफ खींचें। सीने की निचली पसलियों को बाजू की तरफ फैलाएँ। पूर्वभाग को लंबा तानकर रीढ़ की हड्डी धड़ की तरफ ले जाएँ।

5. हाथों से मेज को मजबूती से पकड़कर एड़ियों को धीरे–धीरे नीचे लाएँ। पर पार्श्व भाग को ढलने न दें। मेज ऊँची होने के कारण एड़ियाँ टिका न सकने पर पैरों के नीचे पीढ़ा वगैरह रखकर कदम के लिए आवश्यक ऊँचाई पाएँ।

6. हाथों से मेज को पकड़कर साँस छोड़ते समय धड़ को सामने लाएँ। पैर सीधे रखकर एड़ियाँ नीचे दबाकर रखें। जाँघों और कमर के बीच में मेज के किनारों पर होनेवाली यह एक तरीके की 'रस्सीखेंच' कही जा सकती है। पर बीच की रीढ़ को तानने के बजाय रीढ़ के आसपास की मांसपेशियों पर तनाव दें। हाथों की पकड़ और पैरों की मजबूती के बीच में धड़ को तानें।

7. आसन में 1 से 3 मिनट तक रुकें। आसन से उठते समय पीछे पार्श्व भाग की ओर सरकते समय कमर को झटका न लगने दें अथवा कूबड़ निकालकर धड़ को न उठाएँ। उससे रीढ़ तथा वहाँ की मांसपेशियों को धक्का पहुँचेगा, बल्कि धड़ को आगे तानकर साँस छोड़ते हुए रीढ़ को शरीर की ओर ले जाते हुए ऊपर उठाएँ।

आसन में आराम आने के कारण और शरीर पूरी तरह से बेंच पर टिका हुआ

होने के कारण स्नायुओं पर पड़नेवाला तनाव 'पैसिव' बनता है। उससे दिमाग भी शांत रहता है। अत: आसन में शांतिपूर्वक रुककर रीढ़ की मांसपेशियों को पूर्णत: विश्राम देना उचित है।

प्रसारित पादोत्तानासन

अब प्रसारित पादोत्तानासन की मध्य स्थिति देखेंगे। वैसे ऊपर के बताए गए आसन और इस आसन में विशेष अंतर नहीं। सिर्फ पैरों के बीच का फासला बढ़ाया है। उत्तानासन में पैरों को जोड़कर रखा जाता है। पादांगुष्ठासन में कदमों के बीच का अंतर बढ़ाकर कटिबंध की सीध में पैर रखे जाते हैं, जबकि प्रसारित पादोत्तानासन में पैरों के बीच का अंतर और बढ़ाया जाता है। इसमें अंतर 4 से 4.5 फीट तक रखकर पैरों को प्रसारित किया जाता है। सतही तौर पर इस आसन में विशेष अंतर नहीं लगता, फिर भी इसका महत्त्व कम नहीं है, इस बात को ध्यान में लेना आवश्यक है। इसे समझने के लिए विभिन्न शरीर-रचना पर ध्यान देना आवश्यक है। उससे यह बात आसानी से समझ में आ जाएगी।

कई बार पार्श्व भाग की मांसपेशियाँ कड़ी हो जाती हैं। रीढ़ की मांसपेशियाँ अकड़ जाती हैं। पार्श्व भाग और कमर के जोड़ की गतिविधियाँ आसानी से हो नहीं पातीं। कमर की हड्डी मानो फँसकर अटक गई हो। इसका असर रीढ़ पर होता है। रीढ़ की पूँछ की तरफवाले हिस्से पर वहाँ की मांसपेशियों पर तनाव आता है। चलते समय, उठते समय उनमें हमेशा दर्द होता रहता है। हो सकता है, रीढ़ में कोई विकृति न हो और केवल मांसपेशियों के गठन के कारण वह कड़ी हो जाती है और रोजमर्रा की सीधी-सादी गतिविधियाँ भी कठिन लगने लगती हैं; क्योंकि मांसपेशियों का क्षोभन हमेशा होता रहता

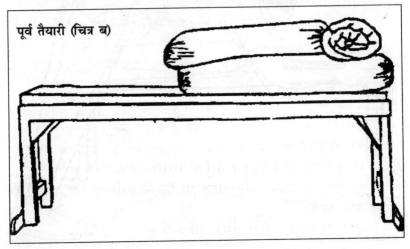

पूर्व तैयारी (चित्र ब)

है। बुजुर्गों में अगर इस तरह के कमर दर्द की बीमारी हो और साथ में वे मधुमेह, उच्च रक्तचाप, हृदय विकारादि बीमारियों से ग्रस्त हों तो इन सब बातों को ध्यान में रखते हुए इलाज ढूँढ़ना पड़ता है। यहाँ बताए जा रहे आसन से उन रोगियों को आराम मिलता है।

पैरों में अंतर बढ़ाने पर प्रत्यक्षत: रीढ़ की मांसपेशियों पर आ रहा तनाव और वहाँ का कड़ापन कम होता जाता है।

पूर्व तैयारी—खटिया अथवा 2 फीट ऊँची मेज अथवा लकड़ी की बेंच के सामने खड़े रहें। जाँघ के जोड़ तक आने तक कंबल या तकिया रखकर उसकी ऊँचाई बढ़ाएँ। (चित्र ब)

क्रिया

1. उसके सामने खड़े होकर पैरों के बीच का अंतर बढ़ाएँ और धड़ का पूरा पूर्व भाग आगे टिके, इस प्रकार रखें। हाथ आगे टिकाकर अथवा हाथों से बेंच को पकड़कर उसपर पूरे धड़ को टिकाएँ। इस स्थान पर आगे झुकें नहीं, बल्कि धड़ टिकाने को कहा गया है; क्योंकि आगे झुकते समय हमेशा पार्श्व भाग जरा सा पीछे लेते हुए आगे झुकना पड़ता है। पीछे जाने की इस क्रिया के कारण उसकी हूक पूरी रीढ़ में फैल जाती है। वैसा न हो, इसलिए आगे फैलाए गए तकिए-मसनद रूपी गद्दी पर धड़ को पेट के बल लिटाना है।

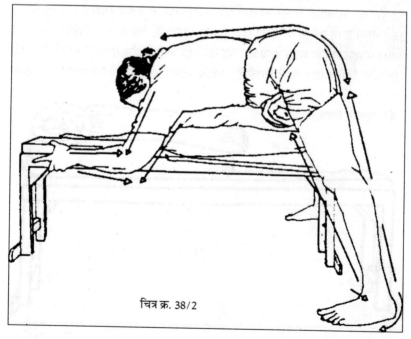

चित्र क्र. 38/2

2. सोने के बाद कमर पर ध्यान देने पर पाया जाता है कि रीढ़ की तरफ की मांसपेशियाँ अकड़ जाती हैं। उनका बाजुओं में फैलना आवश्यक होता है। अत: प्रमुखतया उदर और अधोदर अगले टेकू पर पूर्णत: टिकाकर पैरों को इस प्रकार अगल-बगल पसारें, जिससे पीठ की मांसपेशियाँ रीढ़ के पास जहाँ भी फैलेंगी वहाँ गाँठ अथवा गुठली नहीं बनेगी।

3. आसन में 1 से 3 मिनट तक के लिए रुकें। फिर आगे बताई जा रही बातों पर ध्यान दें। कदमों को बाहर की तरफ मुड़ने न दें। कदम यदि बाहर मुड़ जाते हैं तो पार्श्व भाग और कमर की निचली हड्डी तुरंत सिकुड़ जाती है। वहाँ चिकोटी लिये जैसा लगता है। अत: एड़ियों को नीचे दबाना, पिछली एड़ी को अंदर से बाहर घुमाना, कदमों का बाहरी किनारा जमीन पर टिकाकर कदमों की कमान उठाना, पार्श्व भाग (नितंबों) को परस्पर अलग करना, जाँघों का पिछला भाग अंदर से बाहर घुमाना आदि सब देखना पड़ता है। हाथों से बेंच का किनारा अथवा खाट का अगला किनारा पकड़कर हाथों और पैरों के सहारे धड़ को आगे 'पैसिव' रखकर तानने की क्रिया साधने के कारण स्नायुओं का दर्द और क्षोभन दोनों कम होते हैं।

पूर्वकथित इस स्थिति में हमेशा की अपेक्षा लंबी साँस छोड़ते हुए शांतिपूर्वक रुकना आवश्यक है। ऑकिनोसिस जैसी बीमारी में शरीर की कुछ मांसपेशियों को सहज रूप से आराम नहीं मिल पाता। वे हमेशा तनाव में रहती हैं। इस क्रिया के कारण ऐसी मांसपेशियों को निश्चित रूप से आराम मिलता है।

◻

39

पतनमुक्त क्रिया-2

पिछले अध्याय में पैरों को कड़ा रखकर, धड़ का हिस्सा सहारे पर टिकाकर आगे तानकर रीढ़ की मांसपेशियों को लंबाई में खींचा गया। यही क्रिया अब बैठकर साधनी है। अधोमुख वीरासन, मालासन, परिवृत्त स्वस्तिकासन आदि आसन इसके पूर्व देखे हैं। ये आसन उनकी क्रिया पर आधारित हैं।

योगासन सीखते समय और करते समय एक महत्त्वपूर्ण मुद्दा होता है कि संपूर्ण शरीर की रचना संबंधित आसन में विशिष्ट होती है। शरीर की हर एक कोशिका, प्रत्येक हिस्से को, अंग-मांसपेशी को संबंधित स्थिति विशेष में प्रस्थापित करना होता है। वैसा करने के लिए जो गतिविधियाँ करनी होती हैं, उनके लिए उचित दिशा आवश्यक होती है। गतिविधियों के लिए या शरीर का जोड़-जुड़ाव करते समय मांसपेशियाँ अथवा (अंग) विस्थापित नहीं होने चाहिए, इस अहसास की आवश्यकता है। शरीर हिलते-डुलते समय और उसे विशेष तरीके से प्रस्थापित करते समय श्वासोच्छ्वास की गुणवत्ता विशेष होती है और गतिविधियाँ अनुचित होने के कारण शरीर का हिस्सा अगर विस्थापित होने लगे तो श्वासोच्छ्वास का मार्ग बदल जाता है। इसका तात्पर्य यह कि आसन उचित तरीके से करने पर पूर्णता की ओर जाते समय तथा उसमें स्थिर होने पर शरीर, साँस व चित्त का स्तर बदलता जाता है और आगे चलकर उसमें महत्त्वपूर्ण बदलाव आ जाता है।

पीठ दर्द और कमर दर्द पर प्राथमिक स्थिति के आसनों का समापन करते समय यह बताना महत्त्वपूर्ण है। कई बार कमर दर्द, पीठ दर्द, कमर जकड़ना, पीठ में लचक भरना आदि के कारण श्वासोच्छ्वास करना, करवट लेना तक मुश्किल होता है। ऐसी स्थिति में गतिविधियों में सहजता न होने के कारण उठते-बैठते समय अथवा लेटने पर उठते समय बार-बार उसी जगह पर झटका या धक्का लगता है और दर्द कम होने की

बजाय बढ़ता ही जाता है। ऐसे समय बिना हिले-डुले विश्राम करना भी वास्तविक विश्राम नहीं होता। योगासन करना भी एक कला है। शरीर के विशिष्ट हिस्सों को गतिविधियों के दौरान कहीं भी झटका न लगाना, उठना, बैठना अथवा लेटना हो तो वे क्रियाएँ कैसे की जाएँ, यह समझ में आने लगता है। साँस फूलती हो तो शरीर को कहाँ पर शिथिल (ढीला) छोड़ा जाए? शरीर में कहाँ पर खुली जगह अथवा अंतराल पैदा किया जाए, जिससे साँस फूलेगी नहीं, इस बात की समझ भी आने लगती है। शरीर में किस जगह पर तनाव को हटाया जाए और कहाँ पर तनाव को बढ़ाया जाए, यह भी ध्यान में आ जाता है।

गठिया रोग से पीड़ित व्यक्ति के लिए जमीन पर बैठना असंभव होता है। ऐसे समय हम कुरसी का इस्तेमाल करते हैं। ऐसे समय नीचे फर्श पर बैठने के लिए कुछ पूर्व तैयारी की जाए तो फिर नीचे बैठना मुश्किल नहीं होता। पहले से ही 'नीचे बैठा ही नहीं जा सकता', ऐसा कहते हुए कई रोगी आते हैं। बाद में उन्हें स्वयं ही आश्चर्य होता है कि वे कैसे नीचे बैठ सकते हैं! अतः इस आसन समूह के उत्तिष्ठ स्थिति के जो आसन बताए गए हैं, उन्हें करना संभव होने पर नीचे बैठने की क्रिया भी संभव होती है। स्टूल अथवा बेंच पर किए जानेवाले आसनों में अधिक खुलापन प्रतीत होता है। जोड़ों में एक तरह से मानो तेल दिया जाता है। अतः इस अध्याय में उपविष्ट, परिवृत्त और उत्तान पवनमुक्तासन तीनों को जानकर कमर दर्द के लिए आसनों का समापन करेंगे।

पवनमुक्तासन

यह अधोमुख वीरासन व मालासन की ही एक कड़ी है।

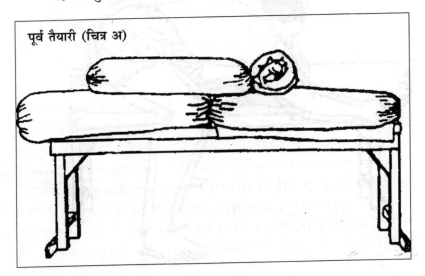

पूर्व तैयारी (चित्र अ)

पूर्व तैयारी—(चित्र अ) बेंच अथवा कुरसी का उपयोग करके अथवा पलंग के सामने स्टूल पर बैठकर भी यह आसन किया जा सकता है।

कुरसी का इस्तेमाल करना हो तो बैठने के लिए एक ओर आगे झुकने पर सिर रखने के लिए एक और कुरसी रखें। इस प्रकार दो कुरसियों का तथा आवश्यकतानुसार मसनदों का इस्तेमाल करें।

खड़े होकर आगे झुकने की क्रिया में पैरों के विपरीत रीढ़ पर तनाव आता है, जबकि यहाँ पैर मोड़कर बैठने के कारण पैरों पर तनाव नहीं आता। वहाँ के स्नायुओं को आराम मिलता है और धड़ का भाग आगे लाया जा सकता है।

क्रिया

1. घोड़े पर सवार होने की तरह बेंच के दोनों तरफ पैर डालकर बैठें। बेंच पर बैठते समय उसकी ऊँचाई का अनुमान करें। पार्श्व भाग जरा सा ऊँचा रखने से जाँघें समकोण में न मोड़ते हुए घुटनों में उनका विशाल कोण होता है। इससे पैरों पर भार नहीं पड़ता। अतः अपनी जरूरत के अनुसार उचित ऊँचाई पर बैठें और उसके लिए जरूरत के अनुसार मसनद उपयोग में लें।

2. शरीर के पूर्व भाग को आगे जाने देकर मसनद पर छोड़ दें। हाथों से बेंच के किनारे अथवा कुरसी के किनारे पकड़ें।

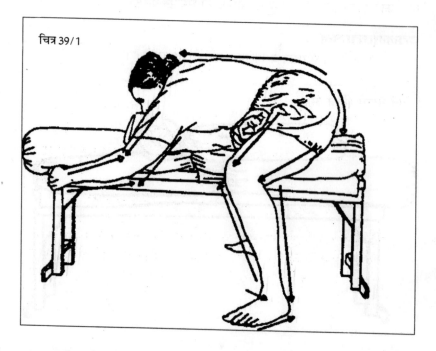

चित्र 39/1

3. पार्श्व भाग को पीछे और धड़ को आगे तानें।
4. सीना और श्वास-पटल दब न जाएँ, इस बात की सावधानी बरतें। ठुड्डी आगे लें अथवा माथा कंबल की तह पर रखें, जिससे नाक नहीं दबेगी। जाँघों और अधोदर के बीच में रीढ़ की मांसपेशियाँ अगर तन रही हों तो कंबल का यथावश्यक रोल जाँघों और अधोदर की खाँच में रखें। घुटने के दर्द के लिए मालासन करते समय हमने इसी पद्धति के कंबल के रोल का उपयोग किया था।

   अधोमुख वीरासन में हम पैर पीछे मोड़कर आगे झुकाते हैं; पर जिनके लिए नीचे बैठना और घुटनों को मोड़ना मुश्किल होता है, उन्हें यह प्रकार बेहतर लगता है। फिर इस प्रकार में ऊँचाई पर बैठने के कारण पैरों पर बल अथवा भार नहीं पड़ता और रीढ़ को अधिक आगे ताना जा सकता है।

   सिर दर्द एवं मिचली में भी यह प्रकार उपायकारक है। सीना, माथा, सिर सब टिक जाने के कारण तथा उदर का हिस्सा अधिक न दबने के कारण उच्च रक्तचाप, हृदय रोग होने पर यह आसन प्रकार करने से मस्तिष्क में शांति और सीने को आराम मिलता है।
5. इस आसन-स्थिति में उतनी देर रुकें जितनी देर आराम महसूस हो। पीठ और कमर को न सिकुड़ने देते हुए शरीर को आगे ताने हुए रखकर साँस छोड़ते हुए धड़ को उठाएँ और बेंच पर (कुरसी पर) बैठें।

परिवृत्त पवनमुक्तासन

पूर्व-तैयारी—(चित्र ब)

क्रिया

1. बेंच पर एक तरफ बैठें अथवा कुरसी पर बैठकर दूसरी कुरसी दाईं तरफ रखें।
2. साँस छोड़ते हुए कमर दाईं ओर भरद्वाजासन के समान मोड़ें।
3. पीठ की ओर से धड़ का पूर्व भाग बाईं ओर से दाईं ओर घुमाएँ और धड़ को दाईं ओर रखी कुरसी अथवा स्टूल पर मोड़ें।
4. सिर और गरदन भी बाईं ओर से दाईं ओर घुमाते हुए माथे का बायाँ हिस्सा उसपर रखें (चित्र 2)। स्टूल या कुरसी की ऊँचाई इस प्रकार रखें कि

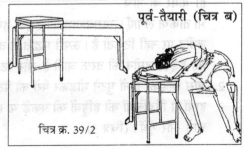

पूर्व-तैयारी (चित्र ब)

चित्र क्र. 39/2

उसपर माथा सहज रूप से टिके। इसके लिए उसपर कंबल की यथावश्यक तह या मसनद रखें। किसी का शरीर लचीला होता है तो किसी की मांसपेशियाँ कड़ी होती हैं। अत: यथानुकूल सहारे का इस्तेमाल किया जाए।

5. आरंभ में धड़ 45 से 60 अंश के कोण में बाजू की तरफ मुड़ सकता है। आगे चलकर अभ्यास से वह पैरों के साथ समकोण में मुड़ सकता है, जिससे पार्श्व भाग—धड़ और सिर दाईं तरफ एक सीध में आ जाते हैं।

6. इस स्थिति में 1 मिनट रुकें। अब साँस छोड़ते हुए धड़ को लंबा करके ऊँचा उठाएँ। स्टूल और कुरसी बाईं तरफ रखें। अथवा आरंभ में उसकी रचना दाईं और बाईं तरफ करें तथा यही क्रिया बाईं तरफ करें। दोनों तरफ संरचना करने पर एक बार दाईं तरफ और एक बार बाईं तरफ करके इस प्रकार अदल-बदल कर शरीर दो-तीन बार ही सही, बाजू की तरफ झुकाया जा सकता है। पेट का फूलना, कब्ज के कारण पेट भारी होना, रक्तचाप होने पर यह आसन उपयुक्त है।

उत्तान पवनमुक्तासन

कमर दर्द पर आसनों की मालिका शुरू करते समय आरंभ में 'बेड रेस्ट' का प्रकार बताया गया था। इसमें रीढ़ का निचला भाग जमीन पर टिकाने एवं घुटने मोड़कर स्टूल पर रखना बताया गया था। उसी का अगला भाग यानी उत्तान पवनमुक्तासन। इसे सुप्त पवनमुक्तासन अथवा सुप्त द्विपादाकुंचनासन भी कहा जाता है।

पूर्व तैयारी—दरी पर एक तकिया सिर और कमर के नीचे रहे। (चित्र क)

क्रिया

1. इसमें पीठ पर लेटें। पैर घुटने से मोड़ें। सिर के नीचे तकिया रखें, साथ ही कमर के नीचे

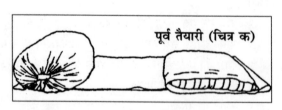

पूर्व तैयारी (चित्र क)

भी तकिया लगाएँ। उदरावकाश की हड्डी हमेशा अंतर्वक्र होती है, जिससे वह जमीन पर नहीं टिकती है। ऊपरी पद्धति से तकिए के टेकू का प्रयोग करने पर वह हड्डी जमीन की तरफ जाती है और पेट का भाग भी हलका होता है।

2. साँस छोड़कर दोनों घुटने मोड़कर पैरों को पेट पर मोड़ें।

3. हाथों से पिंडलियों की हड्डियों को पकड़ें या हाथों को पिंडलियों की हड्डियों के चारों ओर गूँथें। (चित्र 3)

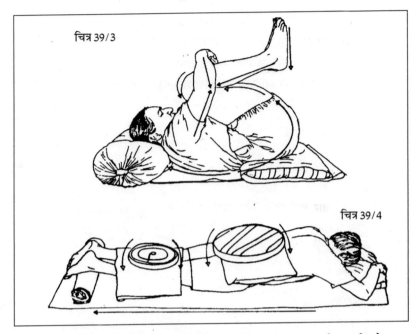

चित्र 39/3

चित्र 39/4

4. पेट की तरफ आनेवाली जंघाओं को पकड़कर उदरावकाश की हड्डी को ऊपर कंधे की दिशा में और नीचे पार्श्व भाग की दिशा में तानें।

मालासन के समान ही यह सुप्त स्थिति का आसन है। दरअसल यह आसन मसनद और तकियों के बिना ही किया जा सकता है; पर कमर दर्द के कारण यह तैयारी आवश्यक होती है।

5. आसन में 30 सेकंड रुकें और कमर को झटका न देते हुए पैर जमीन पर रखिए। दो-तीन बार पैरों को मोड़कर कमर का हिस्सा खुला कर लें, फिर पैर सीधा करें। बाद में दाईं करवट लेते हुए मुड़कर उठें।

अंत में पेट के बल लेटकर शवासन करना है। (चित्र 4) इसकी क्रिया आरंभ में ही बताई गई थी। इसे 'स्वस्थ कमर' अध्याय में देखें। उस तरीके से शवासन करें और इस आसन चक्र का समापन करें, जिससे कमर को निश्चित रूप से आराम मिलेगा।

❑

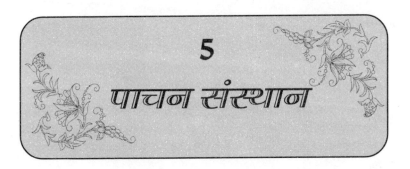

5
पाचन संस्थान

40

अन्न मार्ग की निगरानी

मराठी की एक पंक्ति है—'अन्नासाठी दाही दिशा, आम्हा फिरविशी जगदीशा', 'अन्नासाठी दाही दिशा आम्हां फिरविशी जगदीशा' जिसका अर्थ है—'अन्न के लिए दसों दिशाएँ हमें घुमाते हो जगदीश्वर' मानव देह को अन्न के लिए आजन्म कोशिश करनी पड़ती है, जिसके बारे में यह सार्थक उक्ति हमें बताती है। अन्न की आहुति दिए बिना भीतरी प्राण-ज्योति प्रज्वलित नहीं होती। अन्न के लिए जैसे परावलंबी नहीं रह सकते, वैसे ही अन्न-ग्रहण से अन्न-पाचन, मल-निस्सारण तक होनेवाली अंत:क्रिया के लिए भी परावलंबी नहीं रहा जा सकता।

मुखद्वार से गुदाद्वार तक शरीर का यह महामार्ग साफ और पवित्र रखना मात्र स्वकर्म ही नहीं, बल्कि स्वधर्म है; क्योंकि इस महामार्ग से निकलनेवाले अनेक मार्ग व्यक्ति को रोग, भोग और योग इन तीनों स्थानों पर पहुँचाते हैं। समुचित स्थान तक पहुँचने की संभावना से आरंभिक अन्नप्राशन संस्कार पवित्रता से मंत्रित किया जाता है। यह संस्कार केवल भूख मिटाना या पेट भरना नहीं, वरन् यज्ञ करने जैसा है। यह ध्यान में रखकर जीवन के अथ से इति तक इसका परिपालन करना हमारा कर्तव्य है। पर इस यज्ञकर्म का भान उत्तरोत्तर नहीं रहता और जीवन के मध्यकाल में मुख्यत: पाचन-क्रिया में अवनति होने का अनुभव धीरे-धीरे होने लगता है। यज्ञवेदी की अग्नि धीमी पड़ने लगती है और आगे उद्भव होनेवाली कई शिकायतें इसी अग्निमांद्य से पैदा होती हैं। अत: यज्ञ की वेदी को साफ, स्वच्छ, शुद्ध और साथ ही प्रज्वलित व पवित्र रखना महत्त्वपूर्ण है।

वस्तुत: निश्चित रूप से कौन सा अन्न खाना चाहिए, कब कितना और कैसा खाएँ—इस संदर्भ में विचार करने पर एक भोजन-संहिता बन जाएगी। शरीर के लिए निश्चित रूप से क्या आवश्यक है? उसका मन पर परिणाम कैसे होता रहा है? अपनी

आयु, कार्य, पाचन-क्षमता और आवश्यकता—इन सभी का विचार करना पड़ता है। अन्न का पाचन होना, उसके सार अंश द्वारा रक्त में पोषक तत्त्वों का मिलना और इसके साथ ही मल का निस्सारण सुलभता से होना भी महत्त्वपूर्ण है।

मुँह में डाला हुआ कौर दंत बत्तीसी से कम-से-कम तीस बार तो चबाया जाए, ऐसा हमारे शास्त्र में संकेत है। इस चर्वण के कारण मुँह में लार की उत्पत्ति बढ़कर अन्न का पाचन करना शरीर के लिए आसान हो जाता है। मुँह में डाले हुए कौर की पाचन-क्रिया का आरंभ मुँह से ही होता है और पाचन-क्रिया की यह पहली क्रिया ही सिर्फ हमारे बस में होती है। उसके बाद का पाचन कार्य चेता-तंतुओं द्वारा कार्यान्वित होनेवाली मांसपेशियों के अवयवों पर निर्भर करता है। खाने के लिए समय नहीं, इस बहाने अशुद्ध, अपवित्र, चटपटा अन्न खाना, जल्दी-जल्दी भोजन करना, मन:स्थिति को शांत न रखते हुए तथा दिमाग को गरम रखते हुए अन्न-ग्रहण करना आदि के दुष्परिणाम कितनी गहराई तक फैल सकते हैं, इस बात की कल्पना नहीं की जा सकती; क्योंकि सामान्य अग्निमांद्य से कर्क रोग तक उसकी पैठ हो सकती है।

पाचन-क्रिया ठीक न होने पर पेट में जलन होती है, पेट में दर्द या ऐंठन जैसा लगता है। इसका असर खासकर पीठ और कंधे में अनुभव होता है। इसे 'रिफर्ड पेन' कहा जाता है—अर्थात् दर्द एक जगह होता है, पर वह परिवर्तित होता है दूसरी जगह। इससे विकार जठर में भले ही हो, दर्द सीने में होता है और लगता है कि हृदय रोग हो गया है। इसके विपरीत हृदय रोग का दु:ख उदर में परावर्तित हो सकता है। उन चेता-तंतुओं की आपूर्ति की ओर होता है। उसी की शाखाएँ पीठ और कंधों में जाने से वहाँ दर्द शुरू होता है, जो हृदय तक महसूस होती है। इसलिए पेट दर्द निश्चित रूप से पेट दर्द ही है, यह मालूम होना आवश्यक है।

दोनों हाथ, पैर और सिर को छोड़कर शरीर का मध्य हिस्सा अर्थात् धड़ का हिस्सा दो भागों में विभाजित होता है। श्वास-पटल धड़ को विभाजित करनेवाला स्नायुओं का परदा होता है। ऊपरी हिस्सा सीने का अवकाश और निचला भाग उदरावकाश कहलाता है। इन दोनों अवकाशों में शारीरिक इंद्रियाँ होती हैं और उनका स्थान निश्चित होता है। उदर का भाग शरीर में श्वास-पटल के नीचे कटिबंध तक फैला हुआ मध्य प्रदेश है। एक अर्थ में वह 'लंबोदर' अर्थात् लंबाई में फैला हुआ उदर भाग होता है।

उदरावकाश तीन भागों में विभाजित है, जिसमें उदर का ऊपरी भाग यानी ऊर्ध्व उदर (एपिगैस्ट्रिक), नाभि के पास का बीच का पट्टा (एंबिलिक) और निचला अधोदर (हाइपोगैस्ट्रिक) हैं। उदर के तीनों भागों में ऊपर, नीचे, आगे, पीछे और बाजुओं में कई इंद्रियों की भीड़ है; लेकिन उनका स्थान भी निश्चित होता है। यह व्यवस्था तोड़ने में प्राय: हम ही कारण होते हैं। एकाध को जन्म से ही कुछ विकृति हो सकती है; लेकिन

अधिकांश लोगों में विकृति पैदा होती है उनके गैर-अनुशासनिक बरताव से। इस बात को ध्यान में रखना आवश्यक है।

मुख विवर के तल से निकलनेवाली अन्न-नलिका 25 सेंटीमीटर लंबी होती है, जो श्वास नलिका के पीछे से उदरावकाश में जाकर मिलती है। भिश्ती की मशक के आकार का थैलीनुमा दिखनेवाला, पर दोनों तरफ मुख होनेवाला जठर उदरावकाश की बाईं तरफ ऊपर है। जठर के नीचे दाईं तरफ के मुख से छोटी आँत शुरू होती है। छोटी आँत 6.5 मीटर लंबी और 2.5 सेंटीमीटर चौड़ी है, जो मांसपेशियों की खोखली पर वृत्ताकार नली मध्य उदर अवकाश में ठीक से बिठाई हुई होती है। जठर और छोटी आँत दोनों चार आवरणों से बनाई होती हैं। छोटी आँत दाईं ओर से बड़ी आँत की ओर ऊपर मिलती है और बड़ी आँत का निचला भाग बंद रहता है। उसे स्थूल आंत्राशय कहा जाता है। उसके निचले भाग में पूँछ जैसा भाग लटकता रहता है, जो आंत्रपुच्छ (अपेंडिक्स) कहलाता है। बड़ी आँत दाईं तरफ नीचे से ऊपर, फिर दाईं ओर से बाईं ओर आड़ी तथा बाईं ओर से नीचे इस प्रकार मुड़ती है कि उसका अंत गुदा में होता है। श्वास-पटल के नीचे उदर में यकृत (लीवर) होता है, जो शरीर की सबसे बड़ी ग्रंथि है। उसके निचली ओर जरा सा अंदर धँसा हुआ पित्ताशय (गॉल-ब्लाडर) होता है। यकृत में तैयार हुआ पाचन के लिए अत्यावश्यक अग्निमय पित्त उसमें संचित होता जाता है। बाईं ओर के जठर के पीछे प्लीहा (स्प्लीन) और नीचे लेकिन पीछे की ओर आड़ा-स्वादु पिंड फैला हुआ होता है। सब इंद्रियाँ और नलिकाएँ स्नायुओं के आवरणों से बनी होती हैं। उनके आकुंचन की क्रिया ठीक ढंग से होना जरूरी होता है। उनके कार्य पर चयापचय क्रिया निर्भर होती है। उसके लिए आकुंचन लहरों (पेरिस्टाल्सिस) का ठीक होना जरूरी होता है। खाए गए अन्न पर निर्भर आहार रस से पैदा होनेवाला यकृत-स्वादु पिंड और आँतों के वैश्वानर अग्नि रूपी रस अन्न पर विशेष संस्कार करते हैं, तब उसका पाचन होता है। आगे चलकर उसका अभिशोषण होता है और उसके पश्चात् सात्मीकरण। संक्षेप में यह कि खाए हुए अन्न पर ही यह यंत्र संचालित होता है, जो अन्न के रस का शोषण करता है और वही रस पुन: अगले अन्न पर संस्कार करता है और यह क्रम चलता रहता है। हमें सिर्फ इस बात का सतर्कतापूर्वक ध्यान रखना जरूरी होता है कि यह क्रम व्यवस्थित तरीके से चलता रहे। उसके लिए अन्न भी शुद्ध होना चाहिए और यह यंत्र भी उतना ही व्यवस्थित हो।

मोटे तौर पर जिसे पेट दर्द कहा जाता है, वह ठीक-ठीक ध्यान में आने के लिए यह समझना जरूरी है कि दर्द निश्चित रूप से कहाँ है, किस जगह पर है और उसके पीछे कौन से कारण हैं? जठर का भीतरी हिस्सा मखमल जैसा मुलायम होता है, लेकिन समय-असमय खाते रहने से, तीखी-तली हुई चीजें खाने से, मद्यपान व धूम्रपान के कारण और साथ ही

अतिरिक्त परिश्रम, रतजगा आदि कारणों से अम्लता बढ़ जाती है। पेट में जलन होती है, जठर पर सूजन आती है, उसका दाह होता है। फिर इस मखमलनुमा आवरण पर चीरे या छेद भी हो सकते हैं। उसे गैस्ट्रिक या 'पेप्टिक अल्सर' कहा जाता है। जठर के निचले हिस्से में छोटी आँत के मुख के पास ऐसे व्रण होने पर उन्हें 'ड्युओडिनल अल्सर' कहा जाता है। इसमें जलन होती रहती है। यकृत में सूजन होती है या पित्ताशय में पथरी होने पर उसका दर्द सीने में भी जा सकता है। जठर फूलकर श्वास-पटल की तरफ सरकने पर सीने में दर्द होने लगता है और खाने पर अन्न ऊपर आने लगता है। स्वादु पिंड और मूत्र पिंड विकार में पीठ में चुभन होती है तो आंत्रपुच्छ पर सूजन आकर दाईं तरफ नीचे दर्द होता है। आँतों में से अन्न न सरककर उसमें यदि बाधा आने पर मध्य उदर में दर्द होता है तो बच्चेदानी पर सूजन आने पर या उसका आकार बढ़ने पर अधोदर दुखने लगता है। आड़ी और अधोमुख आँतों को कैंसर जैसी गंभीर बीमारी हो या वहाँ की नसें जम गई हों या इन्फेक्शन हुआ हो तो पेट दर्द पैदा होता है।

यहाँ हम कुछ गंभीर बीमारियों के बारे में नहीं, बल्कि अग्निमांद्य (डिप्शिया), जठर में फोड़ा (अल्सर), अम्लता (गैस्ट्रायटिस), चयापचय में त्रुटियाँ, दस्त, आँव, मलावरोध, कब्ज जैसी साधारण बीमारियों के संदर्भ में सामान्यत: सबके लिए उपयुक्त आसन देखेंगे।

दरअसल पेट की शिकायतों पर उत्तिष्ठ, उपविष्ट, सुप्त, पूर्वप्रतन, पश्चिमप्रतन, परिवृत्त क्रिया के और विपरीत स्थिति के—अर्थात् लगभग सभी वर्ग के आसन करने पड़ते हैं। कइयों की धारणा होती है कि अपच के कारण अथवा पेट बढ़ने पर उनका मंथन हो, इस प्रकार के आसन किए जाएँ; परंतु नौली जैसी क्रिया में पेट का मंथन करने पर इंद्रियों का क्षोभन होने की संभावना ही अधिक होती है। इंद्रियों पर सूजन आने, उनका विस्थापन होने अथवा उनके दब जाने पर पेट दर्द के बढ़ने की संभावना अधिक रहती है। अत: आसनों का चयन करते समय पहले यह देखना पड़ता है कि इंद्रियों का क्षोभन न हो।

पेट दर्द या पेट दर्द के विकार के पीछे मानसिक कारण भी हो सकता है, यह नहीं भूलना चाहिए। मानसिक तनाव बढ़ने पर, मानसिक झटका लगने पर, मन त्रस्त होने पर, मन की व्यग्रता बढ़ने पर, क्रोध से पीड़ित होने पर, दु:ख से हताश होने पर, शोक को सँभाल न पाने पर उपर्युक्त पेट के विकार अनुभव होने लगते हैं। अत: क्षोभन न होने देकर पहले उसका इलाज करना आवश्यक होता है। इस बारे में विचार हम अगले अध्याय में करेंगे।

□

41

उपाश्रयी आसन

भोजन के पश्चात् अर्थात् भरे पेट से आसन नहीं किए जाते, यह साधारण नियम सब जानते हैं। भोजन के पश्चात् सामान्यत: 3 घंटों की अवधि के बाद यानी खाए हुए अन्न का आहार-रस में रूपांतरण होकर उसके आँतों में सरकने के बाद—अर्थात् पेट हलका होने पर—योगासन करने में कोई हर्ज नहीं। इसलिए आहार और अभ्यास के बीच कम-से-कम 3 से 4 घंटों का अंतर आवश्यक है। यानी पाचन और अभ्यास में बाधा नहीं आएगी। यह नियम महत्त्वपूर्ण है। भोजन के बाद दिन में या रात में तुरंत लेटना नहीं चाहिए। इसके लिए पुराने जमाने में सब लोग चहलकदमी किया करते थे। कम-से-कम 100 कदम तो चलते ही थे और उसके बाद वामकुक्षि, यानी बाईं करवट सोते थे। इससे बाईं तरफ के जठर पर बल पड़कर आहार रस आँतों की ओर सरकने में सहायक होता है और पाचन-क्रिया में भी मदद मिलती है। दाईं तरफ के यकृत पर बल नहीं पड़ता और पाचक रस सहज रूप से बनता है।

आजकल की दौड़-धूप की जिंदगी में भोजन देरी से ही हो पाता है, वह भी जल्दी-जल्दी भोजन कर दफ्तर के काम में जुट जाना अथवा वाहन में दौड़-धूप करना। इन कारणों से न चहलकदमी होती है, न वामकुक्षि। इस स्थिति में पाचन-क्रिया पर बहुत बुरा असर पड़ता है। लिया गया अन्न पाचन के पूर्व जठर तक सरकना जरूरी होता है, इससे उसमें भी बाधाएँ पैदा हो सकती हैं। भोजन का संतोष मिलने के बजाय मैंने भोजन ही क्यों किया, इस बात की व्यथा और भोजन के बारे में डर पैदा होना—यानी भोजन करने पर तकलीफ होगी, इस प्रकार की धारणा—ये सब एक प्रकार की बीमारियाँ ही हैं। खाना खाने पर भी पेट की इंद्रियों में हलकापन महसूस होना चाहिए। इसके विपरीत, यदि पेट भारी सा महसूस हो तो समझें, कोई बीमारी है। तृप्ति की एकाध डकार ठीक है,

लेकिन डकारों से सीने और पेट का बेजार होना बीमारी का ही लक्षण है। जिन्हें इस प्रकार का भोजन हजम नहीं होता और पेट भी हलका नहीं लगता, ऐसे लोगों को हिलना-डुलना भी मुश्किल हो जाता है।

मुँह में कौर लेने के बाद वह अन्न-नलिका में से होता हुआ जठर की ओर सरकता है। कभी-कभी अन्न-नलिका सँकरी होती है या उसकी मांसपेशियाँ कमजोर होती हैं, जिससे उनका आकुंचन ठीक से नहीं होता। वैसे मांसपेशियों की जो नली लचीली होती है, वह कई कारणों से अवरुद्ध हो जाती है, जिससे मुँह में लिया हुआ कौर आगे नहीं सरकता। अन्न-नलिका के दोनों छोरों अर्थात् गले और जठर की तरफ अपने आप खुलने एवं बंद होनेवाले द्वार होते हैं। इन दोनों द्वारों का कार्य सुचारु रूप से होना आवश्यक होता है। कभी-कभी अन्न खाने के बाद ऊपर का द्वार ठीक तरह से बंद नहीं होता और जठर के पास का निचला द्वार भी ठीक तरह से पूरा नहीं खुलता। ऐसी स्थिति में अन्न जठर की ओर नहीं सरकता और गले में ऊपर की ओर आने लगता है। आगे झुकने पर अन्न-रस गले की तरफ आने लगता है।

अगर अन्न निगला ही नहीं जा सकता है या खाया हुआ अन्न उलटी होकर वैसा ही बाहर आ जाता है तो उसके पीछे के निश्चित कारण को जानना आवश्यक होता है। साथ ही निगलने की क्रिया और अन्न आगे सरकने-खिसकने की क्रिया—वस्तुत: दिमाग और चेता-तंतुओं द्वारा आज्ञा देना, संदेश लेना और संदेश वहन करना—इन सभी पर निर्भर होती है। अत: गड़बड़ी (दोष) दिमाग या चेता-तंतु में होती है। ऐसे समय उसके पीछे का निश्चित कारण मालूम होना आवश्यक होता है; पर जैसा कि ऊपर बताया गया है, अन्न-नलिका की स्नायुओं और अपने आप खुलने व बंद होनेवाले द्वारों में अगर दोष हो या सूजन हो तो अगले आसन प्रारंभ में ही सही, कारगर सिद्ध होते हैं।

भोजन करने के बाद पेट में जलन होना, अम्लपित्त मुँह में आना, उलटी का अहसास होना, पेट में भारीपन महसूस होना आदि लक्षण अम्लता, अम्लपित्त, जठरदार आदि विकारों के हो सकते हैं अथवा जठर का हिस्सा नीचे से सीने के भीतर घुसता है और सीने में जलन-सी होती है। जठर की सीने की ओर की यह दबिश 'हर्निया' कहलाती है। भोजन के पश्चात् यह तकलीफ विशेषकर अनुभव होती है।

स्पंज के समान मुलायम यकृत 'सिरोसिस' रोग में पत्थर जैसा बन जाता है, तो जठर की अन्न-नलिका के पास के स्थान पर जठर व्रण होकर जलन-सी होती है, वेदना होती है। वह पेप्टिक अल्सर कहलाता है। इस प्रकार के पेट के विकारों पर आसनों का चयन करते समय पहले सुप्त स्थिति के आसन चुनने चाहिए। परंतु यह संपूर्ण सुप्त स्थिति में न करके धड़ को पीठ की तरफ जरा सा टेढ़ा करके अर्ध-सुप्त स्थिति में अर्थात् उपाश्रित स्थिति में करना आवश्यक होता है। इससे खाया हुआ अन्न ऊपर नहीं आता

और जलन भी कम होती है।

उपाश्रित यानी जरा सा टेढ़ा होकर सहारा लेना। इसे 'उपाश्रित स्थिति' भी कहा जाता है। इस स्थिति में पीठ को इस प्रकार से सहारा दिया जाता है, जिससे शरीर पूर्णतः लेटी स्थिति में भी नहीं और बैठी स्थिति में भी नहीं, बल्कि मध्य स्थिति में रहता है। बस में, रेलगाड़ी अथवा हवाई जहाज में पुश-बैक कुरसियाँ होती हैं, जिसमें चाहे जब कुरसी की पीठ का हिस्सा पीछे की ओर धकेलकर उसपर लुढ़का जा सकता है या शरीर पीठ से सटाकर सीधा भी रखा जा सकता है। पीछे लुढ़कना यानी उपाश्रय और सीधे बैठना यानी समाश्रय, दोनों में ही पीठ का सहारा होता है। पेट के विकार, अस्थमा और खाँसी होने पर प्रथम उपाश्रय और बाद में समाश्रय स्थिति के आसन करने पड़ते हैं। सिर्फ कुरसी पर बैठे रहने से रीढ़ ढल सकती है। उपाश्रय स्थिति के आसनों में रीढ़ को गिरने न देकर उसे सहारा देकर अर्ध-सुप्त स्थिति में रखा जाता है। इसमें तीन स्थानों पर पीठ की रीढ़ को सहारा दिया जाता है—कमर के निचले हिस्से को, सीने के निम्नतम हिस्से को और गरदन की ओर के हिस्से को।

पूर्व तैयारी

दीवार से सटकर तीन मसनद अथवा तीन लपेटे हुए गद्दे एक-दूसरे पर इस प्रकार रखें, जिससे दीवार की विपरीत दिशा में होनेवाले मसनदों के छोर सीढ़ीनुमा रखे जाएँ। निचला मसनद जरा सा आगे, बीचवाला मसनद 4 इंच पीछे और सबसे ऊपर की

पूर्व तैयारी (चित्र अ)

ओर वाला 4 इंच दीवार की तरफ, इस प्रकार रचना करें। मसनद पीछे पीठ की तरफ न खिसके, इसलिए नीचे की मसनद को दीवार की तरफ ईंट लगाए रखें। इस पद्धति से मसनद और गद्दों की ढलान तैयार होगी। सिर के नीचे छोटा सा तकिया या कंबल की तह लगेगी, उसे ऊपर के मसनद पर रखें। (चित्र अ)

इस ढलान पर शवासन, दंडासन, स्वस्तिकासन, बद्धकोणासन, वीरासन, पद्मासन आदि आसन किए जा सकते हैं। पद्मासन का सुप्त प्रकार यानी मत्स्यासन। घुटनों के खुलेपन के कारण पद्मासन भले ही सहजता से किया जा सकता हो और मत्स्यासन

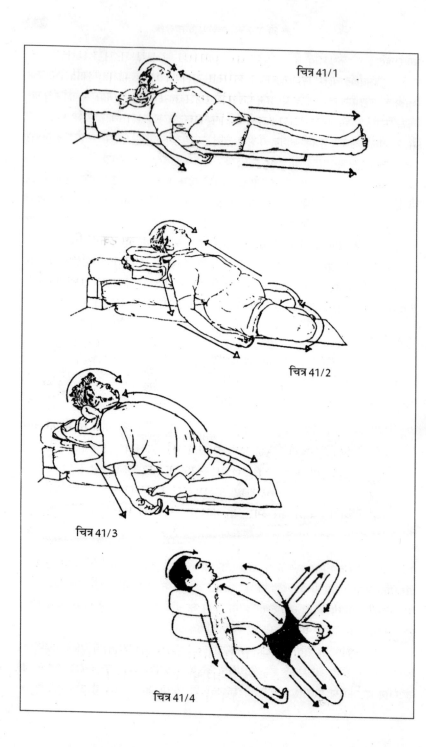

चित्र 41/1

चित्र 41/2

चित्र 41/3

चित्र 41/4

करना भी संभव हो, फिर भी उपर्युक्त सभी बीमारियों पर शवासन, सुप्त स्वस्तिकासन, सुप्त बद्धकोणासन और सुप्त वीरासन असरदार प्रमाणित होते हैं। इन आसनों में आराम मिलता है, दिमाग ठंडा होता है और पेट की तरफ रक्त-संचार होता है। इससे 'गैस्ट्रिक मोलिकिटी' यानी संचार-क्रिया बढ़ती है और पाचन में सहायता मिलती है। भोजन के बाद कोई भी आसन करना अनुचित है, पर ये उपाश्रय स्थिति के आसन निश्चित रूप से आवश्यक और फलदायी होते हैं।

उपाश्रित शवासन

क्रिया

1. पीठ पर पूर्णतः न लेटकर मसनदों की उतरन पर इस प्रकार टेक लें कि कमर का त्रिकास्थि का भाग निचले मसनद तक रहे। सीने के मध्य से लेकर निचला हिस्सा अर्थात् श्वास-पटल के हिलने-डुलने के लिए पीठ की तरफ के हिस्से को बीच के मसनद का आधार मिलेगा और सीने के ऊपरी हिस्से से सटी पीठ को ऊपरी मसनद का सहारा मिलेगा, सिर और गरदन को कंबल की तह सहारा देगी। खासकर सीने का भाग उदर के भाग से मुक्त (खुला) रहेगा तथा सिर का भाग बहुत पीछे फेंका नहीं जाएगा, इस बात का अवश्य खयाल रखना होगा। (चित्र 1)

2. धड़ का भाग उपाश्रय स्थिति में टेढ़ा रखकर आँखें बंद करके इस प्रकार से श्वसन करें कि सीने का बीच का पट्टा श्वास से उठाया जाएगा और उच्छ्वास से पेट का ऊपरी हिस्सा अर्थात् ऊर्ध्व उदर (एपिगैस्ट्रिक) नीचे नाभि की ओर खिसकेगा। साँस की अपेक्षा उच्छ्वास लंबा करें। उच्छ्वास सहित सिर के भाग को हलका और ठंडा रखें। उच्छ्वास से पेट के भाग को हलका करें।

3. तीन बार साधारण साँस और लंबा उच्छ्वास करने के पश्चात् साधारण श्वासोच्छ्वास के आवर्तन (चक्र) करें और फिर तीन बार साधारण साँस लेकर शांत व दीर्घ उच्छ्वास करें। इससे अन्न-नलिका और जठर का दाह कम होता है और पेट का हिस्सा हलका हो जाता है। 5 मिनट इसी स्थिति में रुकें।

उपाश्रित स्वस्तिकासन

इसी स्थिति में स्वस्तिकासन करें।

क्रिया

1. दायाँ पैर घुटने से मोड़ें और एड़ियाँ करीब लाएँ। उसी प्रकार बायाँ पैर घुटने से मोड़कर नजदीक लाएँ और उसे दाएँ पैर के आगे रखें। इससे जाँघों की तह ढीली-सी रहेगी। पार्श्व भाग आगे खिसक गया हो तो पीछे मसनद से सटकर

बैठें। (चित्र 2)

2. श्वासोच्छ्वास ऊपर बताए गए तरीके से करें। पैरों को तह करने के कारण पैरों में होनेवाले रक्त-संचार में प्रतिरोध उत्पन्न होकर पेट की ओर रक्त की आपूर्ति होती है। अशुद्ध रक्त हृदय की ओर वापस जाने में भी प्रयास नहीं करने पड़ते और पेट का क्षेत्र भी मुलायम हो जाता है।

3. 4-5 मिनटों के बाद पैरों की तह बदलकर अर्थात् बायाँ पैर पहले तथा दायाँ आगे लें और उपर्युक्तानुसार करें।

4. पैर खुले करें। दाईं करवट लेकर उठें।

उपाश्रित वीरासन

यह वीरासन की उपाश्रित स्थिति है।

क्रिया

1. पहले घुटने पर आकर पैरों को पीठ की ओर मोड़ें।

2. कदम और पिंडलियों को अंदर से बाहर की ओर घुमाएँ।

3. पार्श्व भाग जमीन की तरफ लाएँ और पीठ की ओर मसनद पर टेकें। सिर और गरदन को सहारे के लिए कंबल की तह लें। (चित्र 3)

4. साँस से सीने का निचला हिस्सा उठाकर उच्छ्वास से ऊर्ध्व उदर का हिस्सा सीने से नीचे नाभि की तरफ लाएँ। श्वास-पटल का हिलने-डुलने का जो हिस्सा है, वह खुला होकर लंबा ताना जाता है। इससे अपच व पेप्टिक अल्सर की जलन कम होती है और वहाँ रक्त-संचार बढ़ जाता है। पाचन-क्रिया में अंगों की क्रियाशीलता के लिए मांसपेशियों के सिकुड़ने की जो क्रिया आवश्यक होती है, उस क्रिया के लिए जगह मिलती है। मानो इसमें प्रत्येक अंग परस्पर अलग होता है। जैसे किसी बंद कमरे में खिड़की खोलने पर वायु विजन हो, वैसे ही पेट के अंगों का वायु विजन होता है—अर्थात् उन इंद्रियों को भरपूर खुली जगह उपलब्ध होती है।

5. 1 से 3 मिनट तक इसी स्थिति में रहें। साँस छोड़ें। हथेलियाँ दबाते हुए धड़ को ऊपर उठाएँ और वीरासन में आएँ। शरीर को घुटनों पर उठाएँ। पैरों को दंडासन में खुले कर दें। आगे चलकर आसन ठीक कर 5 मिनट तक अवधि बढ़ाने में नुकसान नहीं है।

इन सभी आसनों की अपेक्षा उपाश्रित वीरासन अधिक असरदार प्रमाणित होता है।

उपाश्रित बद्धकोणासन

इसमें भी मसनदों की ढलान ऊपर बताए अनुसार रचकर पैर बद्धकोणासन में मोड़े जाते हैं। महिलाओं को मासिक धर्म के दौरान पेट दर्द हो, मूत्राशय में विषाणु संसर्ग हो और पुनश्च पेट के विकार हों तो आसन का यह प्रकार अधिक उपयुक्त रहता है।

क्रिया

1. शवासन में उपर्युक्त तरीके से पीठ की ओर मसनद पर टेककर दोनों पैरों को घुटनों में मोड़ें और तलवों को परस्पर सटाकर रखें। (चित्र 4)
2. पैरों की कमानें परस्पर दूर रखें। एड़ियों को अवश्य जोड़कर रखें।
3. श्वासोच्छ्वास ऊपर जैसा ही करते हुए 3 से 5 मिनट रुकें। साँस छोड़ते हुए पैर सीधे करें और दंडासन में बैठें।

उपाश्रित वीरासन में पेट का क्षेत्र लंबा ताना जाता है तो उपाश्रित बद्धकोणासन में पेट का हिस्सा विस्तार पाता है। आसनों के ये चारों प्रकार खाना खाने के पश्चात् भी किए जा सकते हैं। केवल कुरसी पर बैठे रहने से ऊर्ध्व उदर यानी 'एपिगैस्ट्रिक' वाला हिस्सा दब जाता है। इस कारण साँस खुलती नहीं। इस पूरी आसन स्थिति में सीने से टक्कर लेनेवाले ऊपरी हिस्से के उदरावयव सीने से दूर हो जाते हैं। आधी जगह खाली हो जाती है और रक्त-संचार बढ़ता है। दिमाग भी शांत होता है। दिमाग की अपेक्षा रक्त-संचार पेट की तरफ होता है। इस प्रकार विश्राम, शांति और अन्न-रस-संवहन में सहायता मिलती है।

आरंभ में तीन मसनदों की ढलान रखनी पड़ती है। कारण, कई लोगों को रीढ़ के काठिन्य का अहसास होता है और शरीर उचित कमान नहीं लेता। लचीले शरीरवाले को दो मसनदों की उतरन इस्तेमाल करनी पड़ती है। बद्धकोणासन में दो मसनद की ढलान का इस्तेमाल करें, जबकि अन्य आसनों में तीन का इस्तेमाल करके ढलान का इस्तेमाल किया जाए। बद्धकोणासन में दो मसनद और अन्य आसनों में तीन मसनदों का इस्तेमाल करके उतरन कैसी रखी जाए, यह चित्र में दिखाया गया है।

☐

42

सुप्त स्थिति के आसन

पिछले अध्याय में हमने उपाश्रय स्थिति के आसन देखे। उसी संदर्भ में अब हम सुप्त और पूर्वप्रतन स्थिति के आसन जानेंगे। उदर विकार में जैसे जठर और आँतों में अल्सर के समान बीमारियाँ पैदा होती हैं, साथ ही इसमें दस्त, आंत्रव्रण अथवा आंत्रदाह अर्थात् कोलाइटिस जैसे विकार भी पैदा होते हैं। यहाँ उपाश्रित, सुप्त और पूर्वप्रतन स्थिति के आसन चुनते समय मुख्यतः इन विकारों के संबंध में विचार किया गया है।

दस्त बीमारी नहीं बल्कि कई बीमारियों का लक्षण है। शौच पतला होना और बार-बार होना यानी दस्त होना। जठर और आँतों की बीमारियों के कारण, अन्न-घटकों का शोषण ठीक से न होने के कारण, मन बेचैन होने के कारण, तनाव और चिंता बढ़ने से, डर के कारण, मानसिक धक्का लगने से, अन्न द्वारा विष-बाधा होने के कारण—इस प्रकार के अनेक कारणों से दस्त की तकलीफ हो सकती है। जठर में अम्ल (हाइड्रोक्लोरिक एसिड) का चूना कम हुआ अथवा घटता गया तो वहाँ का अन्न-पाचन धीमा पड़ जाता है, अर्थात् जठराग्नि धीमी हो जाती है। इसके कारण जठर के अंदर की रासायनिक प्रक्रिया कम होने से अधपचा अन्न आँतों की ओर खिसकता है और आँतों के भीतर भी पाचन-क्रिया अधूरी होती है। ऐसे समय हम पेट खराब होने की बात कहते हैं, यानी आँतें बिगड़ जाती हैं। आँतों का कार्य धीमा पड़ने पर अगली कार्यवाही ठीक नहीं होती। खासकर आँतों के भीतरी आवरण में घाव होते हैं और उनमें से पीव भी निकलने लगती है। ऐसे समय आँतें चिढ़ जाती हैं, चिड़चिड़ी बन जाती हैं, उनमें क्षोभ पैदा होता है। ऐसी स्थिति में उन्हें शांत करना पड़ता है।

आँतों की अस्वस्थता, पेट गुड़गुड़ाना, पेट फूल जाना, कसक आना, बार-बार

शौच की इच्छा होना, फिर आँत में ऐंठन पड़ने जैसा लगता है। दस्त होने के पहले या उसके बाद भी पेट में ऐंठन उठना—इन सभी कारणों से आँतों के भीतरी आवरण पर सूजन आती है और कालांतर में घाव अर्थात् व्रण होते हैं। इसके विपरीत यदि आहार रस का अभिशोषण ठीक से नहीं होता तो ऐसे अशोषित अन्न-घटक भी दस्त द्वारा बाहर निकलने से शरीर दुर्बल होने लगता है।

कोलाइटिस के समान बीमारी में आँत में व्रण होकर उनका दाह होता है। इस बीमारी में एक तो अन्न का ठीक पाचन नहीं होता। थोड़ा-बहुत पचे हुए अन्न से रक्त-घटकों की अधूरी निर्मिति होती है—अर्थात् रक्त का पोषण ठीक नहीं होता।

अभिशोषण में कमी अर्थात् रक्त का कुपोषण। ऐसे समय अनीमिया होता है, रक्त-घटकों का क्षय होता है। ऐसी बीमारी पर शीर्षासन और सर्वांगासन करना अति आवश्यक होता है, पर एकदम नहीं किया जा सकता। नौसिखियों को वह एकदम सिखाया नहीं जा सकता। इसके लिए पर्याप्त रूप में उपाय हैं—सहारे सहित पूर्वप्रतन के आसन करना। कोलाइटिस जैसी बीमारी में शारीरिक श्रम भी तो नहीं किए जा सकते। ऐसे समय सुप्त में पूर्वप्रतन और विपरीत स्थिति के आसन करके प्रतिरोधक शक्ति बढ़ानी पड़ती है। आराम या विश्रांति से तात्पर्य सिर्फ सोना नहीं है। सुप्त स्थिति के आसनों से आँत को आराम (विश्राम) मिलता है।

दस्त से तकलीफ होने पर जिस प्रकार नमक, पानी और शक्कर पीना लाभदायी होता है, उसी प्रकार यह आसन संजीवन देनेवाला साबित होता है। खासकर 'डीहाइड्रेशन' अर्थात् शरीर में होनेवाला पानी निकल जाने से शुष्कता पैदा होती है, उसपर ये आसन काफी उपयुक्त और लाभदायक हैं।

पहले सुप्त स्थिति के आसनों के बारे में जानेंगे। पिछले अध्याय में स्वस्तिकासन, सुप्त वीरासन और सुप्त बद्धकोणासन—ये उपाश्रय आसन यानी शरीर को जरा सा ढलता रखकर की जानेवाली क्रियाएँ सीखीं। पर दस्त के चलते आसन पूर्णत: सुप्त स्थिति में करना आवश्यक होता है। आसनों के आरंभ में पीठ के बल सीधा लेटना संभव न होने पर पीठ के नीचे कंबल की पतली सी तह बिछाकर ये आसन करने होंगे। इन तीनों आसनों में पैरों की रचना बदलती है। स्वस्तिकासन में पैरों की ढीली सी तह करना, वीरासन में पैरों को घुटनों में मोड़कर और बद्धकोणासन में तलवे परस्पर सटाकर रखकर घुटनों को मोड़ा जाता है।

सुप्त स्वस्तिकासन

क्रिया
1. कंबल की ऊँची तह लंबी फैला दें और उसपर स्वस्तिकासन में बैठें।

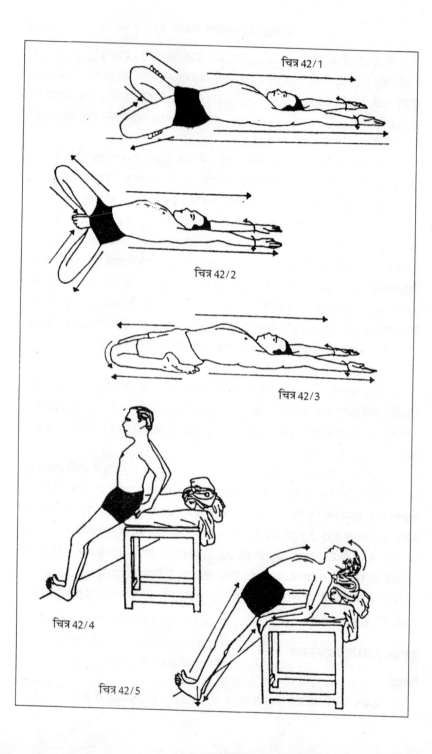

चित्र 42/1

चित्र 42/2

चित्र 42/3

चित्र 42/4

चित्र 42/5

2. साँस छोड़ते हुए पीठ की तरफ झुकें; पर जाँघों का जमीन की तरफ का दबाव कम न करें। पीठ की ओर झुकते समय हाथ की कुहनियाँ और हथेलियाँ एक के बाद एक जमीन पर रखकर धड़ धीरे-धीरे जमीन की तरफ ले जाएँ। धड़ जैसे-जैसे नीचे जाएगा, वैसे-वैसे हाथों और कुहनियों पर होनेवाला दबाव कम करें।
3. प्रथम माथे का हिस्सा नीचे टिकाएँ और बाद में गरदन को खुला करते हुए सिर के पिछले हिस्से को टिकाएँ, जिससे पीठ का भाग जमीन पर टिकेगा।
4. रीढ़ की हड्डी सीधी लंबी करें। दोनों हाथ धड़ के पार्श्व किनारों की दिशा में लंबे करें।
5. इस स्थिति में सीने को चौड़ा करें और कंधों की पाँखें जमीन पर रखें। स्वस्तिकासन में पैरों की तह से बना क्रॉस 'X' नाभि और सीने का मध्य एक सीध में रखें और सीने को सिकुड़ने न दें।
6. अब साँस लेते हुए हाथ कुहनी से मोड़ें और हाथ उठाकर सिर के ऊपर सीधा तानें। हथेलियाँ छत की ओर मुड़ी हुईं रखें। (चित्र 1)
7. पैरों और घुटनों को जमीन की तरफ दबाते हुए धड़ के हिस्से को लंबा करें और सीना उठाएँ। इस स्थिति में हमेशा की तरह सामान्य श्वासोच्छ्वास करते हुए 3 से 5 मिनट तक रुककर धीरे-धीरे अवधि बढ़ाएँ।
8. साँस लेते हुए हाथ पार्श्व किनारे की ओर लाएँ और हथेलियाँ अंदर की तरफ घुमाएँ।
9. साँस छोड़ते हुए कुहनियों और हथेलियों को दबाते हुए धड़ को ऊपर उठाएँ। स्वस्तिकासन में बैठें। अब पैरों का 'क्रॉस' बदलें और यही क्रिया फिर से करें। सुप्त स्वस्तिकासन में पैरों की तह सीधी छोड़ने में कोई हर्ज नहीं। पर 'क्रॉस' को बदलते समय बैठी स्थिति में ही उसे बदलें, इससे पैरों की तह में मजबूती रहती है।

सुप्त बद्धकोणासन

क्रिया

1. कंबल को फैलाकर उसपर बद्धकोणासन में बैठें।
2. साँस छोड़ते हुए पीठ की तरफ झुकें और सुप्त स्वस्तिकासन के समान पीठ के बल लेट जाएँ।
3. इस आसन में पीठ के बल लेटने पर पैर और कदम शरीर से दूर फिसलते हों तो (अ) दोनों हाथ जंघाओं के नीचे से जाकर टखनों को पकड़ें और उन्हें धड़ की तरफ खींचें। अगर हाथ टखनों तक न पहुँच सकते हों तो (ब) दीवार की तरफ मुखातिब होकर बैठें। पैरों की उँगलियाँ दीवार से लगाएँ और फिर पीठ के बल लेटें।

4. दोनों हाथ पहले पार्श्व किनारों की दिशा में लंबे करें। दोनों घुटने विपरीत दिशा में लंबे खींचें। कमर के जोड़ को खुला करें। जमीन की तरफवाले जंघाओं के बाहरी किनारे धड़ की तरफ न खींचें। चाहें तो जंघा और नितंब का हिस्सा कदमों की दिशा में ले जाएँ। इस स्थिति में कुछ देर रुकें।

5. अब साँस छोड़ते हुए दोनों हाथ सिर की दिशा में कड़े करें। कंधे की पाँख जमीन पर रखकर ऊर्ध्व हस्तासन के समान कड़े करें।

6. कमर के जोड़ को घुटने की दिशा में चौड़ा करें और अधोपाद कदमों की ओर से घुटने की तरफ लंबा करें, पर कदमों को जोड़कर ही रखें। (चित्र 2)

7. इस स्थिति में सामान्य श्वासोच्छ्वास करते हुए 5 मिनट तक रुकें।

8. साँस लेते हुए हाथ धड़ के बाजू की तरफ लाएँ और रुकें। अब साँस छोड़ते हुए हाथों पर दबाव देते हुए (कदम दीवार से लगे हों तो) धड़ को ऊपर उठाएँ या पैर सीधे करें और फिर उठकर दंडासन में बैठें।

सुप्त वीरासन

ऊपर के दोनों आसनों की तुलना में यह आसन मुश्किल है।

क्रिया

1. वीरासन में बैठें।

2. साँस छोड़ते हुए पीछे झुकें और कुहनियाँ एवं हथेलियाँ जमीन पर टिकाएँ। पीछे झुकते समय टखनों और कदमों के ऊपरी हिस्से पर आनेवाले दबाव को, वहाँ जो तनाव पैदा होता है, उसे सहना सबके लिए संभव न होने के कारण कदम बाहर की तरफ मुड़ जाते हैं और घुटने परस्पर अलग हो जाते हैं; पर वैसा न होने दें। खासकर कदम बाहर मुड़ने पर घुटनों के भीतरी अस्थि–बंधन पर तनाव आ जाता है। जंघाएँ व घुटने जुड़े हुए और टखनों तथा कदमों का मध्य एक सीध में रखें।

3. साँस छोड़ते हुए पहले माथा, उसके बाद पीठ का भाग पूर्णत: टिकाकर गरदन को सीधी करें और सिर का पिछला हिस्सा टिकाएँ। पैर, धड़, सिर सीध में रखें।

4. हाथों को बाजू से कड़ा करें। सीने को उन्नत रखें। उदरावकाश की हड्डी को न उठाते हुए उसे तानने के लिए कमर की तरफ के पार्श्व भाग को घुटनों की दिशा में लंबा करें।

5. साँस लेते हुए हाथ को सिर पर तानें। पिंडलियों की हड्डियाँ जमीन की तरफ दबाते हुए और सीने की तैरती पसलियों को बाजू में चौड़ा करते हुए सीने की ओर तानें। पार्श्व किनारे और बगलें लंबी तथा खुली करें। उदरावकाश को लंबा फैलाएँ। कंधे की पाँखें नीचे रखें। घुटनों से लेकर हाथों तक शरीर के तनाव में एकरूपता रखें।

(चित्र 3)

6. इस स्थिति में आरंभ में 1 मिनट और आगे चलकर 5 मिनट तक रुकें। कदमों, पैरों की कमानों, पिंडलियों की हड्डियों पर तनाव लेने पर रुकें की अवधि निर्भर होगी।

7. साँस लेते हुए हाथ नीचे पार्श्व किनारों की ओर लाएँ। हथेलियों और कुहनियों को दबाकर धड़ को उठाएँ। वीरासन में आएँ। शरीर को घुटनों पर उठाते हुए दंडासन में पैरों को मुक्त (खुले) करें।

सालंब पूर्वोत्तानासन (चित्र 5) दस्त की तकलीफ में नहीं किया जाए, क्योंकि इस आसन में पैर नीचे होने के कारण आँत की अधोदिशा में तनाव होने की संभावना होती है; पर आंत्रव्रण अथवा आंत्रदाह होने पर अर्थात् कोलाइटिस के रहते करने में इसे कोई नुकसान नहीं। साथ ही दोनों प्रकार के—'पेप्टिक' और 'डिओडिनल'—अल्सर में भी यह आसन असरदार साबित होता है।

सालंब पूर्वोत्तानासन

पूर्व तैयारी—दीवार से 1.5 फीट की दूरी पर मजबूत मेज रखें। मेज की ऊँचाई 2 से 2.5 फीट हो। यदि उससे कम हो तो उसपर तकिए अथवा मसनद रखें। उपाश्रय स्थिति में जिस प्रकार मसनद सीढ़ियों के समान रचे थे, उसी प्रकार इसमें भी रचें। सिर के नीचे कंबल की तह तैयार रखें।

पूर्व तैयारी

क्रिया

1. दीवार की ओर मुखातिब होकर मसनद के किनारे पार्श्व भाग से टेकें। हाथों से मेज के किनारे को पकड़ें। कदम दीवार पर रोपें। (चित्र 4)

2. साँस छोड़ते हुए पीठ के बल लेट जाएँ। सिर के नीचे कंबल रखें। पैर घुटनों से कड़े करें।

3. पार्श्व भाग और सीने के पिछले हिस्से के बीच के फासले में उदर के हिस्से को तानें। ऊर्ध्व उदर का क्षोभन इस आसन में रुक जाता है। पेट के तनने के कारण खुली जगह उपलब्ध होकर ठंडक अनुभव होती है।

4. श्वासोच्छ्वास साधारण रखें। आसन में शरीर उचित तरीके से रखने के बाद आँखें बंद करें और दिमाग शांत रखें। इस स्थिति में 5 से 8 मिनट तक रुकें। (चित्र 5)

5. आँखें खोलें। पैर घुटनों में मोड़ें। पार्श्व भाग को पैरों की तरफ नीचे लाकर उठें। पीठ की तरफ खिसक जाएँ और मेज पर बैठें।

दस्त की तकलीफ के चलते आगे झुकने की यानी पश्चिमोत्तानासन के आसन, साथ ही परिवृत्त क्रिया—यानी भरद्वाजासन, मरीच्यासन आदि आसन पूर्णत: निषिद्ध हैं। पर इसके विपरीत स्थिति के सालंब शीर्षासन और सालंब सर्वांगासन दोनों उत्तम आसन हैं। योग शिक्षक के बिना ये दोनों आसन सीखने में समय लगता है। सीखने के लिए पूर्व तैयारी भी करनी पड़ती है। मान लें कि एकाध व्यक्ति शीर्षासन कर सकता है, यानी वह सिर के बल खड़ा हो सकता है, फिर भी वह व्यक्ति वह आसन निश्चित रूप से कैसे करता है, इस बात का उपचार की दृष्टि से बहुत महत्त्व है। मान लें कि सिर और हाथ पर संतुलन करते हुए पेट को पीठ की तरफ खींचते हुए, पैर आगे लाते हुए एकाध व्यक्ति आसन करे तो उसकी आँत सिकुड़ने से उसे दस्त होगा अथवा पेट में मरोड़ होगी और पैरों को पीछे ले जाने पर आँतों का क्षोभन बढ़ेगा तथा उससे भी दस्त की तकलीफ होगी। यानी पेट की सिकुड़न और अति तनाव दोनों की कीमत आँतों को ही चुकानी पड़ेगी। अत: संतुलन सँभालते समय पेट का हिस्सा सीधा रखना आवश्यक है। सर्वांगासन के संदर्भ में इस बात को ध्यान में रखना आवश्यक है। संभवत: सभी लोग संतुलन के लिए पैरों को आगे लाते हैं और पार्श्व भाग को पीछे। इससे आँत फिर दब जाती है। अत: कंधे से लेकर पैरों तक शरीर को सीधा रखना अत्यंत महत्त्वपूर्ण है।

इन दोनों आसनों से शरीर का सही अर्थों में पुष्टीकरण होता है। लेकिन ये आसन ठीक तरीके से किए जाएँ, तभी यह बात संभव है। संतुलन सँभालने के लिए प्रयास करना पड़े। यही नहीं, शरीर के भारीपन का भी इस आसन में अहसास नहीं होना चाहिए। शरीर को उठाने की क्रिया को शब्दबद्ध नहीं किया जा सकता। खासकर दस्त के चलते, आँव के दस्त या अल्सर के कारण पेट में आग होते हुए घावों का शमन और शांत करके उन्हें भरने के लिए, दुर्बलता और रक्त के अभाव के कारण (एनीमिया) को रोकने के लिए ये आसन महत्त्वपूर्ण, बलवर्धक एवं शक्तिवर्धक हैं।

ऐसे समय इन दोनों आसनों के बदले उतने ही उपयुक्त और सहज साध्य आसन ढूँढ़ने पड़ते हैं। उसके लिए सालंब विपरीत दंडासन और सालंब सेतुबंध सर्वांगासन निश्चित रूप से उपयुक्त हैं। इसमें शरीर पीठ की तरफ जरा सा झुक भी जाए तो उसे पूर्णत: सहारा मिल जाता है। शरीर को ठीक से फैलाकर उचित स्थिति में प्रस्तुत किया जा सकता है। शीर्षासन एवं सर्वांगासन की कमी की पूर्ति करनेवाले दोनों आसन दो प्रकार से किए जा सकते हैं। कुल मिलाकर ये आसन कम परिश्रम और अधिक लाभ देनेवाले हैं।

□

43

शांति की ओर प्रयाण

'द्विपाद विपरीत दंडासन' शीर्षासन की श्रेणी में बल्कि सेतुबंध सर्वांगासन की श्रेणी में आनेवाला आसन है। इन दोनों में पेट लंबा ताना जाता है, पर उसका क्षोभन नहीं होता। रीढ़ की अंतर्वक्र स्थिति ही एक प्रकार से उदर के हिस्से को सहारा देने के लिए पीठ के भार पर तानें। हड्डी पर उदर का भाग भी तन जाता है, जैसे पलंग पर गद्दा फैला हो। पर यह आसन बिना सहारे के करना और फिर उचित तरीके से करना सबके लिए संभव नहीं है। इसे सीखने में कुछ समय लगता है। खासकर पेट में विकार रहते समय थके हुए शरीर से और परिश्रम नहीं कराया जा सकता। आसन सीखते समय एकदम अंतिम स्थिति पर छलाँग नहीं लगाई जा सकती। आसन सहारा लेकर ही धीरे-धीरे सीखना उचित है।

शीर्षासन और सर्वांगासन सीखते समय पहले सर्वांगासन और बाद में शीर्षासन सीखना होता है; लेकिन उनका अभ्यास करते समय प्रथम शीर्षासन और बाद में सर्वांगासन करना होता है। यहाँ भी वही नियम लागू है। प्रथम सेतुबंध सर्वांगासन सीखकर बाद में द्विपाद विपरीत दंडासन सीखना है; पर अभ्यास करते समय पहले द्विपाद विपरीत दंडासन और बाद में सेतुबंध सर्वांगासन इस प्रकार क्रम रखना पड़ता है। सेतुबंध सर्वांगासन में पीठ को (रीढ़ की हड्डी को) जमीन से विपरीत दंडासन जितना नहीं उठाया जाता। अर्थात् रीढ़ की अंतर्वक्रता विपरीत दंडासन से कम होती है। शरीर जब इस कम अंतर्वक्रता के अनुकूल हो जाए, उसके बाद अंतर्वक्रता बढ़ाई जाए तो उसे सहना शरीर के लिए भी आसान होता है, अन्यथा रीढ़ की हड्डी चिढ़ जाती है। रीढ़ की अंतर्वक्रता साधना भी चरण-दर-चरण सीखना होता है। इसलिए पहले सेतुबंध सर्वांगासन और बाद में द्विपाद विपरीत दंडासन सीखेंगे।

सेतुबंध सर्वांगासन-1

यह सेतुबंध सर्वांगासन का एक भेद है। इस प्रकार में उदरावकाश की रीढ़ से पैरों तक शरीर जमीन से समानांतर रहता है।

पूर्व तैयारी—पहले चार मसनदों की रचना इस प्रकार करें कि उनकी लंबी बैठक तैयार हो जाए। एक पर एक मसनद इस प्रकार रखें कि नीचेवाली मसनद बैठक-सी और ऊपरवाली मसनद उन बैठक की पीठ-सी लगें। नीचेवाली मसनद आड़ी और ऊपरवाली खड़ी रखें—अर्थात् मसनदों की यह रचना बेंच की बैठक जैसी दिखेगी। उसके आगे कंबल की तह फैला दें। (चित्र अ)

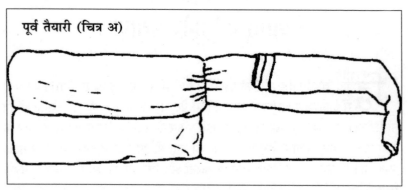

पूर्व तैयारी (चित्र अ)

क्रिया

1. अब अगले मसनद की जोड़ी के मध्य में दोनों तरफ पैर रखकर बैठें, जैसे घोड़े पर बैठा जाता है।

2. साँस छोड़ते समय पीठ के बल लेट जाएँ और कंधे की दिशा में खिसकें। दोनों हथेलियाँ कंधे की बाजुओं की तरफ इस तरह टिकाएँ कि उससे नीचे गिर जाने का डर तो लगेगा ही नहीं बल्कि शरीर भी नहीं ढलेगा।

3. नीचे जमीन की तरफ खिसकते हुए माथा टिकाएँ और तत्पश्चात् सिर का पिछला हिस्सा वहाँ टिकाते हुए कंधे नीचे जमीन की तरफ लाएँ। पर शरीर को पीठ की ओर से नीचे फिसलता न रखें।

4. दोनों पैर पिछले मसनद पर सीधे करें।

5. दोनों हाथों को कंधों से लेकर हथेलियों तक लंबा करें। कंधों को पीछे धकेलें। कंधों की पाँखों को अंदर की तरफ लें। सीने के हिस्से को उठाएँ और चौड़ा करें।

6. कमर का हिस्सा एड़ी तक लंबा करें, जिससे पेट का हिस्सा तन जाएगा।

7. इस स्थिति में आरंभ में 3 से 5 मिनट रुकें। आगे चलकर यह अवधि 10 मिनट तक बढ़ाएँ। श्वासोच्छ्वास सामान्य रखें। (चित्र 1)

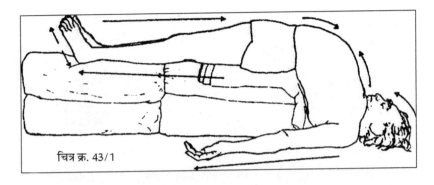

चित्र क्र. 43/1

8. साँस मोड़ें। पैर घुटनों में मोड़ें। कंधों की ओर खिसकते समय हाथों से मसनदों को पीछे धकेलते हुए जमीन की ओर उतरें। इस स्थिति में कदम ऊपर और पैर जमीन से समानांतर रहने के कारण पेट पर कम तनाव पड़ता है। पड़नेवाले तनाव को सहने की शक्ति आती है, पेट और आँतों को ठंडक महसूस होती है। सिकुड़े हुए पेट के फैलने के कारण पेट दर्द भी कम होता है।

सेतुबंध सर्वांगासन-2

पूर्व तैयारी—इस अध्याय में दो मसनदों को परस्पर छेद देने जैसा रखें। निचला मसनद आड़ा और ऊपर का उसपर खड़ा रखें। ऊपर के मसनद की अंतर्वक्र रचना का अंतर्वक्र रीढ़ को पूर्णतः सहारा मिलता है। सिर की तरफ कंबल की एक तह फैला दें। (चित्र ब)

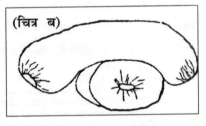

(चित्र ब)

क्रिया

1. अब खड़े मसनद के एक तरफ मसनदों के क्रॉस की तरफ पीठ करके बैठें। पार्श्व भाग मसनद के ढलान वाले किनारों पर टिकाएँ।
2. साँस छोड़ें और धड़ पीठ की ओर जरा सा लुढ़काएँ या लेट जाएँ। सिर जमीन से टकराने दें।
3. कंधे और सिर का पिछला हिस्सा कंबल पर रखें।
4. दोनों पैर एड़ियों की तरफ सीधे करें। हाथ दोनों तरफ शवासन जैसे रखें। (चित्र 2) इस स्थिति में पैर व सिर सहित कंधे एक सीध में होंगे और रीढ़ की अंतर्वक्रता प्रकार 1 से अधिक होगा। उससे पेट का हिस्सा अधिक खिंचकर फैल जाएगा।

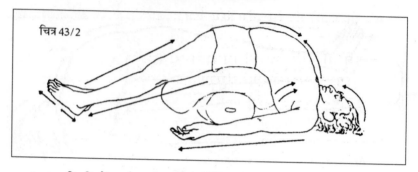

चित्र 43/2

5. इस स्थिति में पहले 3 से 5 मिनट और आगे चलकर 10 मिनट तक अवधि को बढ़ाएँ।

6. दस्त के कारण पेट यदि बहुत ही ऐंठ गया हो तो कदमों में फासला रखें। एड़ियाँ पैर से लंबी करें। जैसे-जैसे पेट की ऐंठन कम होती जाएगी वैसे-वैसे पैरों को पास लाएँ। आसन से नीचे आने के लिए साँस छोड़ें, पैरों को घुटने में मोड़ें और कमर को उठाकर पीठ की ओर से सिर की तरफ खिसकें।

सेतुबंध सर्वांगासन-3

उपर्युक्त दोनों प्रकारों में हमने मसनदों अर्थात् मुलायम वस्तु का इस्तेमाल किया। इससे जिन्हें अभ्यास नहीं है, ऐसे लोगों की पीठ की मांसपेशियाँ नहीं दुखतीं। इसके विपरीत एक बार पीठ की रीढ़ की हड्डी को मोड़ने का अभ्यास होने पर मुलायम वस्तु इस्तेमाल करने पर दर्द होता है, तब पीठ के लिए कड़ी वस्तु आवश्यक होती है। इसके

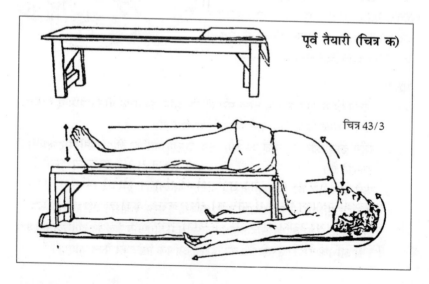

पूर्व तैयारी (चित्र क)

चित्र 43/3

लिए यहाँ लकड़ी की बेंच का प्रयोग किया गया है। कम ऊँचाई का दीवान भी इसमें उपयुक्त रहता है।

पूर्व तैयारी—बेंच अथवा दीवान का किनारा पीठ में न चुभे, इसलिए किनारे से सटकर कंबल की तह रखें। नीचे कंधे की तरफ कंबल, तकिया अथवा मसनद रखें। बेंच अथवा दीवान की ऊँचाई जमीन से 8 से 10 इंच होना आवश्यक है। (चित्र क) ऐसे समय बेंच अथवा दीवान की ऊँचाई कम या अधिक नहीं की जा सकती। अतः कंबल, तकिया अथवा मसनद रखकर जमीन से यथावश्यक ऊँचाई बढ़ाएँ। तात्पर्य यह है कि बेंच का किनारा और कंधे जहाँ पर टिकाए जाएँगे, उस सतह की व्यवस्था करना प्रत्यक्षतः करनेवाले पर निर्भर होता है। शेष पूरी क्रिया प्रकार 9 में बताए गए अनुसार ही करें। (चित्र ड)

द्विपाद विपरीत दंडासन

यह द्विपाद विपरीत दंडासन का प्रकार है। इसमें भी मसनद, बेंच अथवा कुरसी का इस्तेमाल किया जा सकता है। यहाँ पहले बेंच का इस्तेमाल करेंगे। इससे पैर जमीन की तरफ न जाकर समानांतर रहेंगे। साथ ही, पैरों को पूरा सहारा मिलने के कारण कमर पर तनाव नहीं आता और पेट का हिस्सा आवश्यकतानुसार ताना जा सकता है।

पूर्व तैयारी—दीवान अथवा बेंच का किनारा न चुभे, इसलिए कंबल की मोटी तह लटकती रखें। सिर की तरफ उपर्युक्त तरीके से कंबल या मसनद को आवश्यकतानुसार रखें। (चित्र 3)

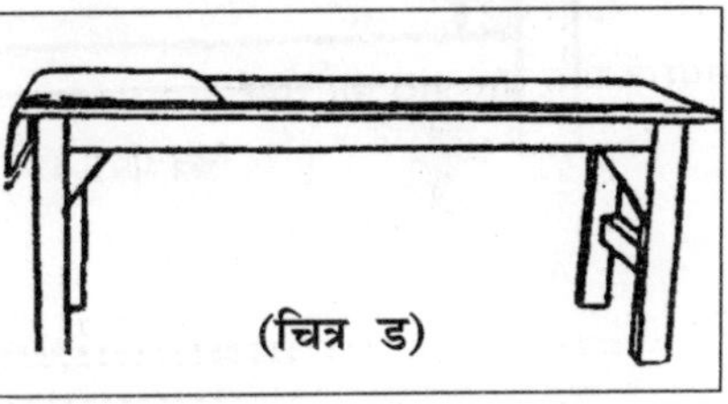

(चित्र ड)

क्रिया

1. अब बेंच अथवा दीवान पर इस तरह लेटें कि गरदन का हिस्सा किनारे से मुड़ेगा।
2. दोनों पैर घुटनों में मोड़ें। साँस छोड़ते हुए धीरे-धीरे सिर की तरफ, अर्थात् जमीन की तरफ खिसकें।
3. आरंभ में पीठ की मध्य-रीढ़ को मोड़ें, यानी सीना चौड़ा बनाएँ। (चित्र 4) सीना सिकोड़कर रीढ़ की हड्डी झुकाने से रीढ़ के स्नायु दुखते हैं, जिससे आगे चलकर उन्हें चोट लगने की भी संभावना होती है। पीठ की तरफ झुकने की पूर्वप्रतन क्रिया में सीने को चौड़ा करना, कंधों की पाँखों को अंदर लेना, उरोस्थि को उठाना आदि अति महत्त्वपूर्ण मुद्दों को भूल जाना या नजरअंदाज करना अनुचित होगा।

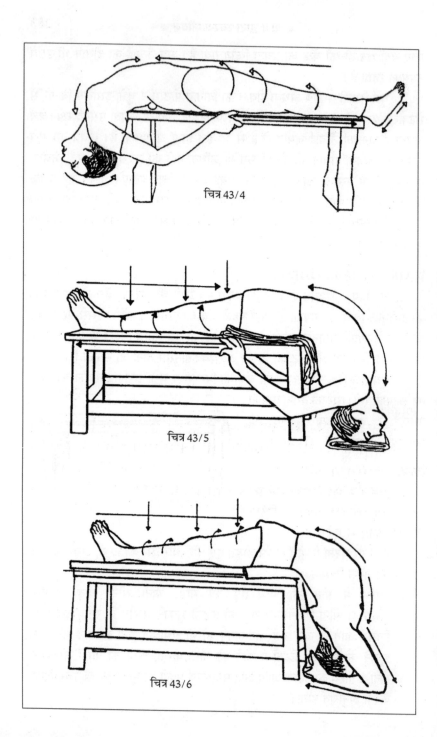

चित्र 43/4

चित्र 43/5

चित्र 43/6

4. इसके बाद सिर का मध्य अर्थात् ऊर्ध्व शीर्ष को जमीन पर टिकाएँ। (चित्र 5)

5. आरंभ में हाथों से बेंच अथवा बेड के किनारे को पकड़ें। हाथ ऊपर हों तो रीढ़ के स्नायुओं पर एकदम खिंचाव नहीं आता।

6. झुकने का अभ्यास हो जाने पर हाथों को जमीन पर छोड़कर अथवा हाथों की उँगलियाँ गूँथकर सिर के पीछे (पश्चिम शीर्ष) रखें। (चित्र 6) दोनों पैर पीठ की तरफ से सीधे लंबे करें।

7. यदि कमर पर तनाव पड़ता हो तो कदमों को उठाकर एड़ी के नीचे मसनद रखें, जिससे पेट ताना जाता है। पर कमर पर तनाव नहीं आता। नीचे सिर की दिशा में चरण-दर-चरण जाते हुए साँस छोड़ते हुए खिसकें।

8. इसमें भी अवधि की सीमा सेतुबंध सर्वांगासन के समान रखें। आसन से बाहर आते समय साँस छोड़ते हुए पैरों को घुटनों से मोड़कर सिर की दिशा में जमीन की ओर खिसकें।

'पेप्टिक अल्सर' में यह आसन करते समय चित्र 4 के समान, जबकि 'ड्युओडिनल अल्सर' में चित्र 5 और 6 के समान झुकें। साथ ही सेतुबंध सर्वांगासन के प्रकार पेप्टिक अल्सर पर, जबकि प्रकार 2 'ड्युओडिनल अल्सर' पर प्रभावकारी होता है। आगे चलकर यह प्रकार 3 के समान तानना आवश्यक होता है। भीतर से घावों को भरने में यह उपयुक्त साबित होता है।

ये आसन आँव के चलते और पेट में गैस बढ़ने पर भी उपयुक्त हैं। वैसे तो अम्लता बढ़ने पर तथा मधुमेह, अस्थमा एवं खाँसी के रोगियों के लिए यह बहुत उपयुक्त है और दुर्बलता, मानसिक तनाव, मन की हताशा, उदासीनता (अवसाद) पर उपायकारी है। सीने का विस्तार, उससे साँस पर होनेवाला प्रभाव, निरुत्साह, नकारात्मक स्थिति से विपरीत दंडासन में उत्साही और प्रोत्साहित होकर सेतुबंध सर्वांगासन में शांत होने तक पहुँचते हैं। यही इन आसनों की विशेषताएँ हैं।

□

44

पश्चिमप्रतन आसन

अब हम पश्चिमप्रतन के और आसनों के बारे में जानेंगे। दस्त के चलते अथवा पेट दर्द के रहते इन दोनों बातों को काबू में रखना आवश्यक होता है। फिर भी उनके पीछे बदहजमी का जो मुख्य कारण है, उसपर ध्यान केंद्रित करना आवश्यक होता है। जठर में अम्ल का प्रवाह घटने पर उसका असर पाचन पर होता है। जठर की पाचन-क्रिया अधूरी रहने पर आधा-अधपचा अन्न वैसे ही छोटी आँत में खिसकता है और आगे आँत भी बिगड़ (खराब हो) जाती है। इसलिए आवश्यक है कि जठर में ही पाचन-क्रिया का कुछ अंश पूरा हो। तात्पर्य यह कि आँतों पर होनेवाले दुष्परिणामों को जठर में टालना आवश्यक होता है। इसके विपरीत शारीरिक परिश्रम बढ़ने पर, अविरत काम करते रहने पर अथवा चिंता, फिक्र या मानसिक दबाव बढ़ने पर जठर में अम्ल बहुत तीव्रता से रिसने लगता है और उसका असर जठर को ही भुगतना पड़ता है। जठर का दाह बढ़ जाता है। अत: अम्ल का यह प्रवाह नियंत्रित करना आवश्यक होता है। चिंता, शोक, उद्वेग, फिक्र आदि कारणों से दिमाग की ओर से जठर को अम्ल को प्रवाहित करने का आदेश प्राप्त होता है। मस्तिष्क शांत होने पर अम्ल का प्रवाह कम होता है। दिमाग को शांत रखना और पाचन जैसे महत्त्वपूर्ण कार्य के लिए अम्ल को प्रवाहित होने देना, इस दोहरे परिणाम के असर के लिए पश्चिमप्रतन के आसन महत्त्वपूर्ण हैं। अम्ल का प्रवाह उचित समय पर होने देना और उसपर नियंत्रण लाना—ये दोनों बातें साधने के लिए पश्चिमप्रतन और पूर्वप्रतन दोनों क्रियाएँ आवश्यक होती हैं।

पिछले अध्याय में बताए गए पूर्वप्रतन के आसन में मध्योदर और अधोदर तनकर वहाँ का रक्त-संचार बढ़ा देता है। संबंधित चेता-तंतु तन जाते हैं और 'एसिडिटी' कम होती है। 'गैस्ट्रिक' कोशिकाएँ शांत होती हैं। इसके विपरीत, पश्चिमप्रतन में मस्तिष्क

शांत होता है, ज्ञानेंद्रियाँ शांत होती हैं। इससे मुँह के भीतरी लार का उत्पादन भी नियंत्रित होता है; परंतु उसी के साथ आगे झुकने की इस क्रिया में पेट के ऊर्ध्व उदर से अधोदर तक सभी इंद्रियों को झुकाया जाता है, जिससे उनका मर्दन होता है। उन्हें दबाव के सहारे नियंत्रित किया जाता है। इससे पाचन-क्रिया में सुधार आता है। यही पश्चिमप्रतन का अमूल्य योगदान है। सिर शांत और प्रवाह अधिक अथवा नियंत्रित, पाचन तो हो पर अम्लता न बढ़ने पाए, भूख तो लगे पर भूख मिटाने के लिए भरपूर भोजन करने की जरूरत महसूस होने देना—यानी कि थोड़ा सा ही भोजन करना और जो खाया जाए, उसका शरीर पूरी तरह उपयोग कर सके। पाचन, शोषण एवं पोषण तीनों को होने देना। इस प्रकार जादू-सा करनेवाले इन पश्चिमप्रतन आसनों में से कुछ चुनिंदा एवं सरल आसन प्रकार प्रस्तुत हैं—

अधेड़ व्यक्ति को कई बार पश्चिमोत्तानासन आदि आसनों में सहसा पूर्णतः आगे झुकना संभव नहीं होता। पेट दब जाने पर श्वासोच्छ्वास भी नहीं कर पाते और फिर थायराइड, सिर दर्द, आँखों के विकार, रक्तचाप जैसी बीमारियाँ हों तो पेट पर दबाव आना ही गलत होता है। आगे झुकते समय रीढ़ को लंबाई में ताना ही नहीं जाता। रीढ़ की हड्डी की छीजन हो तो आगे झुकना अनुचित होता है। गरदन का 'स्पॉण्डिलाइटिस' हो तो उसपर भी तनाव पड़ता है। ऐसे समय सुवर्ण मध्य साधना होता है। इस पुस्तक के सभी प्रकरणों में मुख्यतः इसी का विचार किया गया है। मनुष्य को एक ही बीमारी नहीं होती और अगर हो भी तो उस बीमारी से पार पाने के लिए शरीर व मन से आसन करने में पूरा साथ मिलेगा ही, ऐसा भी नहीं है; बल्कि बीमारियों के कारण साथ न देने की प्रवृत्ति ही अधिक होती है। अतः ऐसा साथ न मिलने पर क्या किया जाए? पेट बीच में आड़ा आने पर पीठ की मांसपेशियाँ सीधे सामने तानने के बदले रीढ़ में कूबड़ निकलना कहाँ तक उचित है? इन सभी बातों पर विचार करना आवश्यक होता है। इसी कारण आगे साधार आसन दिए गए हैं। पहले उन्हें साधार, तत्पश्चात् रीढ़ की हड्डी और स्नायुओं द्वारा साथ मिलने पर बिना आधार के किया जा सकता है; परंतु उपर्युक्त कठिनाइयाँ प्रायः सभी लोग महसूस करते हैं, इसलिए सरल और योग्य मार्ग दिखाया गया है।

पश्चिमप्रतन के अधोमुख स्वस्तिकासन, अधोमुख वीरासन, जानुशीर्षासन और पश्चिमोत्तानासन आदि यहाँ आसान विधि द्वारा जानेंगे।

अधोमुख स्वस्तिकासन

क्रिया

1. कंबल की ऊँची तह पर सामान्य व ढीली पालथी मारकर बैठें। पहले दायाँ पैर मोड़ें और बाई जाँघ के नीचे लाएँ तथा बायाँ कदम दाईं जाँघ के नीचे लाएँ।

2. सामने स्टूल, बेंच अथवा कुरसी रखें। उसपर कंबल रखें। (चित्र अ)

3. धड़ का पिछला एवं बाजू का हिस्सा लंबाई में तानें और शरीर को आगे झुकाएँ। हाथों को कुहनियों में मोड़कर बेंच पर रखें। माथा कंबल पर रखें।

4. रीढ़ की हड्डी के स्नायुओं को लंबाई में सिर की तरफ तानें। साथ ही उन्हें शरीर के अंदर की तरफ भी लें। पीठ में कूबड़ न निकलने पाए। पीठ के स्नायुओं की ओर से प्रतिरोध अथवा विरोध न होने पाए। शरीर को सिर्फ आगे ही नहीं झुकाना है, बल्कि जाँघ की हड्डी खाँचे के पीछे और धड़ का खिंचाव आगे, गरदन का भाग अंदर, सीने की पिछली पसलियाँ और वहाँ के स्नायु शरीर के अंदर की तरफ, सीना जमीन की तरफ और सीने का निचले श्वास-पटल के हिलने-डुलने का क्षेत्र आगे—इस प्रकार यह तनाव है। (चित्र 1)

5. साँस की अपेक्षा उच्छ्वास को दीर्घ करें। सिर शांत हो जाने पर तथा पीठ का स्नायु-विरोध दूर होने पर आँखें बंद करें। और अधिक आगे झुकना संभव होने पर सिर कंबल की तह पर रखें तथा दोनों हाथ चित्र के अनुसार फैलाएँ। (चित्र 2)

6. इस स्थिति में आरंभ में 1 मिनट रुकें और आगे चलकर इस अवधि को 2 या 3 मिनट तक बढ़ाएँ।

7. साँस छोड़ें। सिर ऊपर उठाएँ। पैर आगे की तरफ फैलाएँ।

8. अब पालथी बदलें। बाएँ पैर को मोड़ें और कदम दाईं जाँघ के नीचे तथा दायाँ कदम बाईं जाँघ के नीचे लाएँ और पूर्वानुसार आगे झुकें।

अधोमुख वीरासन

क्रिया

1. दंडासन से दोनों पैर घुटनों में मोड़कर बैठें। पार्श्व भाग (नितंब) उठ रहा हो तो उसके नीचे कंबल की तह रखें।

2. कदमों को उँगलियों की दिशा में जरा सा घुमाएँ। घुटनों में लगभग 6 से 8 इंच का अंतर बढ़ाएँ।

3. सामने बेंच या स्टूल रखें। उसपर कंबल की तह रखें। (चित्र अ)

4. साँस छोड़कर आगे झुकें। माथा तह पर टिकाएँ।

5. दोनों हाथ कुहनियों में मोड़कर उन्हें चौड़ा फैलाएँ। ऊर्ध्व हस्त भी बेंच पर रखें। माथे व हाथ के लिए उपलब्ध सहारा और पार्श्व भाग के बीच में धड़ के हिस्से को ऊपर बताए अनुसार तानें और शरीर व रीढ़ की हड्डी को सीने सहित जमीन की तरफ जाने दें।

6. उपर्युक्त कथनानुसार साँस, पीठ, सीना एवं सिर को शांत करें। 2-3 मिनट इसी

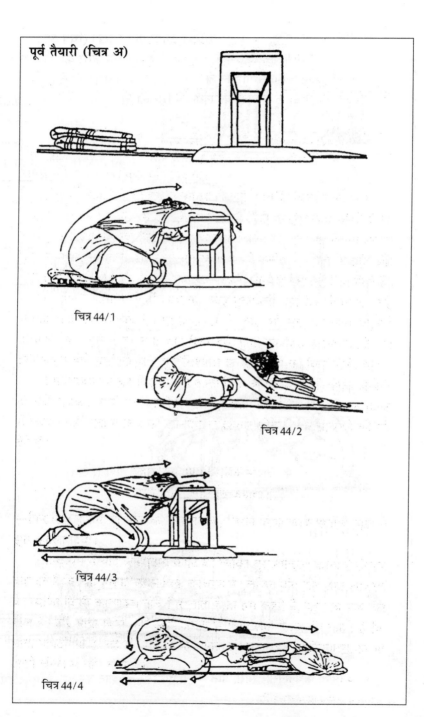

पूर्व तैयारी (चित्र अ)

चित्र 44/1

चित्र 44/2

चित्र 44/3

चित्र 44/4

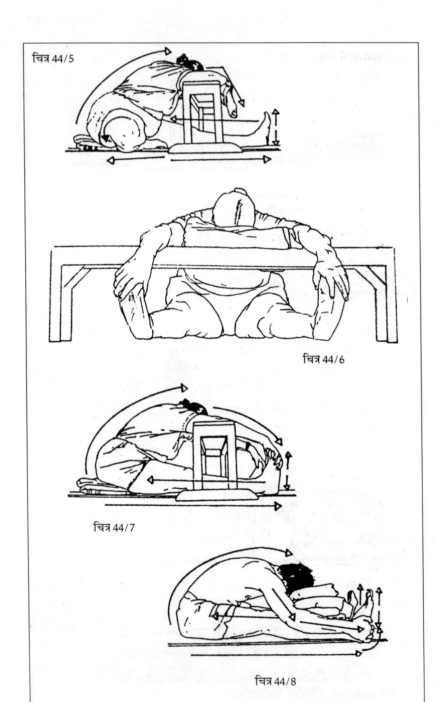

चित्र 44/5

चित्र 44/6

चित्र 44/7

चित्र 44/8

स्थिति में रुकें। (चित्र 3)

7. साँस छोड़ें, सिर को ऊपर उठाएँ और मोड़े हुए पैर सीधे करें।

कालांतर में आगे अधिक झुक सकने पर रीढ़ और कंधे की पाँख को अंतर्वक्र करते हुए सिर कंबल की तहों का गट्ठर बनाकर उसपर रखें। (चित्र 4)

जानुशीर्षासन

क्रिया

1. उपर्युक्त उल्लेख के अनुसार कंबल की तह पर दोनों पैर आगे फैलाकर दंडासन में बैठें।

2. दायाँ पैर घुटने से मोड़ें। उसकी एड़ी दाएँ कमर के जोड़ के पास लाएँ।

3. साँस छोड़ें और आगे झुकें। माथा बेंच पर फैलाए हुए कंबल पर रखें। कुहनी मोड़ें और बाजू की तरफ फैलाएँ।

4. सिर, आँखें व साँस शांत होने के लिए धड़ का हिस्सा आगे लंबाई में खुला करें और सीने को जमीन की तरफ झुकाएँ। (चित्र 5) आरंभ में यथासंभव 1 मिनट रुकें और आगे इस अवधि को बढ़ाएँ।

5. साँस छोड़ते हुए सिर उठाएँ। दायाँ पैर सीधा कड़ा करें।

6. बाएँ पैर को मोड़ें, कमर के जोड़ के पास लाएँ और जमीन पर रखें। आगे झुकें। दोनों तरफ झुकने की अवधि सम रहने दें। शरीर को झुका सकने पर बेंच की जगह कंबल का गट्ठर या मसनद रखकर उसपर सिर टिकाएँ।

इस आसन में घुटना मोड़ने के बाद अंड-संधि कड़ी रखने से घुटना जमीन की ओर नहीं जाता। ऐसी स्थिति में मोड़ी हुई जाँघ के पास कंबल की पतली तह रखें। घुटना ऊपर उठाएँ। अधर में लटकाए रखने पर पेट खिंच (सिकुड़) जाता है और यथोचित परिणाम साध्य नहीं हो सकता।

पश्चिमोत्तानासन

क्रिया

1. कंबल की तह पर बैठें। दोनों पैर आगे फैलाएँ। पैरों में 1 फीट की दूरी रखें। (चित्र 6)

2. बेंच पर कंबल रखें। साँस छोड़ते हुए आगे झुकें। हाथ मोड़कर बेंच पर रखें और आगे फैलाकर कदम पकड़ें। (चित्र 7) सिर बेंच पर रखें।

3. सिर, आँखें व साँस को शांत रखें। आरंभ में 1 मिनट रुककर धीरे-धीरे इस अवधि को 5 मिनट तक बढ़ाइए।

4. साँस छोड़ें, सिर को ऊपर उठाएँ। पश्चिमप्रतन क्रिया ठीक कर सकने पर और अधिक आगे झुकने में हर्ज नहीं। (चित्र 8)

इन सभी पश्चिमप्रतन आसनों में आरंभ में माथे का हिस्सा 8-9 इंच ऊँचाई के बेंच पर रखने के लिए कहा गया है। माथे के नीचे का भौंहों के पास का हिस्सा उसपर रखने से दिमाग शांत होता है। माथे का ऊपर का हिस्सा उसपर रखने से वह भारी होता है। भौंहों के पास का हिस्सा जरा सा दबाकर रखें। यहाँ दबाने से तात्पर्य भिन्न है। क्षण भर के लिए सोचें। मंदिर में देवता के चरणों पर माथा टेकते समय हृदय से जो शरणागति का भाव रहता है, वैसा भाव यहाँ होना चाहिए। इससे दिमाग तत्काल शांत होता है। माथे का हिस्सा नीचे टेकने पर गरदन का हिस्सा अंदर की तरफ जाता है। उसे और अधिक अंतर्वक्र करें। गरदन का हिस्सा छत की दिशा में उठाया जाने पर साँस भारी होती है और दिमाग अशांत होता है। साथ ही जिह्वा गले में ठूँसने जैसी हालत हो तो गरदन और दिमाग दोनों अशांत होते हैं। इसलिए जिह्वा को गले की तरफ न खींचकर दाँतों की दिशा में नीचे के तालू पर धीरे से ढीली छोड़ें। जिह्वा भारी और सख्त हो तो साँस भारी होती है।

हाथ की रचना ऐसी रखें कि उससे ऊर्ध्वदंड का हिस्सा कान से बाहर दरी तक फैल जाएगा। यदि वह कान की तरफ दबाया जाए तो सिर गरम हो जाएगा। बाजू की तरफ फैलने से सिर ठंडा और श्वास-पटल चौड़ा होता है। गरदन छत की तरफ जाने से श्वास-पटल सिकुड़ जाएगा, जिससे पेट सख्त हो जाता है।

भौंह टेककर गरदन अंदर लेते हुए श्वास-पटल को चौड़ा करने पर तनाव नहीं रहता। पीठ का हिस्सा आगे की तरफ लंबा करते समय सिर को शांत रखने के लिए उदर का भाग श्वास-पटल पर पटकने न दें, बल्कि श्वास-पटल को सीने की तरफ और उदर को स्व-स्थान पर श्वास-पटल से लंबा करें। सिर को सहारा न देते हुए उसे सिर्फ घुटनों पर टिकाने से गरदन कड़ी होती है, पीठ में कूबड़ आता है, सीना अंदर की तरफ जाता है, श्वास-पटल सिकुड़ जाता है, साँस भारी और उदरावकाश सख्त हो जाते हैं। इस प्रकार की स्थिति प्राप्त होने से लाभ की अपेक्षा हानि ही अधिक होती है और रोगों को निमंत्रण मिलता है। इसके लिए यह विशेष सूचना है।

रुकने की अवधि 1 मिनट से लेकर आगे धीरे-धीरे बढ़ाएँ। अधोमुख स्वस्तिकासन से पश्चिमोत्तानासन के सभी आसन इसी क्रम से करके फिर से उलटे क्रम में अधोमुख स्वस्तिकासन तक के विन्यास-क्रम में करते जाने पर उपयुक्त साबित होते हैं। महिलाओं में सभी आसन करते समय मासिक धर्म के चलते सिर बेंच पर और अन्य समय कंबल की तहों पर नीचे रखें, जिससे पेट पर तनाव नहीं पड़ेगा।

❑

45

परिवृत्त क्रिया

सामान्यत: उदर विकार अथवा पेट दर्द का उपचार करते समय मोटे तौर पर सिर्फ पेट दर्द के लिए कोई आसन नहीं बताया जा सकता; क्योंकि पेट दर्द सामान्य कारणों से लेकर गंभीर कारणों तक कोई भी हो सकता है, इस बात को हम सामान्यत: जानते हैं। अपेंडिसाइटिस, अधोदर का क्षोभन, आँतों के पाचन व निस्सरण की दोनों कार्यों में आनेवाली बाधाएँ, कम रक्त-आपूर्ति, चयापचय क्रिया में होनेवाली त्रुटियों के कारण पैदा होनेवाली मधुमेह जैसी बीमारियाँ, दस्त व कब्ज जैसे विपरीत लक्षणों की शृंखला तैयार होने के कारण पैदा होनेवाला पेट दर्द, उससे पेट का फूलना अथवा उदर के अनेक अंगों के कार्य में बाधाएँ, अकार्य-क्षमता या सदोषता जैसे कई कारण हो सकते हैं। इसलिए आनेवाले उपाश्रय, सुप्त, विपरीत, पूर्वप्रतन, पश्चिमप्रतन आसन देखने के बाद अब परिवृत्त स्थिति के आसन देखेंगे।

परिवृत्त स्थिति के आसन अर्थात् उदर-मंथन की क्रिया अर्थात् जठर-परित्रर्तन की क्रिया है। इसमें रीढ़ की हड्डी को ऊँचा उठाकर उसे मोड़ना होगा। उसके साथ पेट के हिस्सों को भी मोड़ना होगा। उसे वैसा मोड़ते समय सीना इस प्रकार उठाना है कि उससे उदरावयवों को अंदर से जगह मिले। शरीर के पार्श्व किनारे मानो बाजू की तरफ से तट हैं और अधोदर के निचले भाग से श्वास-पटल तक घेराबंदी के रहते उदरावयवों को संबंधित स्थानों पर व्यवस्था रखकर उदरावकाश को मोड़ना है। दाईं तरफ से बाईं तरफ मोड़ते समय दाईं तरफ के अवयवों पर दबाव पड़कर उनका आकुंचन होता है; जबकि बाईं तरफ उन्हें खुली जगह मिलती है। बाईं तरफ से दाईं तरफ मोड़ते समय बाईं तरफ के अवयव दबाए जाकर उनका आकुंचन होता है और दाईं तरफ के अवयवों को खुली जगह मिलती है। 'नौली' क्रिया में पेट इस तरीके से दाईं ओर से बाईं ओर और बाईं

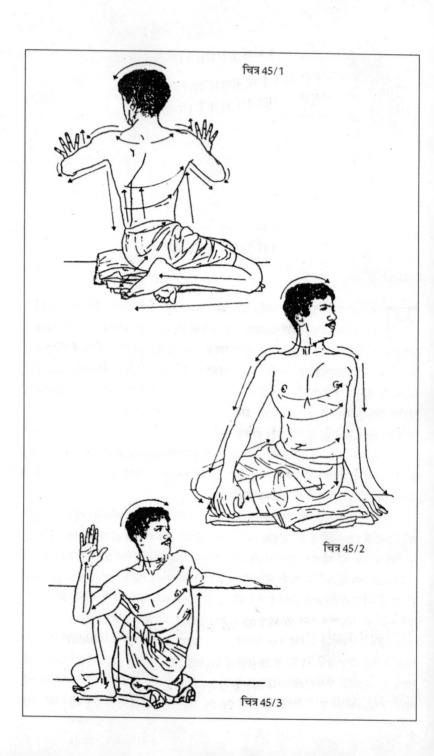

चित्र 45/1

चित्र 45/2

चित्र 45/3

ओर से दाईं ओर मोड़ा जाता है या घुमाया जाता है; परंतु इस क्रिया में अवयवों तक पहुँचने के लिए स्नायुओं पर बल देना पड़ता है। तनाव अथवा बल देने के लिए शक्ति इस्तेमाल करने की जरूरत होती है और दिमाग पर तनाव आ जाता है। साथ ही रीढ़ की हड्डी की प्राकृतिक बहिर्वक्र स्थिति भी बदलनी पड़ती है। इसके विपरीत, परिवृत्त आसन में उदर की 'नौली क्रिया' अदल-बदलकर चलते रीढ़ की हड्डी अपनी प्राकृतिक वक्रता नहीं बदलती और दिमाग पर तनाव भी नहीं आता। साथ ही आरंभ में जो आसन-क्रम बताया गया है, उसके कारण अवयवों की भीतरी रचना अस्त-व्यस्त नहीं होती।

दस्त के चलते अथवा अल्सर का दौर आने पर जलन आदि अधिक हो रही हो तो परिवृत्त के आसन नहीं किए जा सकते; परंतु वैसी स्थिति न होने पर भी इस प्रकार के संभावित दोषों को ध्यान में रखकर हर एक को इन आसनों का अभ्यास में अंतर्भाव करना आवश्यक है।

ये आसन दीवार अथवा छोटी मेज का सहारा लेकर करने होंगे। सहारे के कारण आसन में शरीर को ठीक तरीके से स्थापित करना पड़ता है और आवश्यक परिवृत्त क्रिया साधी जा सकती है। शरीर को दाईं अथवा बाईं तरफ घुमाते समय रीढ़ को जिस दिशा में घुमाते हैं, उसी दिशा की तरफ वह झुकती है। वैसा न हो, इसलिए इस सहारे से शरीर को रीढ़ के चारों ओर ही घुमाना है।

भरद्वाजासन

इस आसन की जानकारी पिछले अध्यायों में दी जा चुकी है।

क्रिया

1. कंबल की तह लें और दीवार से सटकर इस प्रकार बैठें कि बायाँ पार्श्व किनारा और पैर दीवार से सटकर दंडासन में रहें।
2. दोनों पैर घुटनों से मोड़कर कदम दाईं जाँघ के पास लाएँ और बाएँ तलवे पर दायाँ कदम रखें।
3. अब श्वास छोड़ें और बाएँ हाथ को दीवार की तरफ घुमाएँ। दोनों पंजों को दीवार पर टिकाएँ। हथेली और हाथ की उँगलियाँ फैलाएँ।
4. साँस छोड़ते हुए दाएँ उदर के भाग को बाईं तरफ मोड़ें, घुमाएँ और बायाँ पार्श्व किनारा ऊपर उठाएँ। (चित्र 1)

दाएँ उदर के हिस्से पर ऐंठन आती है तो बाएँ उदर का हिस्सा खुला हो जाता है। कपड़े को जैसे पानी में खँगाला जाता है, वैसे ही वह हिस्सा खँगाला जाता है। पेट को घुमाते समय सीना सिकुड़ न पाए और न ही रीढ़ नीचे दब जाए। पहले भी यह कहा जा चुका है कि उठाना और घुमाना—इन दोनों क्रियाओं की संगति

हो। दोनों क्रियाएँ एक साथ हों। इस आसन में 20 से 30 सेकंड रुकें।

5. साँस छोड़ें। हाथ दीवार से हटाएँ और पैरों को दंडासन में मुक्त करें। अब दूसरी तरफ मुड़ें और परिवृत्त क्रिया दाएँ कंधे की दिशा में करें। रीढ़ की हड्डी को पूर्णतः घुमाने के बाद सिर को घुमाएँ। इसी तरीके से दोनों तरफ आसन पूर्ण किया जाए।

यही आसन दीवार की तरफ पीठ करके किया जा सकता है। परिवृत्त त्रिकोणासन और परिवृत्त अर्धचंद्रासन में भी शरीर का पूर्व भाग और पश्चिम भाग दीवार की तरफ रखकर दोनों तरीकों से आसन किया गया था। इस प्रकार पूर्वाधार (चित्र 1) और पश्चिमाधार लेकर ये आसन परिणाम की दृष्टि से अधिक उपयुक्त साबित होते हैं। पश्चिमाधार में (चित्र 2) शरीर की अंदर की लंब रेखा का तीव्रतापूर्वक अहसास होता है। इसकी क्रिया निम्नानुसार है—

क्रिया

1. इस प्रकार दंडासन में बैठें कि दायाँ पार्श्व किनारा दीवार की ओर आए। दोनों पैरों को दाएँ पार्श्व भाग के पास मोड़कर बैठें।

2. दायाँ हाथ बाएँ घुटने के पास जाँघ पर रखें और वह हिस्सा हाथ से पकड़ें।

3. बायाँ हाथ दाएँ पार्श्व भाग के पीछे उसकी रेखा में रखें। यथासंभव दीवार से सटकर बैठें।

4. अब साँस को छोड़कर बाएँ कंधे को मोड़ें। (चित्र 2)

यहाँ यह आसन चित्र 2 के अनुसार उसी तरफ किया है, पर बायाँ कंधा और रीढ़ दीवार की दिशा में ले जाने पर शरीर का पूर्व भाग अधिक उठाया जाता है। परिवृत्त क्रिया का अहसास पीठ की ओर से होता है और हम यह जाँच सकते हैं कि रीढ़ लंब रेखा में है या नहीं। फिर मुड़ने की क्रिया में एक प्रकार की पूर्णता लाई जा सकती है। बायाँ कंधा दीवार से न सटने पर ध्यान में आ जाता है कि परिवृत्त क्रिया अधूरी हुई है।

अर्धमत्स्येंद्रासन

यह अर्धमत्स्येंद्रासन की अर्धस्थिति है। इसमें खड़ी स्थिति में मुड़ा हुआ पैर दूसरे पैर को आड़ा न करके उसी तरफ रखा जाता है। चित्र में पश्चिम आधार से आसन किया गया है, उसे पहले पूर्व आधार से करेंगे। आसन मेज के सहारे दिखाया गया है। बेड अथवा दीवान के आधार से भी आसन किया जा सकता है।

क्रिया–1

1. मेज के पास इस प्रकार बैठें कि बायाँ पैर और पार्श्व किनारा उसके निकट आएँगे।

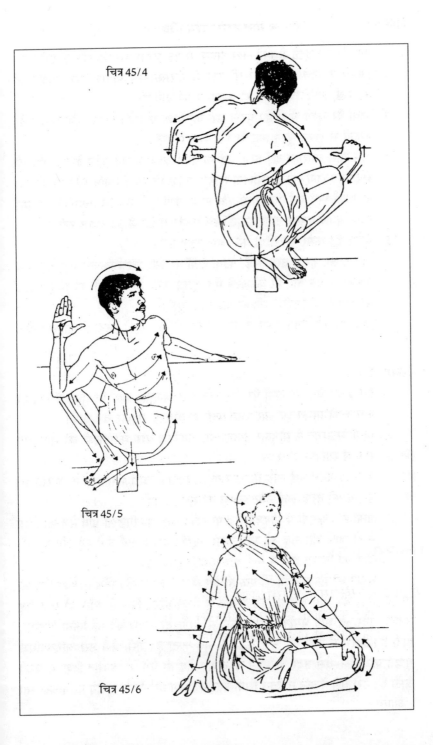

चित्र 45/4

चित्र 45/5

चित्र 45/6

2. दाएँ पैर को घुटने से मोड़ें और कदम पर इस प्रकार बैठें कि एड़ियाँ दाएँ पार्श्व किनारे के नीचे और पंजा बाएँ पार्श्व किनारे के नीचे आएगा। इसमें कंबल की तह रखें, ताकि त्रिकास्थि की हड्डी उठाई जाएगी।

3. बायाँ पैर घुटने से मोड़ें। घुटना छत की दिशा में रखें। तलवा जमीन पर रखें। टखनों से लेकर घुटने तक पैर लंब रेखा में रखें।

4. अब साँस छोड़कर दाईं तरफ मुड़ें या दायाँ ऊर्ध्वदंड बाईं जाँघ के परे जाँघ को छेदते हुए लाएँ। दोनों हथेलियों से मेज के किनारे पकड़ें। जाँघ की तरफ से उदर का दायाँ भाग बाईं तरफ मोड़ें और बायाँ पार्श्व किनारा ऊपर उठाएँ। गरदन बाईं तरफ घुमाएँ। सीना ऊपर उठाएँ। इस स्थिति में 20 से 30 सेकंड रुकें।

5. घुमाई हुई कमर को सीधी करें। हाथ खुले करें।

6. अब पूर्णत: दूसरी तरफ मुड़ें, ताकि दायाँ पैर और पार्श्व किनारा मेज के करीब आ जाए। अब बाएँ पैर को घुटने में मोड़कर कदम पर बैठें और मोड़ते हुए दायाँ पैर दीवार के नजदीक रखकर दाईं तरफ मुड़ें।

यह आसन पश्चिम सहारे के साथ करना हो तो उसकी क्रिया निम्नानुसार होती है—

क्रिया-2

1. इस प्रकार बैठें कि दायाँ पैर दीवार के पास आएगा। दायाँ पैर घुटने में मोड़कर कंबल की तह कदम और पार्श्व भाग के बीच में रखकर बैठ जाएँ।

2. बायाँ पैर घुटने में मोड़कर टखना और घुटने के बीच की हड्डी को सीधे लंब रेखा में रखें।

3. दायाँ ऊर्ध्वदंड बाईं जाँघ के परे लाएँ। दंड का पिछला भाग जाँघ पर घिसते हुए कुहनी की तरफ लाएँ और हथेली को सीधे उठाएँ।

4. बायाँ हाथ कुहनी में मोड़कर मेज पर रखें। शरीर का पिछला भाग मेज की दिशा में ले जाएँ और रीढ़ को सीधे ऊपर उठाएँ। गरदन बाएँ कंधे की ओर घुमाएँ। उदर का हिस्सा दाईं से बाईं ओर घुमाएँ। (चित्र 3)

घुमाने की क्रिया कभी भी एक ही बार में नहीं की जाती। साँस छोड़कर रीढ़ को उठाना, उदर का भाग घुमाना, उस स्थिति में स्थिर होना, फिर से साँस छोड़कर रीढ़ उठाना, उदर का भाग घुमाना—इस प्रकार से चरण-दर-चरण की गई क्रिया असरदार होती है। आरंभ में उदर की ऊपर की परत मुड़ जाती है। जैसे-जैसे उसे अधिकाधिक मोड़ते जाएँ वैसे-वैसे उदर के मुड़ने के बजाय रीढ़ ही पैरों के विपरीत दिशा में फेंकी जाती है। उसे वैसे फेंकने न देकर सिर्फ उदर का भाग ही मोड़ने-घुमाने पर प्रत्येक स्तर

पर उदर की भीतरी तह को मुड़ने का आभास होता है।

अब दूसरी ओर पश्चिम आधार लेने के लिए पूर्णतः मुड़ें, जिससे बायाँ किनारा मेज के पास आ जाएगा। शेष क्रिया ऊपर के कथनानुसार की जाए।

पाशासन

यह आधार से किया जानेवाला पाशासन है। इसमें पीठ की ओर से हाथों से पूरे शरीर को अपने ही बाहु–पाश में बाँधा जाता है। हालाँकि यहाँ यह आसन साधारण तरीके से करना बताया गया है।

क्रिया–1

1. इस प्रकार बैठें कि अलमारी के पास अथवा दीवार से सटकर बायाँ पार्श्व किनारा आए।
2. दोनों पैर घुटनों में मोड़ें। टखनों को हलका उठाकर कंबल की गोल तह उनके नीचे रखें। इस स्थिति में टखने ऊँचे और उँगलियोंवाला हिस्सा नीचे आएगा।
3. साँस छोड़ें। धड़ को बाईं तरफ मोड़ें। अब आपका चेहरा टेबल की तरफ होगा। बाएँ हाथ से टेबल का किनारा पकड़ें। दाहिना ऊर्ध्वदंड बाईं जाँघ छूता हुआ परे रखें।
4. दोनों हाथों से किनारा पकड़कर नीचे की ओर जोर लगाते हुए धड़ को रीढ़ के साथ ऊपर उठाएँ। उदर का भाग दाईं ओर से बाईं ओर मोड़ें। रीढ़ पूरी घूमे, तभी गरदन घुमाएँ। (चित्र 4) इस स्थिति में 20 से 30 सेकंड रुकें।
5. साँस छोड़ें, हाथ की पकड़ छोड़ें और पैर सीधे करें।
6. अब पूरी तरह दूसरी तरफ मुड़ जाएँ। बाईं जाँघ और पार्श्व किनारा टेबल (अथवा बेड) के नजदीक आए, इस तरह बैठें। दोनों पैर मोड़कर बैठें। दाईं जाँघ को लाँघकर बाईं ऊर्ध्व बाहु को टेबल के किनारे ले आएँ। दोनों पंजों से टेबल का किनारा पकड़ें। साँस छोड़ते हुए धड़ को बाईं से दाईं तरफ मोड़ें। ऊपर बताई हुई सभी क्रियाएँ इस तरह करने के बाद आइए देखते हैं, इसे पश्चिमाधार से कैसे किया जाए!
7. साँस छोड़ें। आगे झुककर घुमाते हुए हथेली से कदम का अगला हिस्सा पकड़ें (चित्र 7)। बायाँ हाथ कुहनी से मोड़कर धड़ और कंधा बाएँ पैर के भीतर की तरफ लाएँ और बाईं कुहनी टिकाएँ। कुहनी को लंबा करें और घुटने के परे टिकाएँ। दायाँ हाथ कमर के पास रखकर कमर को पैर की दिशा में लंबी खींचते हुए मोड़ें। (चित्र 8)
8. अब साँस छोड़ें और दाएँ हाथ को बगल में से, सिर के ऊपर से और कान के

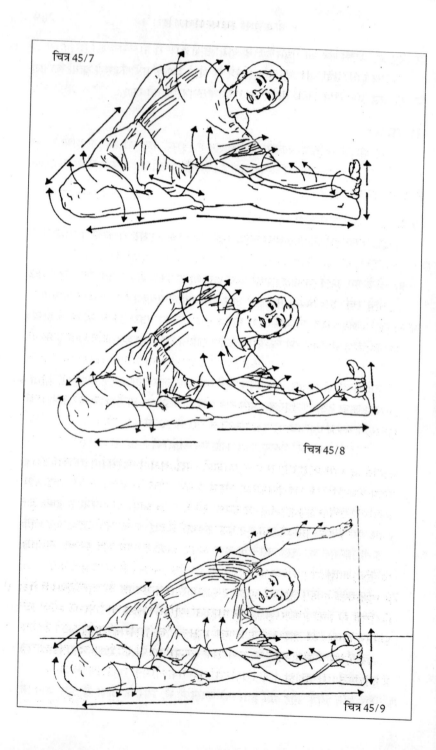

चित्र 45/7

चित्र 45/8

चित्र 45/9

ऊपर कंधे की रेखा में लंबा करें। उसी हाथ से अलमारी का किनारा पकड़ें या हाथ दीवार पर टिकाएँ। (चित्र 9) कंधे की पाँखों को अंदर की तरफ धकेलें। दाएँ पार्श्व किनारे को लंबा करके धड़ छत की ओर मोड़ें। बायाँ घुटना न मोड़ें। सिर हाथों के बीच लाएँ, जिससे वह पैरों के समानांतर आ जाएगा।

इस स्थिति में दायाँ किनारा अलमारी या दीवार की तरफ ले जाएँ और बायाँ पार्श्व किनारा आगे की तरफ ले जाएँ। बाएँ कंधे की पास की पिछली बाजू बाएँ घुटने के अंदर की तरफ लाकर धड़ को घुमाएँ।

9. इस स्थिति में 10 से 15 सेकंड रुकें। साँस लें और हाथ छोड़ें। धड़ को सीधा करें, दंडासन में आएँ।

10. दूसरी तरफ आसन करने के लिए अब पूर्णतः दूसरी बाजू में मुड़कर दाएँ पार्श्व किनारे को अलमारी से सटाकर दंडासन में बैठें। बायाँ घुटना मोड़ें और दायाँ हाथ बाएँ घुटने पर और बायाँ हाथ बाएँ पार्श्व भाग के करीब रखकर धड़ को बाईं तरफ घुमाएँ। जरा सा आगे झुकते हुए दाएँ हाथ को कदम की दिशा में लंबा करें। हाथ और कलाई को मोड़कर अँगूठे को जमीन की तरफ घुमाएँ। साँस छोड़ें। बायाँ हाथ कान के ऊपर से लेते हुए सिर की दिशा में लंबा करें और अलमारी के किनारे को पकड़ें। बाएँ पार्श्व किनारे को ऊपर की तरफ मोड़ें।

पहले जितनी ही अवधि तक रुकें। साँस लें और हाथ छोड़ें। धड़ को सीधा करें। दंडासन में आएँ। इस आसन का परिणाम साधने के लिए इसे दो से तीन बार किया जाए।

इन चारों प्रकारों में भरद्वाजासन से लेकर पाशासन तक और परिवृत्त जानुशीर्षासन में परिवृत्त क्रिया अधिकाधिक परिणामकारी सिद्ध होती है। प्रत्येक आसन दो प्रकार से, अर्थात् पूर्वाधार और पश्चिमाधार तरीके से किया जा सकता है; परंतु ये आसन (परिवृत्त जानुशीर्षासन को छोड़कर अन्य आसन) पूर्वाधार तरीके से सुव्यवस्थित कर सकने के बाद ही पश्चिमाधार से करें। पेट का हिस्सा घुमाते हुए चेहरे की मांसपेशियों पर आनेवाले तनाव को हर समय दूर करना होता है। यह तनाव कम होने पर उच्छ्वास से शरीर को और अधिक घुमाया जा सकता है, यह बात ध्यान में आती है। आरंभ में इस आसन में अधिक समय न रुककर उसे दो-तीन बार करना ही पर्याप्त है। चारों आसन एक ही अध्याय में भले ही दिए गए हों, फिर भी उन्हें सीखने के क्रम में बदलाव न लाकर एक आसन सीख जाने के पश्चात् ही अगला आसन सीखना उचित होगा।

पेट दर्द पर हमने जो आसन सीखे हैं, वे सभी एक ही समय में नहीं किए जाते हैं। पहले यह देखना-जानना होगा कि पेट में क्या तकलीफ है। इसलिए पहले उपाश्रय एवं सुप्त तक की मंजिल पाने के बाद ही पश्चिमप्रतन को आरंभ किया जाए। पश्चिमप्रतन

आसनों का समापन द्विपाद विपरीत दंडासन और सेतुबंध सर्वांगासन से करना है। जिस समय परिवृत्त क्रिया का आरंभ होता है, उस समय उनका अंतर्भाव पश्चिमप्रतन के बाद करके अभ्यास का समापन ऊपर बताए अनुसार करना है। प्रत्येक वर्ग के आसन एक के बाद एक इस तरीके से सीखने हैं। यह क्रम ध्यान में रखना आवश्यक है।

क्रिया-2

1. शरीर का दायाँ किनारा टेबल के पास आए, इस तरह बैठें। दोनों पैर घुटनों में मोड़ें। टखने कंबल पर रखें।
2. साँस छोड़कर दाईं ऊर्ध्व बाँह जाँघ पर पक्का टिकाएँ। हथेली को सामने की तरफ रखें।
3. साँस छोड़ें और बायाँ हाथ टेबल के किनारे पर रखें।
4. उदर को दाईं ओर से बाईं तरफ मोड़ें। छाती को ऊँचा रखें और फैलाएँ, पेट का दाहिना हिस्सा बाईं ओर ले जाकर जितना खोल सकें, खोलें।
5. गरदन को बाएँ कंधे की ओर मोड़ें (चित्र 15)। पीठ को टेबल के पास ले आएँ। पीठ से टेबल टटोलें। 15 से 20 सेकंड तक इस स्थिति में रहें।
6. शरीर को पूरी तरह बाईं तरफ मोड़कर शरीर का बायाँ किनारा टेबल के करीब आए—इस तरह बैठें और यही क्रिया बाईं तरफ करें।

□

6

सिर

46

सिर दर्द

सिर दर्द, सिर भारी होना संभवत: सबने अनुभव किया होता है। सिर दर्द का कभी अनुभव न किया हो, ऐसा आदमी शायद ही मिले। दरअसल सिर दर्द कोई बीमारी या विकार नहीं। जिस प्रकार बहुत चलने पर अथवा काम करने पर हाथ-पैर दुखते हैं, वैसे ही तनाव के कारण सिर में भी दर्द होने लगता है। जैसे हाथ-पैरों को आराम की जरूरत होती है वैसे ही सिर (दिमाग) को भी होती है। सिर दर्द बहुत नुकसानदेह न होने पर भी तकलीफदेह होता है। सिर दर्द एक तरीके से काम में पड़नेवाला व्यवधान ही होता है।

सिर दर्द किस कारण होता है, यह जानना आवश्यक है। सिर दर्द कई बीमारियों का या कभी गंभीर बीमारी का लक्षण हो सकता है। अत: सिर दर्द के पीछे कोई गंभीर बीमारी तो नहीं है, यह जान लेना आवश्यक है। अन्यथा मामूली लगनेवाला सिर दर्द भी नुकसानदेह हो सकता है। दिमाग में गाँठ होना, पीबवाला फोड़ा निकलना, मेनिंजाइटिस, मूत्रपिंड के रोग अथवा हैमरेज आदि कारणों से सिर दर्द हो तो उस रोग का उपचार होना आवश्यक होता है। सिर दर्द के अन्य लक्षणों के समान उस बीमारी का भी लक्षण हो सकता है। कान, जिह्वा, नाक के विषाणु संक्रमित होने पर तथा दाँत दर्द, आँखों के विकारों, गरदन की हड्डियों के विकार के कारण भी सिर दर्द हो सकता है।

सिर दर्द से हमारा परिचय साधारणतया आम कारणों से होता है। सर्दी, जुकाम, खाँसी, तनाव, मानसिक दबाव, डर, शोक, दु:ख, उद्वेग, चिंता आदि कारणों से होनेवाला सिर दर्द सामान्यत: सब जानते हैं। दरअसल सिर में निश्चित रूप से दर्द कहाँ होता है, यह समझने पर उसके पीछे का कारण भी समझ में आ सकता है। सिर दर्द मुख्यत: पूर्व शीर्ष अर्थात् सिर के अगले माथे के हिस्से में, ऊर्ध्व शीर्ष अर्थात् सिर के ऊपरी हिस्से में,

पश्चिम शीर्ष अर्थात् सिर के पिछले—गरदन के पास के—हिस्से में अथवा कान के पार्श्व भाग में अनुभव होता है।

तनाव के कारण तनाव सहन करने की शक्ति घट जाने पर चेता-तंतु कमजोर होते हैं और सिर दर्द शुरू होता है। तनाव को सह न सकने पर स्नायु सिकुड़ जाते हैं। सिकुड़े हुए स्नायु चेता-तंतुओं पर दबाव लाते हैं। तनाव का कारण काम का तनाव, चिंता का बोझ आदि होने पर भी उससे स्नायु कमजोर होते हैं और शरीर की रचना बदलती है। पीठ के स्नायु कमजोर होकर सिकुड़ जाते हैं और टेढ़ा-मेढ़ा मुड़ने या मोड़ लेने लगते हैं तथा स्नायुओं की गाँठ बनने के कारण गोले तैयार होते हैं। उसका भार और दबाव चेता-तंतुओं पर पड़ता है। संक्षेप में, स्नायु कमजोर होने पर उनपर शारीरिक व मानसिक तनाव आ जातो है और उसे सह न पाने पर सिर दर्द होने लगता है। तनाव से सिर दर्द होने पर वह दर्द गरदन से सिर की ओर धीरे-धीरे चढ़ता जाता है। चेहरा, गरदन और सिर के स्नायु तनाव के कारण खिंच जाते हैं। सिर दर्द से एकदम फटने जैसा लगता है। उसके कारण कुछ रासायनिक द्रव्य संचित होते जाते हैं और वे चेता-तंतुओं को क्षोभित करते हैं। यह तनाव सिर्फ सिर दर्द तक ही न रहकर उसका असर यकृत तक और बड़ी आँत तक पहुँच सकता है।

अधूरा भोजन, बदहजमी, कब्ज जैसे कारणों से रक्त एवं रस के घटकों में त्रुटि रह जाती है और उनका अभिसरण ठीक से नहीं होता। उसका परिणाम चयापचय क्रिया पर होता है। वह मंद पड़ जाती है और चेता-तंतुओं का क्षोभन होता है। क्षोभन के कारण पाचन धीमा पड़ जाता है। इस तरह अपच और चेता-तंतुओं के क्षोभन के दुष्चक्र में फँसकर सिर दर्द होता है। तनाव के कारण होनेवाले सिर दर्द में स्नायु सिकुड़ते हैं, थकान होती है। फलत: अंदर का रासायनिक संतुलन बिगड़ जाता है और चेता-तंतु क्षोभित हो जाते हैं।

तनाव अर्थात् टेंशन। तनाव के कारण होनेवाले सिर दर्द के अतिरिक्त 'माइग्रेन' भी सिर दर्द होता है। माइग्रेन में सिर एक बार में एक ही ओर दुखता है, लेकिन वह कभी दाईं तो कभी बाईं तरफ इस प्रकार बदल-बदलकर दुखता है। कुछ लोगों को हमेशा एक ही तरफ या किसी एक ही जगह सिर दर्द होता है। यह सिर दर्द 'क्लासिक माइग्रेन' है। इस प्रकार सिर दर्द में पहले दृष्टि या नजर में फर्क आ जाता है। अस्पष्ट (धुँधला) दीखना, आँखों के सामने जुगनू चमकने लगना अथवा प्रकाश के बिंदु चमकना आदि सब लक्षण इस प्रकार के सिर दर्द की पूर्व सूचना देते हैं और एक घंटे के पश्चात् सिर एक तरफ से दुखने लगता है। सिर की नसों के स्पंदन बढ़ने लगते हैं। सिर के अंदर कर्कश घंटियाँ बजने की आवाजें आने लगती हैं। इस प्रकार के सिर दर्द में उलटी भी होने लगती है।

'कॉमन माइग्रेन' में सिर दर्द दोनों तरफ हो सकता है। दर्द भी अधिक समय तक बना रहता है। इस प्रकार के सिर दर्द में पेट मचलता है। कभी-कभी उलटी भी होती है। बाल खींचने या उखाड़ने जैसा दर्द होता है। सिर के ऊपरी हिस्से में और बालों की जड़ों में दर्द होता रहता है। कभी-कभी सिर दर्द की शुरुआत पहले आँखों के चारों ओर दुखने से होती है। आँखों से पानी बहने लगता है। चेहरा लाल-लाल होकर फूला जैसा लगता है। सर्दी न रहने पर भी नाक भर जाती है और बंद होती है। बहुत चिड़चिड़ापन रहता है और झुंझलाहट पैदा होती है। इस तरह के सिर दर्द को 'कल्चर हेडेक' कहते हैं।

ज्ञान-तंतुओं/तंत्रिकाओं के क्षोभन के कारण मस्तक-शूल हो सकता है। खासकर मानसिक तनाव, कमजोर मन, चिंता, थकान, साँस में रुकावट, क्रोध, डर, मन में कोई बात सालती रहना, मन पर दबाव पड़ना आदि के कारण साँस अंदर-ही-अंदर दब जाने जैसी स्थिति होकर मन में घुटन-सी होती है और सिरदर्द होने लगता है। साथ ही धूप में जाना, भरपेट भोजन करके या भूखे पेट धूप में जाना, वाहन तीव्र गति से चलाना, यात्रा में धूप सीधे सिर, आँखों या सीने पर आना आदि कई कारणों से भी सिर दर्द होने लगता है।

रक्तचाप बढ़ने पर होनेवाला सिर दर्द गंभीर बीमारी का लक्षण हो सकता है। इसलिए बढ़े हुए रक्तचाप में सिर दर्द के घटानेवाले आसन कर दिमागी शिथिलता कम करना जरूरी होता है। गरदन के मनकों के छीजने से जिस तरह सिर दर्द होता है, उसी तरह दिमाग के अंदर खून रिसने से भी सिर भारी होकर दुखने लगता है। रक्तचाप बढ़ने से दिमाग के भीतर खून रिसने के कारण भी गरदन में दर्द होकर सिर दर्द होने लगता है। आपने गरदन की हड्डियों की छीजन के कारण दर्द होने पर पहले बताए अनुसार गरदन को बेड के किनारे रखकर अंतर्वक्र स्थिति में लाने का आसन 'गरदन दर्द के उपाय-2' नामक अध्याय में पढ़ा है। इस प्रकार गरदन को किनारों पर रख मोड़ने पर गरदन दर्द और सिर दर्द दोनों दूर हो जाते हैं। इससे दिमाग में रक्तस्राव के कारण सिर दर्द नहीं है, यह समझ में आता है; पर पीछे मुड़ने पर दर्द अधिक हो, तब वह सिर दर्द गंभीर होता है। मनकों के विकार के कारण होनेवाला सिर दर्द गरदन के पास के सिर में अनुभव होता है। अत: रक्तस्राव के कारण उत्पन्न सिर दर्द गरदन के ऊपरी हिस्से में होता है, साथ ही उसके अन्य लक्षण भी होते हैं। हालाँकि यहाँ इस प्रकार की जाँच करने को नहीं कहा गया है। ऐसे समय मरीज से उसकी शिकायतें सुनना अधिक जरूरी होता है। यहाँ इसका उल्लेख करने का कारण इतना ही है कि आसन-प्राणायाम के अध्ययन से इस प्रकार के संकेत भी मिलते हैं। मनकों के विकारों से उत्पन्न सिर दर्द गरदन के पीछे मोड़ने पर कम होता है। गरदन में मोच आने से या गरदन अकड़ जाने से भी सिर दर्द होता है। ऐसे समय परिवृत्त स्थिति के भरद्वाजासन, उत्थित मरीच्यासन आदि करने से गरदन खुल जाती है और सिर दर्द भी कम होने लगता है। माथे में संभवत: नाक बंद होने, सायनस का दाह

होने पर दर्द होता है। इसका अंतर्भाव सिर दर्द में ही होता है। बार-बार सर्दी-जुकाम होने के कारण भी सिर दर्द होता है। इस प्रकार के सिर दर्द में उसके लिए नियत आसन तो उपयुक्त साबित होते ही हैं, पर साथ ही विपरीत दंडासन और शीर्षासन आदि विपरीत स्थिति के आसन भी उपयुक्त होते हैं, क्योंकि इन आसनों में भी सायनस खुल जाते हैं। बुखार या फ्लू के कारण होनेवाले सिर दर्द में आराम ही उपयुक्त उपाय होता है।

महिलाओं को कई बार मासिक धर्म से पहले सिर दर्द होता है। इस काल में, अर्थात् मासिक धर्म के आठ-दस दिन पहले अधिक शारीरिक श्रम करने से या मानसिक तनाव बढ़ने पर, नींद उड़ जाने पर अथवा निराशा, उदासीनता, न्यून भाव से मन ग्रस्त हो जाने पर सिर दर्द निश्चित रूप से होता ही है।

इस ऊहापोह से एक बात स्पष्ट होती है कि शारीरिक व मानसिक तनाव बढ़ने पर दिमाग में रासायनिक परिवर्तन होता है। दिमाग के केंद्र स्थान पर स्थित 'सेरोटोनिन रिसेप्टर्स' का इस प्रक्रिया में समावेश होता है और सिर दर्द होता रहता है—अर्थात् इसका परिणाम रक्त-नलिकाओं पर होकर रक्त की आपूर्ति में असंतुलन आता है और उससे आँखों व सिर में दर्द होने लगता है। इसलिए तनाव को दूर करना, मानसिक संतुलन बनाए रखना, दिमाग को शांत रखना, दिमाग में उलझन पैदा न होने देना आदि बातें साध्य करना महत्त्वपूर्ण इलाज साबित हो सकते हैं।

सिर दर्द के पीछे गंभीर कारण होते हैं। दिमाग के भीतर की गाँठ, मेनिंजाइटिस आदि दुर्धर रोग हैं, जिनपर वैयक्तिक उपचार-पद्धति भी होना आवश्यक है। इसलिए ऐसी बीमारियों को छोड़कर सामान्यत: पैदा होनेवाले तनावजनित सिर दर्द, आधाशीशी आदि सिर दर्दों पर कौन से उपाय किए जा सकते हैं, यह देखना आवश्यक है। छात्रों को पढ़ाई, रतजगा, चिंता, परीक्षा का तनाव और उससे उत्पन्न होनेवाली बदहजमी, आँखों का दर्द, चेता-तंतुओं की तनाव सहने की अक्षमता के कारण होनेवाले सिर दर्द के लिए अगले अध्याय में कुछ आसन बताए जा रहे हैं, जिनको शुरुआती उपाय के रूप में प्रयोग करने में कोई नुकसान नहीं है।

सिर दर्द किस कारण से हो रहा है, यह प्रत्यक्षत: आसन करनेवाले अगर पहचान न पाएँ, तब भी आगे झुककर किए जानेवाले पश्चिमप्रतन आसनों की मालिका से आरंभ करना ही उचित होगा; क्योंकि इन आसनों में सर्वप्रथम प्रतीत होता है सिर का हलकापन। सिर और आँखें इनसे शांत हो जाती हैं। ये आसन केंद्रवर्ती चेता-संस्थान पर काफी असरदार साबित होते हैं। आरंभ में शरीर को आगे झुकाया नहीं जा सकता, इसलिए यह असुविधाजनक भले ही लगता हो, पर ये आसन करते समय स्नायुओं पर अधिक खिंचाव न डालकर उन्हें राहत पहुँचाई जा सकती है और फिर धीरे-धीरे आसन सहज संभव हो जाते हैं।

□

47

शिरोनेत्र पट्टबंध

सिर दर्द जब बार-बार होने लगता है तब हर एक को अपनी दिनचर्या पर ध्यान देना आवश्यक है। असमय और अनुचित भोजन, असमय काम, असमय नींद। इस प्रकार भोजन, नींद, रतजगा और काम में उचित तारतम्य न रहने पर, उनमें उचित संतुलन और समुचितता न होने पर काम तथा आराम का व्यवस्थापन ठीक नहीं होता—तनाव कहाँ तक सहा जाए या न सहा जाए—समझ में नहीं आता और सिर दर्द का साथ हमेशा के लिए बना रहता है। इसके लिए इन कामों में व्यवस्था एवं संतुलन लाना निश्चित रूप से संभव है। इसके लिए अपनी दिनचर्या में आवश्यक बदलाव करें।

पर कई लोगों का कार्य-व्यवसाय ही ऐसा होता है कि उसमें समय, काम, आराम का खयाल रखना और उसमें नियमितता लाना असंभव होता है। उदाहरण के लिए पुलिसवालों, डॉक्टरों या नर्सों के लिए रात्रि का जागरण और मजदूरों का फैक्टरी में रात्रि की पारी में काम करना। उसके लिए उनकी दिनचर्या में आनेवाली अनियमितता को टाला नहीं जा सकता। इससे शरीर व मन का अशांत रहना स्वाभाविक है और अशांत मन काम के तनाव को सह नहीं सकता। दिन-रात के प्राकृतिक चक्र को हम भले ही न सँभाल सकें, फिर भी हमें अपना खुद का दिवस-रात्रि का चक्र तो सँभालने की आवश्यकता होती ही है।

पश्चिमप्रतन के आसन रात्रि के निद्रायुक्त आराम का अपूर्व उपहार हमें दे सकते हैं। ये आसन चेता-तंतुओं को शांत करने का काम करते हैं। बाहरी शोरगुल के कारण जब कान पक जाते हैं अथवा प्रकाश और बाह्य वस्तु की ओर आकर्षित होनेवाली आँखें जब थक जाती हैं, तब पहले कान और आँखों को शांत करना जरूरी होता है। पलकों को मूँद लेने पर भी भीतरी और बाहर की हर हलचल (क्रिया) से उत्साहित होनेवाली आँखें तथा आवाज होते ही ध्वनि की लहरों को पकड़नेवाले कान शांत नहीं रहते। आँखें और

कान बंद करके श्वसन धीमा होने के लिए नथनों पर नियंत्रण रखनेवाली 'षण्मुखी मुद्रा' का अंतर्भाव योगाभ्यास में इसीलिए किया गया है। लेकिन यह मुद्रा हाथों की उँगलियों द्वारा करके ज्ञानेंद्रियों और दिमाग पर नियंत्रण रखना पड़ता है।

सिर दर्द के कारण जब शरीर में शक्ति नहीं रहती, तब हाथ उठाना या उँगलियों से इंद्रियों को नियंत्रित करना असंभव हो जाता है। इसके लिए कोई अन्य मार्ग खोजना पड़ता है। ऐसे समय सिर, माथे, आँखों और कानों के चारों ओर इलास्टिक बैंडेज की पट्टी इस्तेमाल करना उचित होता है। पुराने जमाने में लोग सिर पर साफा बाँधते थे। आज भी बोझा ढोनेवाला मेहनतकश व्यक्ति सिर पर कपड़ा कसता है। यह एक प्राकृतिक समझ है।

सिर दर्द के रहते इस पुस्तक के आरंभ में बताए गए बैठे-बैठे अर्थात् उपविष्ट स्थिति के पश्चिमप्रतन के आसन करने होते हैं; क्योंकि ऐसी स्थिति में खड़े रहना असंभव होता है। उपविष्ट स्थिति में पश्चिमप्रतन करते समय शरीर की भौमितिक रचना ही यों बदलती है कि उससे सिर शांत होना ही चाहिए। जिस प्रकार कछुआ अपनी इंद्रियों को अंदर लेकर अपने चारों ओर कवच धारण करता है, वैसे इन आसनों में इंद्रिय-निग्रह करना होता है। सिर दर्द के रहते इंद्रिय-निग्रह अथवा प्रत्याहार साधने के लिए सिर के चारों ओर कसनेवाला इलास्टिक पट्टा इस्तेमाल करने से आँखें और कान बंद होते हैं, उनका शमन होता है और वे स्थिर व शांत होते हैं। माथे और सिर के चारों ओर बैठे हुए घेरे से चेहरे की मांसपेशियाँ शिथिल होकर तनाव-रहित होती हैं। चेहरे की मांसपेशियों की ज्ञानेंद्रियों पर की जकड़न ढीली होती जाती है और इंद्रियाँ शांत होकर भीतर ही विश्राम करती हैं। पहले स्वायत्त चेता-संस्थान के लिए खर्च हुई चेता-तंतुओं की शक्ति धीरे-धीरे फिर से सँभलने लगती है। निरंतर झपकती आँखें शांत हो जाती हैं।

लेकिन अभ्यास न होने पर इस प्रकार सिर के चारों ओर पट्टा बाँधने से इंद्रियों की अंतर्मुखता के कारण चेता-तंतुओं का शमन होकर उससे उत्पन्न शांति कभी-कभी डर पैदा करती है। शांति की तरफ खिंचाव, प्रत्यक्षत: शांति प्राप्त होने के बाद उसे सहना और अपने में समा लेना—यह सबकुछ उतना सहज नहीं है। इस बात की आदत भी धीरे-धीरे होना जरूरी होता है।

आरंभ में सिर आगे टेकने पर आँखें शांतिपूर्वक बंद रखने का अभ्यास करना पड़ता है। उसके बाद पट्टिका भाल के चारों ओर बाँधकर दिमाग की कोशिकाओं के भीतर होनेवाले दर्द और टीस को शांत करके सहना पड़ता है। उसके बाद शिरोनेत्र पट्टबंध अर्थात् आँखों व कानों के चारों ओर पट्टिका को खींचकर दिमाग और ज्ञानेंद्रियाँ दोनों को शांत करना होता है। इस प्रकार चरण-दर-चरण सिखाने के लिए पहले यह समझना जरूरी है कि इलास्टिक पट्टिका सिर के चारों ओर कैसे बाँधी जाए।

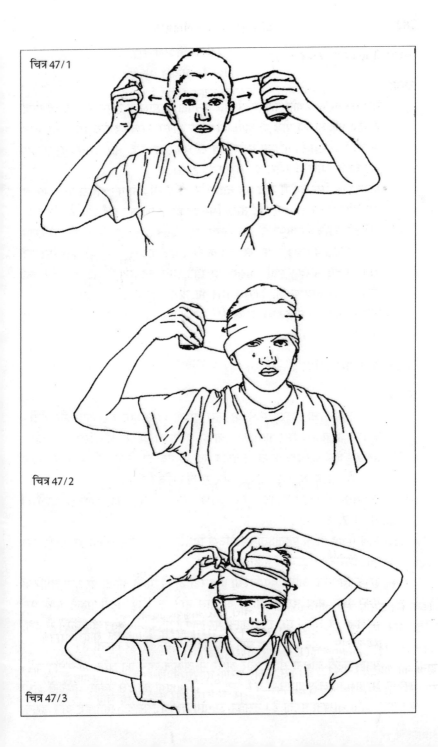

चित्र 47/1

चित्र 47/2

चित्र 47/3

शिरोनेत्र पट्टबंध : अ

क्रिया

1. सिर की तरफ अर्थात् पार्श्वशीर्ष और कनपटी के पास के हिस्से में जब दर्द होता है, तब पट्टिका को पीछे से आगे की तरफ लाकर उसकी लपेटी सिर और भाल के चारों ओर करें। पट्टिका यथासंभव खींचकर लपेट दें और उसका दूसरा छोर पट्टिका के बीच में खोंस दें। (चित्र 1, 2, 3)

2. माइग्रेन के सिर दर्द में यदि वह दाईं ओर हो तो पट्टिका की लपेटी दाईं ओर से बाईं ओर (चित्र 1) और बाईं तरफ सिर दर्द हो तो पट्टिका बाईं ओर से (चित्र 4) दाईं ओर खींचकर लपेट दें। इस नियम का माइग्रेन होते हुए नींद में भी परिपालन करना पड़ता है। दाईं तरफ सिर दर्द के रहते बाईं करवट और बाईं ओर सिर दर्द होने पर दाईं करवट सोएँ। करवट पर सोते समय सामान्य ऊँचाई का (कंधे की ऊँचाई का) तकिया लें, जिससे सिर भी नीचे नहीं लुढ़कता और न ही ऊपर उठाया जाता है। गरदन पर तनाव नहीं आना चाहिए। गरदन के शांत होने पर सिर भी शांत हो जाता है।

शिरोनेत्र पट्टबंध : आ

क्रिया

1. सिर का अगला हिस्सा माथे के पास दुखता हो अथवा रक्तचाप और सर्दी-जुकाम के कारण सिर भारी हो गया हो, साथ ही आँखों और सिर पर पढ़ाई-लिखाई जैसे बौद्धिक कामों से तनाव पैदा हो गया हो तो पट्टिका की लपेट आगे से पीछे की तरफ, दाईं या बाईं ओर से लें। (चित्र 5, 6)

2. अभ्यास होने पर कान और आँखों पर पट्टिका को लपेटकर खींचें। (चित्र 7, 8)

3. माथे में दर्द हो तो पहली तीन लपेटियाँ माथे पर देकर फिर आँखों पर लाएँ। इसी को 'शिरोनेत्र पट्टबंध' कहा जाता है।

4. इसके विपरीत, आँखों का हिस्सा दुख रहा हो तो पहले आँखों पर तीन लपेटियाँ देकर फिर माथे पर ले जाएँ। अभ्यास होने के लिए पट्टी पहले माथे पर, कालांतर से आँखों पर, फिर कानों पर लाएँ। आँखें और कान बंद करने से देश, स्थल और अपने शरीर का भान नहीं रहता, इसलिए डर लगता है।

पहले पट्टी बाँधना सीखें और अँधेरे में अकेले रहने की वृत्ति आत्मसात् करें। उसका अभ्यास पहले शवासन में करें, क्योंकि नौसिखियों को इस प्रकार अँधेरे में अंधों की तरह रहना सीखना पड़ता है। उसका उपयोग प्रत्यक्ष सिर दर्द रहते हुए और उसके

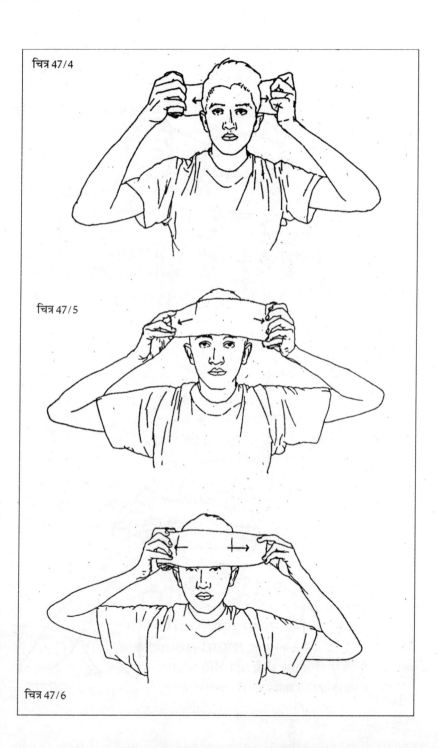

चित्र 47/4

चित्र 47/5

चित्र 47/6

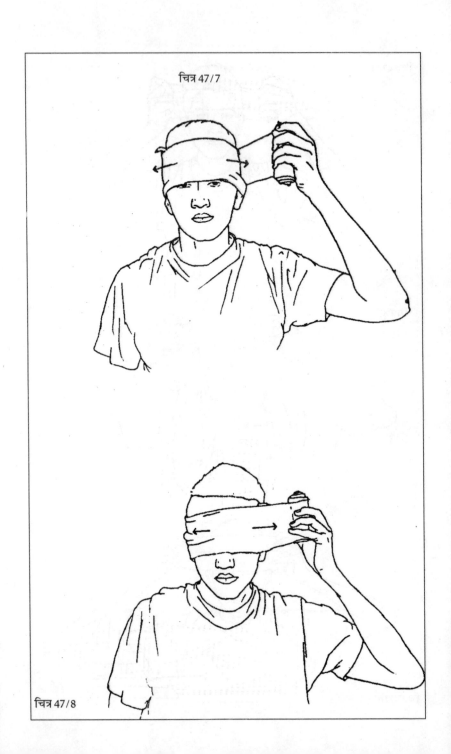

चित्र 47/7

चित्र 47/8

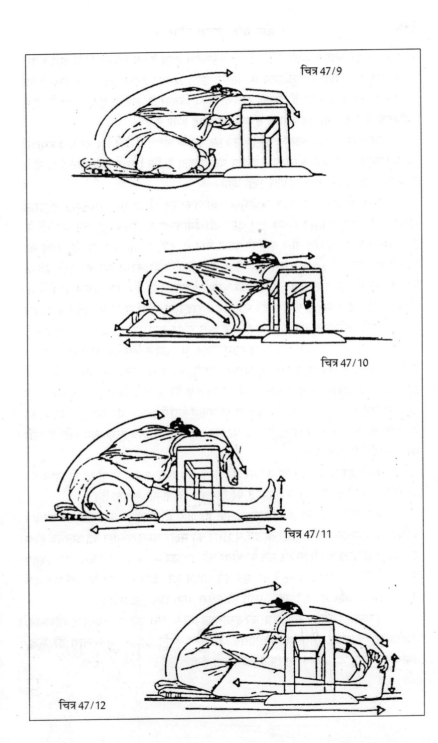

चित्र 47/9

चित्र 47/10

चित्र 47/11

चित्र 47/12

लिए बताए गए आसन करते समय उपयुक्त साबित होता है। पर उसके लिए आदत पड़ जाना आवश्यक होता है। पूर्वप्रतन के आसन करते समय जिनका सिर भारी होता है या जो हमेशा तनाव में रहते हैं, जिन्हें रक्तचाप का विकार है अथवा दृष्टि-दोष है, ऐसे व्यक्तियों के लिए भी यह आसन उपयुक्त साबित होता है।

पश्चिमप्रतन के आसन पहले हमने पेट दर्द के संदर्भ में देखे हैं। उनकी क्रियाओं का पुनर्लेखन यहाँ नहीं करेंगे। पर देखना यही पड़ता है कि सिर दर्द के रहते सिर नीचे न करके उसे जमीन से समानांतर रखा जाए।

साथ में दिए गए चित्र अधोमुख स्वस्तिकासन (चित्र 9), अधोमुख वीरासन (चित्र 10), जानुशीर्षासन (चित्र 11) और पश्चिमोत्तानासन (चित्र 12) इन आसनों के हैं। इनमें सिर का हिस्सा नीचे नहीं ले जाया गया है, बल्कि वह ऊपर है और माथे का भाग टिका हुआ है। इससे सिर के भीतर की चेता-कोशिकाओं का ही नहीं बल्कि विचारों का भी शमन होता है। आँखें और पूर्वशीर्ष शांत होता है। आगे झुकने पर सिर के पश्चिम शीर्ष भाग पर 25 पौंड वजन की तश्तरी रखने पर ऊपर से दबाव पड़ने के कारण भीतर से 'डी-कांप्रेशन' का अनुभव होता है और तनाव कम होने लगता है। आगे झुकते समय जब पेट पर दबाव पड़ता है, तब इस दबाव के कारण सिर दर्द होता है। इसलिए सिर दर्द के रहते अधोमुख वीरासन में घुटने बाजू की तरफ फैलाकर जंघाओं के बीच अंतर बढ़ाएँ। जानुशीर्षासन में आगे सीधा किया गया पैर बाजू में फैलाएँ, ताकि वह घुटने के साथ समकोण में न रहकर विशाल कोण बनाए। उसी प्रकार पश्चिमोत्तानासन में भी पैर दोनों तरफ अधिक फैलाएँ, जिससे पेट पर पड़ा हुआ दबाव कुछ कम होता है और सिर हलका हो जाता है।

आगे झुकने के आसनों में सिर की तरफ का रक्त-प्रवाह नियंत्रित हो जाता है। उससे फिर से माइग्रेन होने की स्थिति पर नियंत्रण किया जा सकता है।

एक बार यदि यह मानसिक डर नष्ट हो जाए तो शिरोनेत्र पट्टबंध का उपयोग अधिक ही होने लगता है। शरीर के दर्द में शरीर को मलने पर हलकेपन का अनुभव होता है, सिर ठंडा होता है। खासकर मन के भीतर की उलझन या बार-बार किसी एक विषय के बारे में ही विचार करते रहने की मन की आदत टूट जाती है। उन विचारों का मार्ग बदल जाता है और मन को एक अलग ही प्रवेश-मार्ग मिल जाता है।

उपर्युक्त शिरोनेत्र पट्टबंध का इस्तेमाल करके सब आसन—अर्थात् शीर्षासन, सर्वांगासन, हलासन, सेतुबंध सर्वांगासन, शवासन आदि आसन और साथ ही शुद्ध, उपविष्ट स्थिति के आसन भी किए जा सकते हैं।

◻

48

तनाव का प्रतिरोध

सिर दर्द के लिए उपविष्ट स्थिति के पूर्वप्रतन के आसन हमने सीखे। नीचे जमीन पर बैठने की आदत न होनेवालों का कमर का जोड़ सख्त हो तो आगे झुकना उनके लिए कठिन होता है। अगर वे प्रयासपूर्वक रीढ़ को आगे तानकर शरीर को झुकाएँ भी तो कमर का जोड़ सिकुड़ा हुआ और खिंचावग्रस्त रहता है और उसके कारण पेट भी खिंचा हुआ रहता है। ऐसे समय सिर को आगे टिकाकर भी भारीपन दूर नहीं होता और सिर दर्द बना रहता है। फिर यदि सिर दर्द और कमर दर्द दोनों हों तो अधोमुख स्थिति के स्वस्तिकासन, जानुशीर्षासन और पश्चिमोत्तानासन करना मुश्किल होता है। अधोमुख वीरासन में पार्श्व भाग के नीचे कंबल की तह लेने से कमर दर्द का अहसास नहीं होता। इसलिए आगे झुकना संभव न होने पर तथा रीढ़ के स्नायु कड़े होने पर बेंच पर किया जानेवाला पवनमुक्तासन आसान होता है। पीठ दर्द के संदर्भ में हमने यह आसन 'पवनमुक्त-क्रिया 2' के अंतर्गत देखा था।

पवनमुक्तासन

यह आसन लंबी बेंच पर अथवा दो कुरसियाँ एक-दूसरे के सामने रखकर किया जा सकता है। इसमें सिर का स्तर पार्श्व भाग के स्तर से ऊपर रखना होता है। सिर यदि पार्श्व भाग के निचले स्तर पर हो तो सिर भारी महसूस होने लगता है।

क्रिया

1. बेंच पर दोनों तरफ पैर करके ऐसे बैठें जैसे घोड़े पर बैठते हैं।
2. सामने आगे दो मसनद एक-दूसरे पर इस प्रकार रखें कि निचली मसनद सीधी और उसके ऊपर की आड़ी। (चित्र अ)

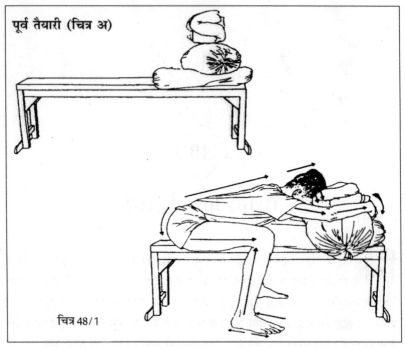

पूर्व तैयारी (चित्र अ)

चित्र 48 / 1

3. साँस छोड़ें और आगे की तरफ इस तरह झुकें कि धड़ का भाग आगे तन जाए। माथे का भाग ऊपर की आड़ी मसनद पर ऐसा रखें कि गरदन पर जरा भी तनाव महसूस न हो और नाक का भाग श्वसन के लिए मुक्त रहेगा।

4. जंघाओं को बेंच से जरा सा दूर रखें, जिससे कमर के जोड़ खुल जाएँ। वे जोड़ खुले होने पर रीढ़ को आगे की तरफ ताना जा सकता है और उससे पेट का भाग हलका किया जाता है। उच्छ्वास के साथ पेट के हिस्से को हलका करें। गुरुत्वाकर्षण से उसके ऊपर का तनाव कम होता जाता है।

5. दोनों हाथ चौड़े करके कुहनी और हाथ को मसनद पर ठीक ढंग से लुढ़कने जैसा रखिए।

6. आँखें मूँद लें। हाथ पर होनेवाला तनाव कम होने पर सिर स्वस्थ और शांत होने लगता है। माथे का भौंहों के पास का हिस्सा आड़ी मसनद पर रखें। (चित्र 1)

7. पीठ के स्नायु, गरदन, सिर, माथा—सबको शांत और हलका बनाना सीखें। यदि पीठ के स्नायु बहुत ही कड़े हों तो उन्हें दोनों मसनदों के सामने सीधी स्थिति में रखें और माथा कंबल की तह पर लुढ़कने दें। (चित्र 2)

8. आसन से उठते समय साँस लेते हुए रीढ़ सहित धड़ के भाग को आगे ले जाकर

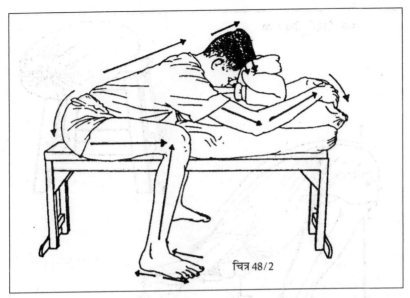

चित्र 48/2

उठाएँ। सीने को न सिकुड़ने दें। दरअसल यह आसन सरल होने के कारण प्रश्न नहीं उठता कि इसमें कितनी देर रुकना है। शांतिपूर्वक साँस छोड़ते समय चेता-तंतुओं का क्षोभन रोकना और शांत रहना महत्त्वपूर्ण होता है। पश्चिमप्रतन में पवनमुक्तासन जैसी 'संपुटन-पद्धति' का आसन किया जाए—यानी पहले पवनमुक्तासन, उसके बाद अधोमुख वीरासन, अधोमुख स्वस्तिकासन, जानुशीर्षासन और पश्चिमोत्तानासन करके फिर से पवनमुक्तासन किया जाए। यही क्रम दो या तीन बार दोहराया जा सकता है। सिर दर्द कम होने पर अथवा सिर शांत होने पर यथासंभव उसके बाद कुछ न करते हुए शवासन करके अभ्यास को समाप्त करें।

सिर दर्द की तकलीफ को कम करने के लिए उसके निवारण के रूप में और तनाव आने के पहले सतर्कता के रूप में उपर्युक्त पवनमुक्तासन, उत्तानासन और अर्धहलासन आदि आसन बहुत उपयुक्त व लाभदायक होते हैं।

उपाश्रयी उत्तानासन

उत्तानासन में थोड़ा परिवर्तन करके इस आसन का प्रकार बना है।

पूर्व तैयारी—दीवार से एक से सवा फीट के अंतर पर एक तिपाई, कुरसी अथवा उसी ऊँचाई की कोई भी वस्तु रखें। उसपर मसनद अथवा कंबल की तह रखें। आगे झुकने पर सिर का मध्य माथा उसपर टिकाना है, इसलिए हर एक को कितने मसनद अथवा कंबल जरूरी होंगे, यह निश्चित करना पड़ता है। (चित्र ब)

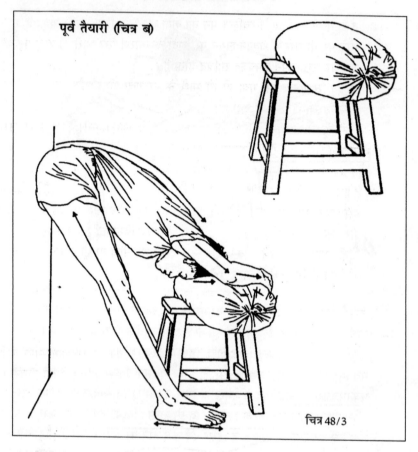

पूर्व तैयारी (चित्र ब)

चित्र 48/3

क्रिया

1. दीवार की तरफ पीठ करके खड़े रहें। कदम दीवार से एक-सवा फीट आगे रखें और कदमों में भी एक से डेढ़ फीट का फासला रखें।

2. दीवार पर हथेली रखकर उसका आधार लेते हुए पार्श्व भाग दीवार से सटा हुआ रखें।

3. साँस छोड़ें और आगे झुकें। ऊर्ध्वशीर्ष का भाग सामने रखे स्टूल की मसनद पर रखें। दोनों हाथ कुहनी में मोड़कर उन्हें भी मसनद पर टिकाएँ। उपाश्रय स्थिति में सुप्त वर्ग के जो आसन हमने पहले देखे हैं, उनके समान ही क्रियावाला यह उपाश्रय स्थिति का उत्तानासन है। इसमें पैर आगे, पार्श्व भाग दीवार से टिका और सिर भी टिका हुआ रहेगा। (चित्र 3)

अभ्यास द्वारा दिमाग के तनाव को हटाने के लिए, सिर गरम होने पर उसे

ठंडा करने के लिए, विचलित मन को शांत करने के लिए, शरीर थका हुआ न होने पर भी सिर में थकान लगने पर, सर्दी के कारण सिर भारी हो जाने पर यह उपाश्रय उत्तानासन उपयुक्त साबित होता है।

4. गरदन पर तनाव आ गया हो तो माथे के अलावा भाल और भौंहों का भाग टिकाया जाए। धड़ के भाग को सिकुड़ने न देकर लंबा करें। धड़ के लंबा तन जाने के साथ आवश्यकतानुसार स्टूल को आगे लाएँ। शरीर तनते समय उसे रोकना चेता-तंतुओं पर अकारण तनाव लाना है।

आरंभ में 1–2 मिनट रुकें और आगे चलकर समय सीमा यथासंभव बढ़ाएँ।

5. आसन छोड़ते समय साँस छोड़ते हुए सिर को शांत रखकर धड़ के हिस्से को न सिकोड़ते हुए ऊपर उठाएँ। आँखें बंद रखकर धड़ को दीवार पर लुढ़का रहने दें। पैर जैसे हैं, उसी स्थिति में रखें। सिर का पिछला हिस्सा दीवार से सटाकर रखें। मुँदी आँखों से ऊपर सिर की दिशा में न देखते हुए नीचे देखें; क्योंकि नजर ऊपर ले जाने से सिर दर्द बढ़ेगा।

अर्धहलासन

क्रिया

1. अगर सिर दर्द हो तो अर्धहलासन में दोनों जंघाओं का अगला भाग सामने रखे स्टूल पर पूर्णत: टिकाना महत्त्वपूर्ण होता है। यह आसन यदि पैरों की उँगलियाँ

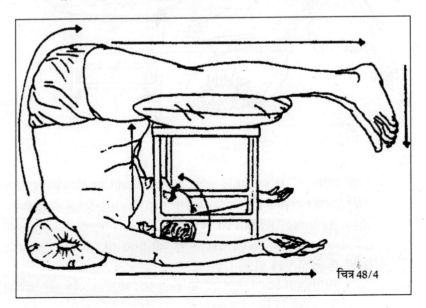

चित्र 48/4

टेककर किया जाए तो रीढ़ पर तनाव आ जाएगा और क्रियाशील बने हुए शरीर के कारण सिर पर भार आएगा। खासकर सिर दर्द के रहते इसका अहसास विशेष रूप से होता है।

2. कंधे का भाग जरा सा ऊपर और सिर का पिछला भाग नीचे रखें। इस प्रकार रखकर गरदन का भाग तना हुआ रखना इस आसन में आवश्यक है।

अपना शरीर जमीन से उठाना अगर संभव है तो शरीर को उठाकर बेशक अर्धहलासन में जा सकते हैं। (चित्र 4) परंतु जिनके लिए यह संभव नहीं है, वे आगे के अनुसार क्रिया करें।

पूर्व तैयारी—चित्र 'क' में दिखाए गए अनुसार कुरसी, मसनद, स्टूल और फिर दूसरी कुरसी—इस प्रकार रचना करें।

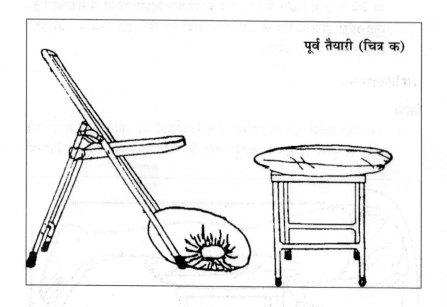

पूर्व तैयारी (चित्र क)

क्रिया

1. कुरसी का सहारा लेते हुए अर्थात् कुरसी पर पीठ की ओर मुखातिब होकर बैठें (चित्र 5) और साँस छोड़ते हुए पीठ की तरफ इस प्रकार झुकें कि उससे कंधे और गरदन मसनद पर टिकेंगे। (चित्र 6)

2. बाद में घुटने में पैर मोड़कर (चित्र 7) सिर की दिशा की ओर रखे स्टूल पर जंघाएँ टिकाएँ। (चित्र 8)

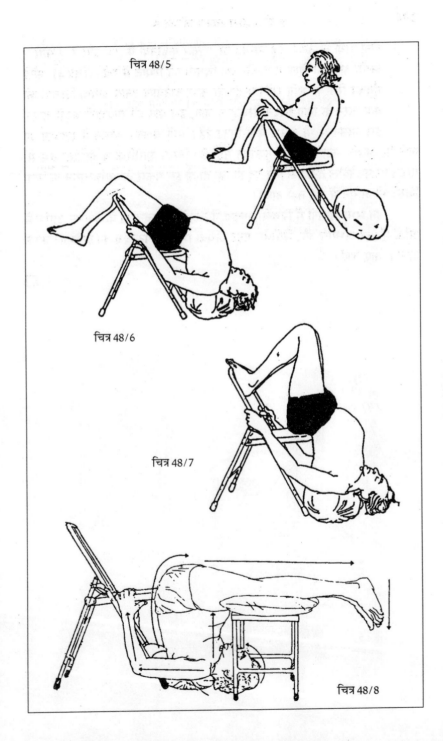

चित्र 48/5

चित्र 48/6

चित्र 48/7

चित्र 48/8

3. दोनों हाथों के ऊर्ध्व बाहु मसनद पर रखकर कुहनियाँ फैलाएँ और हाथ सीधे न करके बाजू की दिशा में हलके तथा विश्राम की स्थिति में रखें। (चित्र 4) आँखें मूँदकर सिर को शांत रखें। गरदन के ऊपर होनेवाले तनाव अथवा खिंचाव को कम करने के लिए गरदन सिकुड़ न जाए, इस बात की सावधानी बरती जाए।

इस आसन में भी आरंभ में 5 मिनट रहें। आगे चलकर आसन में सहजता आ जाने पर अवधि बढ़ाने में कोई नुकसान नहीं है। निरंतर शारीरिक व बौद्धिक श्रम से, गरदन पर पड़नेवाले तनाव से सिर दर्द हो रहा हो तो इस प्रकार के अर्धहलासन के सिवा किसी भी आसन में चैन नहीं आता।

इन सभी आसनों में पिछले अध्याय में बताई गई सूचनाओं के अनुसार आरंभ में आँखें मूँदकर अभ्यास और शिरोबंध पट्ट अथवा शिरोनेत्र पट्टबंध का इस्तेमाल करके आसन किए जाएँ।

□

49

विपरीत क्रिया

सिर दर्द के रहते, यानी उसका अटैक आने पर आगे झुककर सिर, भाल का हिस्सा ऊँचा रखकर पश्चिमप्रतन के आसन करना श्रेयस्कर होता है; परंतु यदि पेट में मितली हो, उलटी होने की संभावना हो या उलटियाँ हो रही हों तो पेट को ठंडा करना पड़ता है। ऐसे समय पेट का भाग ढीला करके उसे पीठ की हड्डी पर 'सुलाना और फैलाना' महत्त्वपूर्ण होता है। ऐसे समय सुप्त स्थिति के आसन अर्थात् सुप्त वीरासन, सुप्त बद्धकोणासन, सुप्त स्वस्तिकासन महत्त्वपूर्ण होते हैं। इन आसनों में पेट का हिस्सा पीठ की ओर ढीला छोड़ने के लिए सीने के भाग को ऊँचा रखना आवश्यक होता है। सिर दुखता हो या भारी हो गया हो तो सिर का हिस्सा सीने से ऊँचा होना जरूरी होता है। यही कारण है कि सिर दर्द के रहते सिर, सीना, पेट और पैरों की रचना उतरती सीढ़ियों जैसी रखनी पड़ती है। इसमें उदर का भाग श्वास-पटल पर पटका नहीं जाए, इस बात की सावधानी बरतनी पड़ती है। इस स्थिति में आँखें बंद करके शांतिपूर्वक बैठकर धीमी, पर साधारण साँस के साथ, अर्थात् दिमाग को धक्का न लगाते हुए, वहाँ की चेता-कोशिकाओं में सूजन न लाकर साँस लेकर, जरा सा दीर्घ व शांत उच्छ्वास छोड़ते हुए इस आसन में लेटे रहने पर पेट का मिचलना और बेचैनी नियंत्रण में आ सकती है। प्रत्याहार अर्थात् इंद्रियों की बेचैनी दूर करके, उन्हें राहत देकर शांत करना वास्तव में क्या होता है, यह भी इस समय ध्यान में आएगा।

इसी प्रकार की शरीर-रचना शरीर को विपरीत स्थिति में रखकर की जा सकती है। उसे 'विपरीतकरणी' कहते हैं। सिर दर्द के दौरान पैरों को अवकाश में रखना असंभव होता है। सिर दर्द के रहते शरीर को किसी प्रकार का हिलना-डुलना, कार्यकलाप या शरीर का संतुलन सँभालकर आसन करना अथवा खड़े रहना, बैठना, चलना आदि असंभव

होता है; क्योंकि चेता-तंतुओं को धक्का सहन नहीं होता। सिर दर्द में चेता-तंतु स्वस्थ और शांत रहने की अपेक्षा रखते हैं। वे किसी भी कृति में सहयोगी होना नहीं चाहते। ऐसे समय उन्हें कार्यशील रखना अथवा काम के लिए प्रेरित करना गलत होता है। उसके लिए संतुलन बनाए रखकर स्नायुओं को उस स्थिति के लिए कार्यशील बनना पड़ता है। ऐसे आसन टालने पड़ते हैं। ऐसे समय सर्वांगासन, हलासन, विपरीतकरणी आसन जंघाओं, सीने और कमर को सहारा देकर करने पड़ते हैं। इसलिए विपरीतकरणी आसन सहारा लेकर करने पर बन जाता है। सालंब विपरीतकरणी—दीर्घ बीमारी के बाद दुर्बलता आने पर, शरीर में थकान होने पर, मानसिक आघात लगने पर, मन हताश हो जाने पर, साथ ही साँस, अस्थमा, सर्दी-खाँसी आदि श्वसन के विकारों में अत्यंत उपयुक्त साबित होता है।

पैरों पर होनेवाला तनाव दूर करना पीठ की हड्डी के स्नायुओं पर तनाव न आने देना है। किसी भी कार्यकलाप में स्नायुओं का हिलना निश्चित होता है, जिससे उनमें तनाव आता है। ऐसे समय शरीर कैसे शांत रह सकता है, यह प्रश्न सहज है। आसन ही एक ऐसा प्रकार है, जो व्यायाम या कसरत नहीं है और न जड़ स्थिति में स्थिरता मात्र है। आसन में शरीर को इस प्रकार व्यवस्थित किया जाता है कि स्नायु तनकर भी स्नायु-शक्ति अकारण व्यर्थ खर्च नहीं होती। प्राण-शक्ति का संचय करना, उन्हें उचित तरीके से फैलाना और ऊर्जा को बढ़ाना इससे साध्य किया जा सकता है।

सालंब विपरीतकरणी में सीने के पीछे मसनद की रचना कर इस प्रकार सहारा दिया जाता है कि मसनद पीछे की तरफ से सीने में घुस-सा जाता है और सीने के स्नायुओं का विस्तार हो जाता है, स्नायु विसरित हो जाते हैं। सिर कंधे की सीध में रहता है। इससे गरदन, कंधों और सिर पर शरीर का भार जरा भी नहीं पड़ता। जाँघों और पैरों को सहारा देने के कारण उनका भी भार रीढ़ पर न पड़कर शरीर का भार नष्ट होता है। शरीर तीन जगहों पर मोड़कर 'त्रिभंग' स्थिति में रहता है। नदी के प्रवाह को रोककर बाँध बनाया जाता है, उसी प्रकार प्राण-प्रवाह में बाँध बनवाकर उसका संचय उचित स्थान पर अर्थात् सीने और पेट में बढ़ाया जाता है।

सिर-दिमाग यानी चंद्र स्थान नीचे और पेट-नाभि अर्थात् सूर्य स्थान ऊपर—इस विपरीत दशा की स्थिति अर्थात् विपरीत स्थिति होती है। शरीर का राजा दिमाग निरंतर कार्यरत रहता है। शरीर के प्रत्येक कार्य में और उससे भी परे मन व बुद्धि के कार्य में दिमाग नियंत्रक, सहायक और कार्यकारी अंग है। इस आसन में सिर को शांत किया जाता है, स्थिर किया जाता है और पेट को भी शांत किया जाता है। प्राण-प्रवाह और रक्त-प्रवाह का हिलना-डुलना मध्य शरीर अर्थात् धड़ के स्थान पर सीमित मात्रा में नियंत्रित किया जाता है। सिर और पैर के स्थान का प्रवाह नियंत्रित होता है और यही इसका बड़ा लाभ है।

सालंब विपरीत कृति

पूर्व तैयारी—विपरीतकरणी करने के लिए दो मसनद एक-दूसरे पर आड़े रखें। सिर की तरफ कंबल की तह रखें। इससे सिर जमीन पर नहीं जाएगा। अब इन मसनदों पर लेटना है। उसी के साथ घुटने के जितना ऊँचा स्टूल एक तरफ तैयार रखें। (चित्र अ)

क्रिया

1. मसनद के जिस तरफ कंबल रखा है, उस तरफ सिर रखा जाएगा, अत: उस तरफ पीठ करके विपरीत दिशा में मसनद पर बैठे।

2. पैर मोड़कर श्वास छोड़ते हुए इस प्रकार झुकें कि पीठ का भाग आसन दो पर व्यवस्थित रूप से वक्र होगा और कंधे की पाँखें मसनद से सटी रहेंगी। अब दोनों हाथों से मसनद को पकड़ें, जिससे वह नीचे फिसलेगा नहीं। मसनद फिसल जाए तो पीठ को उठाकर दोनों मसनदों को अंदर खींचा जा सकता है। (चित्र 1 बाजू की तरफ से और चित्र 2 सामने से)

3. इस स्थिति में पैर घुटने में मुड़े हुए रहेंगे। पर जाँघें घुटनों तक जमीन से लंब रेखा में होंगी। मसनदों की गठरी पीठ को आधार देगी। सीने का भाग चौड़ा करें।

4. अब जमीन से घुटनों की ऊँचाई तक स्टूल, मेज अथवा कुरसी पर तकिए व मसनद एक-दूसरे पर रचकर रखें। इन्हें स्वयं अपने हाथों से खींचकर आवश्यकतानुसार लिया जा सकता है। लेकिन वैसा न कर सकें तो किसी को उन्हें उठाकर जंघाओं के पीछे रखने के लिए कहा जाए। ऐसी स्थिति में घुटने कमर के जोड़ से एक सीध में जमीन के लंब रूप रहेंगे। स्टूल सरक जाने पर उसे हाथों से खींच लें। पिंडलियों का भाग स्टूल पर रखें। ऊँचा होने पर उसके नीचे मसनद या कंबल ऊँचाई के अनुकूल रखें। (चित्र 3)

5. उसी प्रकार धड़ का भाग भी लंबा होगा और इसके कारण स्टूल के पार्श्व भाग में बहुत अंतर हो तो उसमें कंबल की तह आदि रखें, जिससे शरीर और स्टूल दोनों नहीं हिलेंगे। (चित्र 4)

6. दोनों हाथों को बाजू में फैलाएँ और हलका छोड़ें। कंधों को ऊपर उठने न दें। दोनों कंधों को दोनों तरफ चौड़ा करके पीछे मसनद की ओर अर्थात् पीठ की तरफ मोड़ें। इससे सीना भी उठाया जाएगा। इस स्थिति में सीने का भाग उठाया हुआ और विस्तारित होगा। निचली पसलियाँ लंबी बनेंगी और पेट का हिस्सा रीढ़ की तरफ विश्राम करेगा। (चित्र 5) दोनों पैरों को जरा सा चौड़ा करें और कमर के जोड़ को हलका करें।

7. इस स्थिति में शरीर उचित तरीके से स्थापित करने के बाद आँखें मूँद लें और शांत

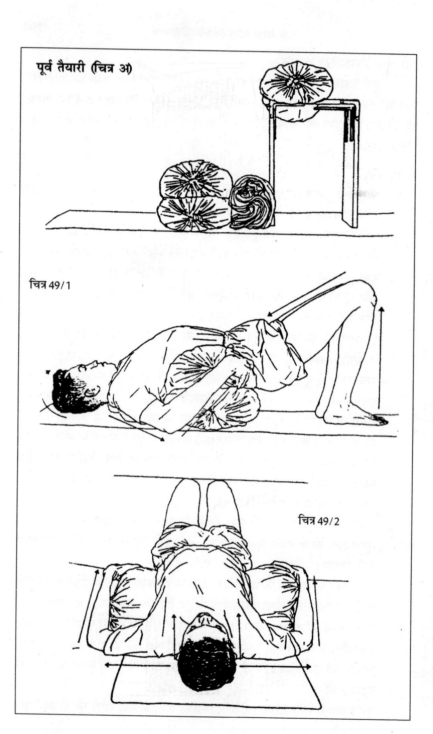

पूर्व तैयारी (चित्र अ)

चित्र 49/1

चित्र 49/2

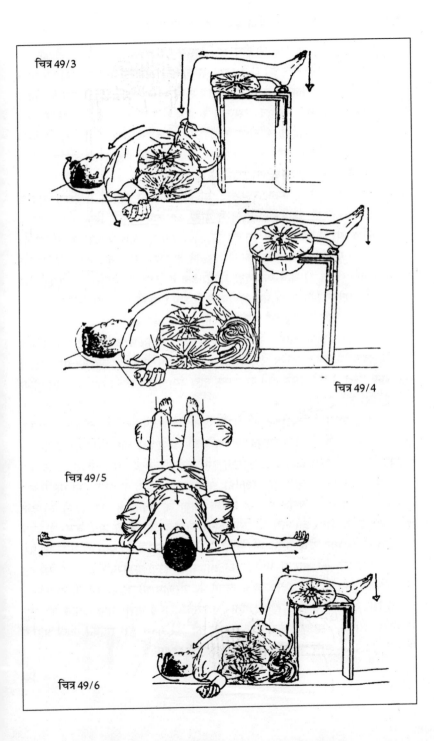

चित्र 49/3

चित्र 49/4

चित्र 49/5

चित्र 49/6

रहें। उच्छ्वास को जरा सा दीर्घ करें, जिससे मचलता हुआ पेट स्थिर हो जाएगा। साँस लेते समय सीने को दोनों तरफ चौड़ा करें। कान का निचला हिस्सा उठने न दें। मुँदी हुई आँखों से ऊपर न देखते हुए सीने की ओर देखें। दिमाग के चेता-प्रवाह को ऊपर न जाने दें, उसे गले के पास रहने दें। ध्यान दें कि गले का भाग सिकोड़ा नहीं जाएगा। भौंहों के बीच के हिस्से को न उठाएँ, उसे अंदर ही स्थिर रखें। इससे दिमाग का भाग, खासकर माथे का भाग हलका हो जाएगा। (चित्र 6) आँखों की पुतलियों को शांत करें।

8. आसन में 5 से 10 मिनट तक ठहरें, बल्कि समय की सीमा में न बँधकर मन के चंचल होने से पहले ही आसन से बाहर आ जाएँ। उसके लिए धीमी गति से आँखें धीरे से खोलें, दोनों पैरों को पेट की ओर लाएँ। हाथ से स्टूल को धीरे से दूर ढकेल दें अथवा सहायक को उसे उठाने के लिए कहें। कदमों को जमीन पर लाएँ। (चित्र 1) कंधे की दिशा में सरकना है, इसलिए पैर उठाएँ। मसनद को पीछे धकेलें और पार्श्व भाग जमीन पर टिकाएँ तथा मोड़े हुए पैर मसनद पर रखें। कुछ देर शांत रहकर दाईं ओर मुड़ें और उठकर बैठ जाएँ।

इस आसन में भी आसन-क्रिया करने के बाद शिरोनेत्र पट्टबंध लगाया जा सकता है। सिर दर्द के कारण यदि सिर जैसे उड़ता-सा लगता हो तो भाल पर वजनवाली तश्तरी रखी जाए। सिर भारी महसूस होने पर उसके नीचे कंबल की पतली सी तह रखकर सिर कंधे से जरा ऊपर रखें।

इस प्रकार की विपरीतकरणी से पैर शांत होते हैं। पेट दर्द, हृदय रोग, अस्थमा, श्वसन रोग में भी यह आसन उपयुक्त है। महिलाएँ अगर इस आसन में पैरों की पालथी बद्धकोणासन के समान डालेंगी तो मासिक धर्म के दौरान संभवनीय अधोदर का दर्द कम होता है। गुदा-स्थान में चीरा पड़ा हुआ हो अथवा बवासीर हो तो उसपर भी यह स्थिति लाभकारी है। दस्त के चलते भी यह आसन किया जा सकता है। ध्यान देने की बात केवल यह है कि शरीर को कंधे की तरफ फिसलने न दें और पार्श्व भाग, कमर के जोड़ एवं जंघाओं का भाग नीचे खोंसी हुई स्थिति में होना आवश्यक है। साथ ही शरीर का पैरों की ओर तथा धड़ की ओर से अधोदर की ओर संगम होना आवश्यक है। धड़ सिर की तरफ सरका हुआ या नीचे ढुलका हुआ लगने पर परिणाम भी उलटा महसूस होता है—अर्थात् सिर और सीना भारी होने लगता है। इसके कारण पार्श्व भाग जमीन की ओर खींची हुई स्थिति जैसा और कंधे पीछे मसनद की ओर खोंसे जैसे रखकर पार्श्व भाग व कंधे के स्थान पर शरीर का बाँध बनाकर रखना आवश्यक है।

□

7

श्वसन-संस्थान

50

श्वसन मार्ग का स्वास्थ्य

जिंदगी की डोर टूट न जाए, इसके लिए मानव को आग, पानी और हवा—इन तीन बातों की न्यूनाधिक आवश्यकता होती है। उसमें भी वह भले आग-जल के बिना कुछ घंटों या कुछ दिन जी सकता है, पर हवा के बिना—अर्थात् प्राणवायु के बिना कुछ मिनट भी जीना असंभव है। साथ ही बाहर की हवा से प्राणवायु पाने के लिए उसे अपना शरीर स्वस्थ रखना महत्त्वपूर्ण होता है। आजकल बाहरी अति दूषित वातावरण को देखकर कम-से-कम अंदर का वातावरण सुधारना अथवा उसकी बरबादी न होने देने के लिए आवश्यक सावधानी रखना जरूरी है।

खाए हुए अन्न का पाचनेंद्रियों के माध्यम से आहार रस के रूप में शोषण किया जाता है। वह रक्त के माध्यम से कोशिकाओं और ऊतकों तक पहुँचाया जाता है। इस आहार-रस का उपयोग शक्ति उत्पन्न करने के लिए और शरीर के तापमान को कायम रखने के लिए किया जाता है। लेकिन यह कार्य होने के लिए आहार-रस का जो ज्वलन जरूरी होता है, उसके लिए शरीर को प्राणवायु की आवश्यकता होती है। बाहर की अग्नि प्रज्वलित होने के लिए जैसे प्राणवायु की आवश्यकता होती है, वैसे ही पेट की अग्नि प्रज्वलित होने के लिए भी प्राणवायु की आवश्यकता होती है। शरीर को रक्त की लाल कोशिकाओं के माध्यम से बाहर से ली गई प्राणवायु की आपूर्ति होती है और शरीर की ऊर्जा बढ़ती है। शरीर को आवश्यक प्राणवायु की आपूर्ति जिस मार्ग से होती है और ज्वलन के बाद अशुद्ध वायु जिस मार्ग से बाहर फेंकी जाती है, वह मार्ग है श्वसन मार्ग। यह काम करनेवाले अंगों का समूह ही श्वसन-संस्थान है।

श्वसन-संस्थान का मुख्य भाग है—वक्ष। सीने के माध्यम से होनेवाली श्वसन-क्रिया व श्वसन-संस्थान के अंग और वायु के मार्ग देखेंगे-जानेंगे। नाक है इनका महाद्वार और नथने, गला, कंठ, श्वास-नलिका, दो श्वास नलिकाएँ, दो फेफड़े, फेफड़ों में होनेवाली

कई सूक्ष्म नलिकाएँ तथा वायुकोश—इस प्रकार इस महाप्राण का महामार्ग होता है। किसी किले का या राजप्रासाद का कोट अथवा तट जिस प्रकार बनवाया जाता है, वैसा ही कोट फेफड़ों के लिए अंतरवर्ती पसलियाँ, उनके अंदर के स्नायु व रीढ़ श्वास-पटल द्वारा बँधे हुए होते हैं। इसके कारण ये आंतरिक इंद्रियाँ मजबूत कवच में सुरक्षित रहती हैं। श्वसन-संस्थान को बाह्य आवरण और उसके भीतर कार्यान्वित संस्था—दोनों को सँभालना पड़ताझ है।

पीठ में सीने के कुल 12 मनकों के दोनों तरफ 12 पसलियाँ होती हैं। इनमें से ऊपर की 7 पसलियाँ आगे की तरफ की सीने की मध्यवर्ती हड्डी अर्थात् उरोस्थि के साथ जुड़ी हुई होती हैं। शेष निचली 4 पसलियाँ ऊपर की पसलियों से जुड़ी हुई होती हैं और सबसे निम्नतम पसलियाँ मुक्त स्थिति में रहती हैं। साथ ही इन सब पसलियों में दो पसलियों के बीच की जगह दोहरी अर्थात् अंदर और बाहर से स्नायुओं से जुड़ी होती है। इन स्नायुओं के सिकुड़ने-फैलने के कारण पसलियाँ भी हिल सकती हैं। इससे सीने के अवकाश की जगह घट-बढ़ सकती है। सीने के नीचे की ओर स्नायुओं से बना हुआ श्वास-पटल (स्नायुओं) का परदा फैला हुआ होता है। यह परदा केंद्र-भाग में गहरा होता है। यह सीना और उदर इन दो अवकाशों को अलग करनेवाला परदा है। सीने की गतिविधियाँ श्वास-पटल की गतिविधियों पर निर्भर करती हैं। साँस लेते समय यह परदा नीचे चला जाता है और सीने का अवकाश बढ़ जाता है। साँस छोड़ते समय परदा ऊपर आता है और सीने का हिलना-डुलना श्वास-पटल के क्रियाकलापों पर आधारित होता है। साँस लेते समय परदा नीचे जाकर सीने का रिक्त स्थान विस्तारित हो जाता है और साँस छोड़ते समय परदा ऊपर होकर सीने का पिंजड़ा नीचे आ जाता है, और फिर स्थान सँकरा हो जाता है। इस प्रकार उसके कार्य का वर्णन किया जा सकता है। अवकाश विस्तारित हो जाने पर नाक, गला, कंठ, श्वास-नलिका के द्वारा बाहर की हवा फेफड़ों में घुसती है और अवकाश सिकुड़ जाने पर अंदर की हवा दबाव के कारण बाहर जाती है। इस प्रकार श्वासोच्छ्वास चलता रहता है।

श्वास-नलिका की लंबाई लगभग 10 सेंटीमीटर और चौड़ाई 2.5 सेंटीमीटर होती है। उसके अंदर वृत्ताकार कुर्चों के टुकड़े कोशिका-जालों से बाँधे होते हैं, जिसके कारण वे दृढ़ बनती हैं और श्वासोच्छ्वास के लिए खुली रहती हैं। उसकी दो शाखाएँ दोनों फेफड़ों के अंदर जाती हैं। आगे उनमें से फिर 20-25 शाखाएँ निकलती हैं, जो वायु-नलिकाएँ कहलाती हैं। ये वायु-नलिकाएँ वायुकोशों के साथ जुड़ी होती हैं। वायुकोश बहुत पतले आवरण से बने हुए होते हैं, क्योंकि उसी परदे में से वायु का लेन-देन होता है। अंगूर के गुच्छे के समान दिखनेवाले 30 करोड़ वायुकोश हमारे फेफड़ों में होते हैं। भोजन की थैली की अपेक्षा यह वायु की थैली जरा सी बड़ी होती है। फेफड़ों के फैलने पर उसका विस्तार टेनिस कोर्ट जितना होगा। प्रत्येक साँस के साथ 500 मिलीमीटर हवा अंदर ली जाती है और बाहर फेंकी जाती है। यानी फेफड़े हर रोज 10 हजार लीटर हवा अंदर लेते और बाहर छोड़ते हैं। इतना प्रचंड कार्य इनके द्वारा होता रहता है। स्वस्थ व्यक्ति हर मिनट में 14 से

18 बार साँस लेते और छोड़ते हैं।

श्वासोच्छ्वास की यह क्रिया स्वेच्छा और अनिच्छावर्ती स्नायुओं द्वारा होती है। इस क्रिया और गति को नियंत्रित रखने में दिमाग सक्रियतापूर्वक सहभागी होता है। दिमाग और फेफड़े दोनों इंद्रियाँ परस्पर इस क्रिया का संयोजन करते रहते हैं। यथावश्यक कार्य धीमा करना या तीव्र करना—ये दोनों क्रियाएँ अपने आप होती रहती हैं। मन के शांत होने पर, भावना बदलने पर अथवा भावावेग बढ़ने पर श्वसन में भी बदलाव हो जाता है, तो वह इसी के कारण होता है।

श्वसन संस्थान की कार्यक्षमता बढ़ाना, श्वसन-मार्ग में कहीं भी रुकावट या बाधा उत्पन्न न होने देना, श्वास-पटल का हिलना-डुलना, खुला रहने देना, उदर और सीने के स्नायुओं की शक्ति बढ़ाना, पसलियों के स्नायुओं की सिकुड़ने-फैलने की क्रिया की क्षमता बढ़ाना, रीढ़ का आकार उचित रखना, फेफड़ों का लचीलापन कमजोर न होने देना, उनके संकोच और विस्तार का सामर्थ्य बढ़ाना—ये सभी बातें स्वास्थ्य के लिए हितकर होती हैं। इसलिए श्वसन-संस्थान के स्वास्थ्य के लिए आसन, प्राणायाम आदि करना उचित है। लेकिन प्राणायाम के पहले आसनाभ्यास से शरीर की रचना सुधारना, श्वसन इंद्रियों को तंदुरुस्त रखना, फेफड़ों का लचीलापन और उनकी कार्यक्षमता बढ़ाना महत्त्वपूर्ण होता है।

उत्तिष्ठ स्थिति के आसनों में फेफड़ों को आधार देनेवाली पीठ—अर्थात् सीने के अवकाश की रीढ़ की रचना व्यवस्थित की जाती है। पसलियों के अंदर और बाहर के स्नायुओं का लचीलापन बढ़ाकर वायुकोशों की भी प्राणवायु लेने की मात्रा बढ़ाई जाती है। पश्चिमप्रतन के आसन में शरीर आगे अथवा बाजू की तरफ झुकते समय, मालासन जैसे आसन में पसलियों व बाजुओं के स्नायु फैलते हैं। फेफड़ों का अगला हिस्सा झुकता है और पिछला तन जाता है। उस दबनेवाली स्थिति में छोटी जगह में भी फेफड़े का हिस्सा श्वसन कर सकता है। इसके विपरीत, यदि पीछे झुककर पूर्वप्रतन के आसन किए जाएँ तो फेफड़े का अगला हिस्सा तन जाता है। श्वास-पटल खुला होकर फेफड़ों के फैलने और फूलने को अधिकाधिक जगह प्राप्त होती है। वीरासन, बद्धकोणासन आदि बैठे आसनों में रीढ़ को उठाते समय सीने का पिंजरा उठाया जाता है और उसमें एक अनोखी ताकत उत्पन्न होती है। भरद्वाज आदि आसनों में शरीर बाजू की तरफ मोड़ने पर पहले सीने के पीछे की हड्डी में खुलापन आता है। धड़ मोड़ते समय फेफड़ों पर एक तरफ दबाव के कारण ऐंठन आ जाती है तो दूसरी तरफ उन्हें खुले होने में जगह मिलती है। सर्वांगासन, हलासन आदि आसनों में नाक के अंदर का अवकाश, बाजू की तरफ होनेवाली हड्डियों का अवकाश, सायनस खुले होने और गले के भाग पर दबाव पड़कर उनके खुलने में सहायता मिलती है। सिर, नाक और सीने को पर्याप्त रक्तापूर्ति और अशुद्ध रक्त के वापस जाने में सहायता इसके महत्त्वपूर्ण भाग हैं। फेफड़ों की जीवनी शक्ति बढ़ाकर उन्हें संजीवन देने का कार्य इन विपरीत स्थिति के आसनों से संभव होता है। ☐

51

श्वसन-संस्थान का स्वास्थ्य

शरीर की प्रत्येक कोशिका का जीवन जिस प्राणवायु पर निर्भर है, उस प्राणवायु का मार्ग खुला और मुक्त रखना, उसमें रुकावट या बाधा न आने देना आदि सावधानी बरतना आज के युग में सबके लिए आवश्यक है। धूल, धुआँ, पराग कण, जीव-जंतु, रासायनिक द्रव्यों का ईंधन के कारण वातावरण दूषित होता ही है, साथ ही ठंड या शुष्क सूखी हवा, हवा में नमी, धुंध, ठंडक, भाप जैसी अनेक बातें बाहरी वातावरण को दूषित कर सकती हैं। ऐसा दूषित वातावरण हमारे शरीर के लिए असह्य होकर रोग-निर्माण कर सकता है। ऐसे समय में अस्थमा, खाँसी, जुकाम, ब्रोंकाइटिस, न्यूमोनिया, ब्रोंकियल अस्थमा जैसे गले की तथा श्वास-नलिका, फेफड़ों अथवा वायुकोशों की बीमारियाँ किसी को भी हो सकती हैं। दुनिया की कुल जनसंख्या 5 से 10 प्रतिशत लोग अस्थमा से पीड़ित होते हैं और वह उग्रता के किसी भी पड़ाव पर हो सकता है।

घर और आस-पास का कूड़ा-कचरा जैसे हर रोज साफ करना पड़ता है तथा अपने घर की जगह साफ रखनी पड़ती है और वहाँ का वातावरण दूषित न हो, इसकी ओर ध्यान देना पड़ता है, ठीक उसी प्रकार शरीर को अंदर से भी साफ रखना पड़ता है। यह सफाई नाक, आँखों और गले से लेकर आँतों तक पूरे शरीर के लिए जरूरी होती है। पेट साफ रहे और मलावरोध न हो, इस बात की खास सावधानी रखनी पड़ती है।

नाक, आँखों और खोपड़ी की हड्डियों के आस-पास जो खोखली और छिद्रोंवाली जगह होती है, वह 'सायनस' कहलाती है। ये सायनस नाक में खुलती हैं। सायनस के आवरण पर सूजन आने पर वहाँ से पतला व चिकना द्रव निकलने लगता है और गले में जाने पर यह खाँसी पैदा करता है। सर्दी में द्रव नाक से बहता है, गले में जाने पर खाँसी

होती है। दरअसल, खाँसी का मतलब सीने से बाहर फेंका जानेवाला उच्छ्वास है, जिससे जीव, धूल कण, दूषित द्रव आदि सब बाहर फेंका जाता है। छींक और खाँसी एक तरह से श्वसन-संस्थान को सँभालते हैं, लेकिन उसके बढ़ते जाने पर वे श्वसन-संस्थान के लिए घातक सिद्ध होते हैं।

गले में दोनों तरफ टॉन्सिल्स होते हैं। सर्दी-खाँसी के कारण छोटे बच्चों के टॉन्सिल्स पर सूजन आती है और खाँसी आती है। वयस्कों को भी टॉन्सिल्स की तकलीफ हो सकती है। गले के उपजिह्वा पर सूजन आने पर वह नीचे लटकती है और गले के निचले भाग से घर्षण करती है। इससे गले में खराश पैदा होती है और खाँसी आती है। नाक का मांस बढ़ने से अर्थात् पॉलिप के कारण भी सर्दी और खाँसी होती है। कान का मैल सूखने पर कंकड़ जैसा बन जाता है। कान के परदे का दाह होता है, खाँसी आती है। संभवत: सर्दी के मौसम में लगनेवाली इन बीमारियों पर शीर्षासन, सर्वांगासन, हलासन निश्चित ही प्रभावकारी सिद्ध होते हैं; बल्कि इसीलिए इन आसनों का अभ्यास प्रतिदिन करना आवश्यक होता है।

सर्वांगासन और हलासन को पूरी तरह आत्मसात् किए बिना शीर्षासन की तरफ नहीं मुड़ना है। इसके संबंध में बताया गया नियम यहाँ भी लागू होता है। इसलिए यद्यपि सर्दी-खाँसी के लिए शीर्षासन प्रभावकारी हो, फिर भी पहले हलासन, सर्वांगासन क्रमश: करना सीख जाने पर ही शीर्षासन करना चाहिए।

गले, नाक और कान के जिन विकारों का जिक्र ऊपर किया गया है, उनपर निरालंब सर्वांगासन उत्तम है। निरालंब का प्रकार सालंब से निम्नानुसार सीखना है—

निरालंब सर्वांगासन

यह आसन तिपाई अथवा कुरसी का सहारा लेकर आत्मसात् करने पर उसके आधार को हटाकर एक प्रकार से स्वतंत्र रूप से किया जानेवाला आसन है।

क्रिया

1. दीवार से 6 से 8 इंच दूर कंबल की मोटी सी तह अथवा मसनद रखें। पीठ के बल इस प्रकार लेट जाएँ कि सिर का हिस्सा दीवार की तरफ और पैर विपरीत दिशा में रहें।
2. साँस छोड़कर पैर ऊपर उठाएँ और पैर की उँगलियाँ दीवार पर दबाकर रखें।
3. रीढ़ की हड्डी को ऊपर उठाएँ और आगे दीवार की ओर ले जाएँ। दोनों हथेलियाँ पीठ पर हमेशा जैसी ही रखें अथवा कुहनियाँ मोड़कर सिर की तरफ रखें (चित्र 1)। यह स्थिति सर्दी-जुकाम में, सायनस बंद होनें पर उपयोगी व लाभकारी साबित होती है। इस स्थिति में गले और गाल का भाग पंक्चर किए

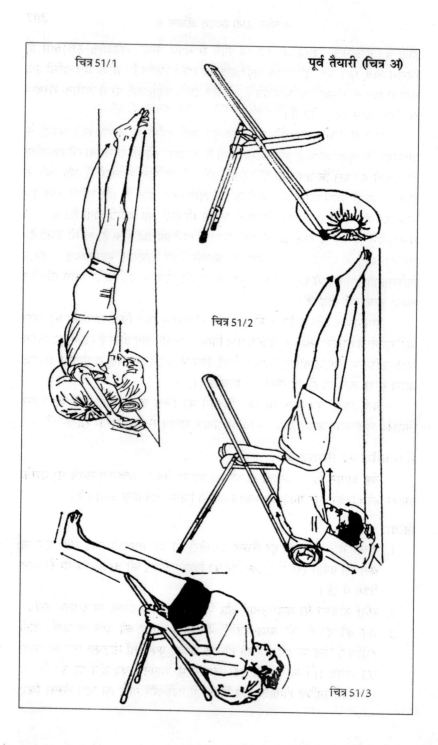

पूर्व तैयारी (चित्र अ)

चित्र 51/1

चित्र 51/2

चित्र 51/3

जैसा—अर्थात् कुछ गहरा-सा हो जाता है और नथने खुल जाते हैं।

जमीन से पैर उठा न सकने पर कुरसी पर विपरीत स्थिति में बैठकर सर्वांगासन करने की जो क्रिया हमने 48वें अध्याय (तनाव-दबाव का प्रतिबंध) में जानी थी, उसी तरीके से आसन करके पैर की उँगलियाँ दीवार पर दबाए रखी जाएँ। (चित्र 2, 3) रीढ़ की हड्डी के उठने पर साँस को रोका नहीं जाता। पीठ की तरफ कुरसी होने पर यथासंभव अवधि तक निरालंब स्थिति में रहकर फिर सालंब स्थिति में आएँ—अर्थात् पैरों को पीछे कुरसी की पीठ पर सीधे रखें। इस प्रकार अदल-बदल कर यह आसन करने पर अधिक समय तक किया जा सकता है। आसन-काल जितना बढ़ाएँ उतना सीने, गले व नाक के लिए लाभदायक होता है। इसी कारण यह आसन 5 से 20 मिनट तक करने में कोई नुकसान नहीं है।

लेकिन अस्थमा के रहते पैरों को पीछे कुरसी पर रखना आवश्यक है। (चित्र 3) इससे कफ से भरा हुआ सीना खुल जाता है।

4. सर्वांगासन से नीचे उतरते समय साँस को छोड़कर पैरों को घुटनों में मोड़ें और धीरे-धीरे नीचे आएँ। यदि कुरसी हो तो पैर कुरसी की पीठ पर रखें और कुरसी को पीछे धकेलते हुए धीरे-धीरे नीचे आएँ।

श्वसन-क्रिया ठीक होने के लिए सीने के आकार का ठीक होना आवश्यक है। सालंब सर्वांगासन, सेतुबंध सर्वांगासन, विपरीतकरणी आदि आसन करते समय नजर के क्षेत्र में आनेवाले सीने का बारीकी से निरीक्षण करने पर ध्यान में आता है कि उसमें कोई दोष है। एक तरफ सीना चौड़ा तो दूसरी तरफ सँकरा हो सकता है। सीने का एक किनारा सहजता से उठाया जा सकता है, जबकि दूसरा उठाया नहीं जा सकता। सीने के बीच की हड्डी या तो बहुत आगे या बहुत अंदर रहती है। रीढ़ की हड्डी सीधी हो तो सीना समतल दिखता है। 'ॲकिलोसिस' के कारण सीने का आकार पूर्णतः बदलता है। कभी पसलियों के बीच के अंतर में भी फर्क महसूस होता है। साथ ही आसन करते समय सीने की एक बाजू फूली हुई दिखती है, जबकि दूसरी बाजू खोखली लगती है। अनुभव के बाद इसका अहसास होने लगता है। इन बातों का अहसास होने के बाद ऊपर बताए सभी आसनों में सीना पीठ की ओर से उठाना, प्रसारित करना, तैरती पसलियों की जगह चौड़ी करके फैलाना, फेफड़ों या फेफड़ों का जो हिस्सा खोखला लगता है या उसका कार्य धीमा पड़ा हुआ-सा लगता है, वहाँ साँस का स्पर्श होने देना आदि सब किया जाता है। इसलिए श्वसन-मार्ग, फेफड़ों आदि को इन आसनों से खुला किया जा सकता है।

श्वास-नलिका का मार्ग खुला और साफ करना एक आवश्यक बात है। ब्रोंकाइटिस की बीमारी में श्वसन-मार्ग में अर्थात् श्वास-नलिका में जीवाणु प्रवेश होने पर जीवाणुओं

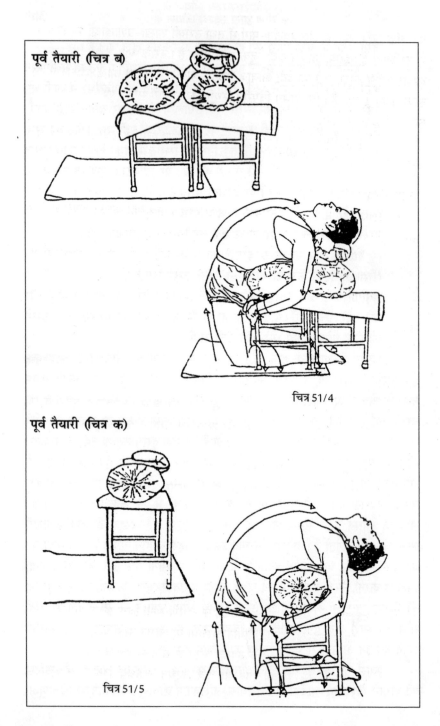

पूर्व तैयारी (चित्र ब)

चित्र 51/4

पूर्व तैयारी (चित्र क)

चित्र 51/5

की वृद्धि होती जाती है और श्वसन-मार्ग में तथा उसकी शाखा-प्रशाखाओं पर अंदर से सूजन आती है। इसका आरंभ सर्दी-जुकाम से होता है। उसके बाद शरीर दर्द, थकान, बुखार, छींकें आना, गले का दर्द, आवाज बैठना, आवाज न फूटना आदि शिकायतों की लंबी कतार लगती है। ऐसे समय विपरीत स्थिति के आसनों सहित पूर्वप्रतन के आसन करना भी आवश्यक होता है।

पूर्वप्रतन में हमने पहले सालंब पूर्वोत्तानासन, द्विपाद विपरीत ताड़ासन भी देखे हैं। उसी तरह अब हम 'उष्ट्रासन' के बारे में जानेंगे।

उष्ट्रासन

यह आधार सहित किया जानेवाला उष्ट्रासन है। अब यही आसन आधार सहित अर्थात् सीने को उचित तरीके से फैलाकर करना है।

पूर्व तैयारी—दो स्टूल एक-दूसरे के पास रखें। दो स्टूल न हों तो कुरसियाँ या सिर की तरफ आधार के लिए उचित आधार वाली खाट अथवा बेड का इस्तेमाल करें। स्टूल पर मसनद या कंबल की तहों की वृत्ताकार रचना करें। (चित्र ब)

क्रिया

1. दोनों पैर स्टूल के अंदर लें। घुटने और कदम में अंतर रखें।
2. साँस छोड़ते हुए पीछे झुकें सीने के किनारे फैलाएँ और सीने के पीछे पड़ने वाले रीढ़ के हिस्से को उठाएँ।
3. गरदन को यथावश्यक आधार दें, जिससे कि गले व सिर पर तनाव नहीं आएगा। दोनों हाथों से स्टूल के किनारों को पकड़ें और बगल का हिस्सा छत की ओर उठाएँ। (चित्र 4)
4. इस स्थिति में 15 से 20 सेकंड साधारण साँस लेते हुए रुकें।
5. अब साँस छोड़ें। हथेली सीने पर लाएँ। सिर ऊपर उठाएँ। पीठ की तरफ से शरीर को उठाएँ और रीढ़ को सीधी रखें। स्टूल से आगे बढ़ें और पैरों को खुला करें। आरंभ में यह आसन 2 से 3 बार करें। बाद में आसन में रुकने की अवधि 1 मिनट तक बढ़ाएँ।

चित्र 5 में सिर को आधार नहीं दिया गया। इसके कारण सीने का ऊपरी हिस्सा सँकरा लगता है। दमा या ब्रोंकाइटिस के चलते श्वासोच्छ्वास खुला नहीं होता। फेफड़ों पर तनाव आ जाता है। चित्र 4 में आधार देने के कारण सीना बिना प्रयास से चौड़ा होता है और सीने का क्षोभन नहीं होता। लेकिन अस्थमा या श्वसन-मार्ग के दाह (जलन) का अटैक न हो, तब चित्र 5 के अनुसार आसन करने से सीने में बल बढ़ जाता है।

अस्थमा का तेज झटका होने पर पूर्व कथित उपाश्रय स्थिति के वीरासन,

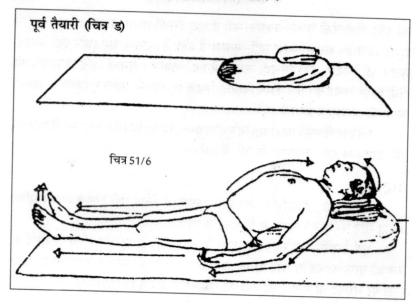

पूर्व तैयारी (चित्र ड)

चित्र 51/6

स्वस्तिकासन, बद्धकोणासन आदि उपयुक्त होते हैं। आगे चलकर ये ही आसन उपाश्रय स्थिति की अपेक्षा सामान्य स्थिति में अधिक उपयुक्त होते हैं। झटका कम होने लगे तो सुप्त स्थिति में ये आसन करना बेहतर होगा। इससे शरीर की हालत सुधारने और खासकर फेफड़ों में ताकत आने में सहायता मिलती है। सेतुबंध सर्वांगासन भी इसी तरीके से यानी पहले चार मसनदों का बेंचनुमा गट्ठर बनाकर, बाद में दो मसनदों को परस्पर छेदती स्थिति में रखकर, उसके बाद बेंच पर किया जाए। इसके पहले आसन-क्रिया से आरंभ करके फिर बेंच पर आसन करने से श्वसनेंद्रियों में सुधार आया है या नहीं, इसका भी अंदाजा लगाया जाता है।

जिनको श्वसन की शिकायत है, ऐसे लोगों को हर रोज नियमित रूप से सालंब शीर्षासन, द्विपाद विपरीत दंडासन, सालंब सर्वांगासन, सेतुबंध सर्वांगासन, विपरीतकरणी और शवासन—नियमित रूप से, यथासंभव सुबह-शाम दोनों समय करना बेहतर है। अर्धहलासन सायनस और सर्दी-जुकाम में बहुत उपयुक्त व लाभकारी है। इस आसन से सिर का भारीपन भी कम होता है। शवासन में सीने के पीछे मसनद रखकर उसे ऊँचा रखा जाए (चित्र ड), जिससे श्वसन खुले तरीके से हो सकता है। (चित्र 6)

श्वसन की क्रिया 'उपाश्रय आसन' अध्याय में दी गई है, उसे अपनाया जाए। पिछले अध्याय में श्वसन-संस्थान के लिए उपयुक्त सभी आसनों की उपयोगिता के बारे में विचार किया गया। इस आलेख में हमने श्वसन-संस्थान की कुछ शिकायतों और

विकारों पर कौन से आसन करने चाहिए, इसके बारे में जाना।

श्वसन-संस्थान का कार्य सुधारने के लिए पहले आसनाभ्यास से उसका आकार सुधारकर, वहाँ का रक्ताभिसरण सुधारकर, कड़े बने हुए फेफड़ों और वायुकोशों को मुलायम बनाकर उनमें बल बढ़ाना चाहिए। उनकी कार्यक्षमता बढ़ने के बाद ही प्राणायाम की ओर मुड़ना उचित होगा। उपर्युक्त सभी आसन-प्रकारों के सहारे इसे साध्य किया जा सकता है। शवासन में सीना उठाया जाने पर वायुकोश खुले होकर फेफड़े दीर्घ श्वसन करने लगते हैं। सामान्यत: श्वसन-क्रिया और प्राणायाम में करीब का रिश्ता देखकर श्वसन-विकार वाला रोगी प्राणायाम के उपचार के बारे में सोचता है; पर श्वसन-क्रिया की बाधाएँ, कमियाँ और श्वसनेंद्रियों की कमजोरी का इलाज किए बिना और खासकर फेफड़ों में मजबूती व लचीलापन लाए बिना प्राणायाम करना भी अनुचित और अशास्त्रीय होता है।

□

समापन

अपने शरीर को जानने की इच्छा यदा-कदा ही होती है। व्यक्ति को अपने स्वयं के मन के पास जाने से भय का अनुभव होता है। अपना मन अपने ही सामने खोलने से वह घबराता है और अपने मन को अपने पास ही छिपाता है।

इस पुस्तक में बताए गए आसन निश्चित रूप से आसान, समझ में आनेवाले और करने लायक हैं। प्रत्येक आसन-प्रकार में कुछ आवश्यक परिवर्तन करके और उसके लिए उचित—सामान्यत: अपने घर में इस्तेमाल किए जानेवाले उपकरण, फर्नीचर व अन्य वस्तुओं आदि का उपयोग कर आपके सामने रखे गए हैं! उनपर गौर करने पर ध्यान में आएगा कि इस साहित्य के इस्तेमाल का क्या उद्देश्य है। आधार लेकर किए गए आसनों में हम दूसरों पर निर्भर नहीं रहते। हम स्वयं क्या कर सकते हैं, यह ध्यान में आता है। साथ ही पुराने विकार जब ठीक होते ही नहीं, तब उन्हें सहने की क्षमता आती है, जिससे मन का हौसला भी बढ़ता है, असह्य लगनेवाली बीमारियाँ सह्य हो जाती हैं। शारीरिक दर्द, भले ही किसी भी कारण से हो, बार-बार बाधाएँ उत्पन्न करता है तो ऐसे दर्द से मन में हौसला बनाए रखने का कौशल भी इस पद्धति से साधा जा सकता है।

अपने शरीर का इस्तेमाल हम कैसे करें—अर्थात् उसे कैसा रखा जाए, कैसे मोड़ें, कैसे तानें, उसके कार्यकलाप कैसे हों, उसे स्थिर कैसे रखा जाए—आदि बातों के विषय में लोग जानते ही नहीं। अर्जुन ने श्रीकृष्ण से पूछा था, 'स्थितप्रज्ञ की परिभाषा क्या है? किस प्रकार बोलता है, बैठता है और कैसे चलता है?' हम-तुम यद्यपि स्थितप्रज्ञ भले न हों, फिर भी यह प्रश्न अपने आपसे पूछ सकते हैं। साधारण मोच या टीस भर जाए, साँस ऊपर आने लगे, कमर अकड़ जाए, घुटनों में दर्द होने लगे, पैर में ऐंठन आए, दस्त के कारण पेट में ऐंठन आने लगे या कब्ज के कारण पेट कड़ा हो जाए तो समझ में नहीं आता कि क्या किया जाए? ये कुछ समस्याएँ ऐसी हैं कि बीमार बनकर लेटा भी नहीं रहा जाता। न चैन आता है और न उत्साहपूर्वक काम किया जा सकता है। इस त्रिशंकु

स्थिति में निश्चित रूप से क्या किया जाए, कैसे उठें, कैसे बैठें, कैसे चलें, जिससे तकलीफ नहीं हो, समस्या बढ़े नहीं—कुछ भी समझ में नहीं आता। कई लोग जमीन पर पालथी मारकर बैठ नहीं सकते, बैठने पर उठा नहीं जाता। आगे झुकना या पीछे झुकना बिलकुल ही सधता नहीं। शायद ही किसी एकाध आदमी का शरीर फौलादी होता है। गरदन दाईं ओर या बाईं ओर घूमती नहीं; पर इसमें सारा दोष उसी का है, ऐसा नहीं है। बचपन में कसरत, खेल आदि सभी प्रकार करने के बावजूद दोष पाया जाता है। इसके पीछे कारण हो सकता है—चयापचय में कमियाँ। इसलिए उपकरणों अथवा साहित्य का आधार लेने का मुख्य कारण यह है कि उस आसन विशेष में हम अपने शरीर की रचना व्यवस्थित कर सकते हैं, गलतियाँ टाल सकते हैं, न कर सकनेवाली बात को कर सकते हैं। जो बातें असंभव लगती हैं, वे संभव होने लगती हैं। दर्द सहने की क्षमता आती है तथा सदोष आसनों के कारण पैदा होनेवाली बीमारियों को टाला जा सकता है।

शारीरिक बीमारियों की संवेदनाओं के अतिरिक्त उनकी अंतर्संवेदना, अहसास, उनका आंतरिक स्पर्श भी शायद एकाध व्यक्ति में ही पाया जाता है। शरीर की ओर से हमारे लिए आवश्यक और निश्चित क्रियाकलाप करने का कौशल हममें है, इससे भी कई लोग अपरिचित होते हैं। ऐसी स्थिति में चीजों या आधारों का उपयोग संवेदना पैदा करने के लिए तो होता ही है, साथ ही उनके कारण मन का डर और दहशत भी कम होने लगती है।

मन से तुलना करने पर पता चलता है कि शरीर जड़ तत्त्व है; फिर भी वह काबू में नहीं रहता और हम उसपर अपनी हुकूमत नहीं चला सकते। ऐसा क्यों है? इसके बारे में हम कभी सोचते भी नहीं। इसके विपरीत शरीर की तुलना में मन सूक्ष्म है। जब शरीर काबू में नहीं रहता, तब मन को काबू में रखने के सपने देखना कहाँ तक संभव है, इसपर भी हम विचार नहीं करते।

महर्षि पतंजलि ने 'स्थिरमुखमासनम्' कहते समय स्थिरता और सुख की जो महत्ता बताई है, वह गौर करने लायक है। शरीर मन को चैन से रहने नहीं देता, यह वास्तविकता है। जो शरीर आसन करना ही नहीं चाहता, उसके लिए आसन में स्थिर और सुख से रहना दूर की बात है। रामकृष्ण परमहंस या रमण महर्षि के समान संत-महंत कैंसर जैसे दुर्धर रोग से पीड़ित होने पर भी उसके उपचार की तो बात ही छोड़िए, ऐसे रोग-जर्जर शरीर से अलिप्त और फिर भी आत्म-निर्भर रह सके। लेकिन सर्वसाधारण के लिए शरीर से अलिप्त रहना, शरीर के साथ संबंध तोड़कर रहना संभव नहीं होता। परावलंबन में कितनी कठिनाइयाँ होती हैं, यह बताने की जरूरत नहीं। स्वस्थ बनाने के लिए इस पुस्तक में जो आसन बताए गए हैं, उन्हें नित्य बिना किसी बाधा के करते रहने

पर अनुभव होगा कि इस प्रकार से स्वयं का उपचार करते रहने पर उदासीनता को दूर रखते हुए भी अलिप्तता को पाया जा सकता है और अलिप्तता क्या है, यह जाना जा सकता है।

इस पुस्तक में आसनों के चयन के निकष कौन से रहे, यह जानना भी उचित होगा। छोटे बच्चों को अपने शरीर की पहचान हाथ, पैर, पेट, सिर—इस पद्धति से उन अंगों की ओर उँगली-निर्देश करके कराई जाती है। उसी प्रकार शरीर व्याधिग्रस्त होने पर सर्वसामान्य लोगों को उसकी सच्ची पहचान होने लगती है। जब तक शरीर को कुछ नहीं होता, तब तक शरीर में व्याप्त तामसिक अहंकार बुद्धि को अपनी ओर देखने या अपने करीब बिलकुल भी आने नहीं देता। पर जब शरीर को तकलीफ होने लगती है, तब शरीर का तामसी अहंकार चाक्षुष बनने लगता है।

शरीर की ओर हम हाथ, गरदन, कंधे, पीठ, पैर, पग, घुटने, जंघाएँ, कमर, पेट, सिर, सीना—इस क्रम से देखते गए तो एक हिस्से का दर्द दूसरे से कैसे संबंधित हो सकता है, यह बात ध्यान में आने लगती है। उस स्थान से संबद्ध बीमारी और उसपर उपाय दोनों समझने का अवसर मिलता है। इस पुस्तक के छायाचित्रों के चयन में भी मैंने यथासंभव बीमार रोगियों के ही उदाहरण दिए हैं। उसमें भी छोटे-बड़े, वयस्क-बूढ़े, स्त्री-पुरुष आदि का समावेश किया गया है।

आसनों का चयन और योजना भी इस प्रकार से की गई है कि वह हर एक के लिए उपयोगी हो और साथ ही अन्य रोग-विरोधी भी न हो। यथावश्यक सूचनाएँ भी दी गई हैं। उदाहरणार्थ—दस्त के चलते आगे झुकने के पश्चिमप्रतन आसन न किए जाएँ। लेकिन दस्त होने के बाद यदि कब्ज हो तो ये आसन उपयुक्त हैं। कौन सा आसन कब किया जाए, वह भी बताया गया है। साथ ही कई आसनों में उनकी उपयोगिता रोग-निवारणार्थ बताते हुए उनमें कौन से परिवर्तन करने होते हैं, यह भी सूचित किया गया है। फिर वयस्क लोगों की कई शिकायतें होती हैं—खासकर मधुमेह, रक्तचाप, हृदय रोग जैसी बीमारियाँ होने पर उनके लिए संभव और उचित, किए जा सकने योग्य, स्वीकार्य, क्या-क्या बताया जा सकता है—इस दृष्टिकोण को सामने रखकर ही आसनों के प्रकार बताए गए हैं। आसनों का क्रम भी बढ़ता रहता है। इसके कारण आरंभ से बताए गए आसनों को ध्यान में रखने पर वही क्रम अंतिम आलेख में अर्थात् सर्वांगासन व हलासन में दिखाई देता है।

इन चुनिंदा आसनों में सभी प्रकार के और सभी श्रेणियों के आसनों का समावेश है—अर्थात् उत्तिष्ठ स्थिति के, बैठकर किए जानेवाले अर्थात् उपविष्ट स्थिति के, बाजू की तरफ मोड़ने के यानी परिवृत्त स्थिति के आसन और उदरांकुचन के, समाश्रयी, उपाश्रयी और सुप्त स्थिति के, पश्चिम और पूर्वप्रतन के एवं विपरीत स्थिति के आसन।

इस तरह से हर प्रकार के आसन दिए गए हैं। हर बीमारी में और शरीर के विशेष भाग पर असरदार साबित होनेवाले शवासन में उचित और उपयुक्त परिवर्तन भी बताए गए हैं।

किसी भी बीमारी पर चुना गया आसन समूह उस बीमारी के विभिन्न स्तरों पर उचित होगा, इसे भी देखना पड़ता है। आरंभ में क्या करना चाहिए, थोड़ा सुधार होने पर क्या किया जाए, बीमारी पलट न जाए, इसलिए क्या किया जाए, शक्ति-वर्धन के लिए क्या किया जाए, विशिष्ट जरूरत के तौर पर क्या करना होगा—इन सभी पर विचार करके उनका प्रत्येक स्तर पर क्रम निश्चित करना पड़ता है। इसका अर्थ यह है कि हर नए स्तर पर क्रम बदलता है। इस उलझन को टालने के लिए चुने हुए आसनों को इस प्रकार प्रस्तुत किया गया है कि उसमें क्रम गलत नहीं हो और न ही क्रम में बदलाव करना पड़े। इससे आसन आत्मसात् करना सहज होगा। आरंभ कहाँ से किया जाए, यही महत्त्वपूर्ण मुद्दा था। पहला 'षड्ज' ही गलत निकले तो अगली गलतियाँ निश्चित ही होंगी। इसलिए आरंभ का महत्त्व कितना होता है, यह भी ध्यान में रखा गया है।

किस आसन में कितनी देर रुकना होगा या कौन से आसन ऐसे हैं, जिनमें अधिक समय तक न रुकते हुए 2 या 3 बार किए जाएँ, श्वासोच्छ्वास पर कब ध्यान दिया जाए, वह कब सामान्य और कब दीर्घ हो, कब श्वास दीर्घ और कब उच्छ्वास दीर्घ हो, इन सब बातों का उल्लेख संबंधित आसन में किया है।

इस पुस्तक में ब्यौरा कम है। ब्यौरा बताने का उद्देश्य मात्र क्रिया संबंधी नहीं होता, बल्कि मन और बुद्धि को अंतर्मुख करके अंतर्संवेदना बढ़ाना और स्वयं को भीतर से समझाना तथा अपनी सेहत का ज्ञान करा लेना होता है। यद्यपि इस पुस्तक में विवरण को सीमित रखा गया है, फिर भी हर चित्र में दिए गए तीर के निशान बहुत कुछ बताते हैं। यानी उस आसन में शरीर को तानने की दिशा, भार, मजबूती, स्थिरता आदि और खासकर प्राण-शक्ति का वहन कैसे, कहाँ और किस दिशा में होना चाहिए, यह भी सहज व सरल तरीके से बताया गया है।

इस पुस्तक में मुख्यत: आसनों के अभ्यास पर बल दिया गया है। सर्वसाधारण आदमी जिस प्रकार शारीरिक बीमारी से जल्दी परिचित होता है, उसी तरह उसका उपाय ढूँढ़ते समय अष्टांगयोग के 'आसन' भाग से जल्दी परिचित हो सकता है। प्राणायाम के प्रकारों के संबंध में या अभ्यास के संबंध में इसमें नहीं बताया गया है, क्योंकि यहाँ उसका वैसा सीधा प्रयोजन नहीं है और 'आसन' पक्ष से परिचित हुए बिना प्राणायाम को अपनाया नहीं जा सकता। इसलिए इस पुस्तक के मूल उद्देश्य को ध्यान में रखते हुए उससे संबद्ध यथानुकूल आवश्यक तथ्यों को ही इसमें बताया गया है।

इस पुस्तक का मूल उद्देश्य यह बताना है कि बीमार रहते, दु:ख-दर्द के रहते,

शरीर और मन की कुछ वैयक्तिक सीमाओं के रहते, मानसिक तैयारी खास अनुकूल न रहने पर क्या किया जाए? अंत:करण की प्रेरणा को कैसे जाग्रत् रखा जाए और अभ्यास का पीछा कैसे किया जाए आदि बातें पाठकों के ध्यान में आएँ। मुझे यह कहने में खुशी हो रही है कि कई लोगों को ज्ञात न होनेवाली नवीन पद्धतियों को अपनाने पर जो बदलाव या परिवर्तन आया, उनके अभ्यास में अधिक सतर्कता आई या कर ही न पाऊँगा, ऐसा सोचकर जो उसकी ओर से विरत हो गए थे अथवा जिन्होंने कुछ आसन करना छोड़ ही दिया था, उन्होंने फिर एक बार नए उत्साह एवं दृढ़ निश्चय से आसन करना शुरू किया और इसके संबंध में समय-समय पर सूचित भी किया। यह मेरे लिए संतोष की बात है।

शब्द और स्थल-सीमा का पालन करके जितना लोगों तक पहुँचाना संभव था, उतना प्रयास मैंने किया। 'योगाभ्यास करना ही है', यह संकल्प एक बार मन में दृढ़ हो जाने पर मार्ग मिलना कठिन नहीं है। इसलिए मार्ग ढूँढ़ने का मार्ग मिलना भी कम महत्त्वपूर्ण नहीं है। चतुर्विध साधकों में से जिन्हें-जिन्हें जो-जो लाभ उठाना संभव होगा, उतना वे उठाएँ, यही इस पुस्तक का मूल उद्देश्य है।

□

परिशिष्ट-1

क्रमांक 1	आसन 2	अर्ध स्थिति 3	मध्य स्थिति 4	पूर्ण स्थिति 5	सहारे के साथ 6
उत्तिष्ठ वर्ग					
1.	सम स्थिति			7/1	12/5, 18/5
2.	ऊर्ध्वहस्तासन-1			7/2,	
	ऊर्ध्वहस्तासन		8/4	8/5	
3.	ऊर्ध्वहस्तासन-2			7/3	10/2
4.	बद्धांगुली मुद्रा			7/4	
5.	ताड़ासन			7/5	
6.	सालंब उत्कटासन			7/6, 8	7/7
	सालंब उत्कटासन				9/1, 10/2
	सालंब उत्कटासन				9/3, 4, 5
7.	ऊर्ध्वनमस्कारासन			7/9	9/2
8.	उत्थित पार्श्वहस्तासन			8/2,	10/1
9.	उत्थित हस्तपादासन			8/3,	34/1
10.	प्रसारितपाद ऊर्ध्वहस्तासन			8/6	
11.	धनुरासन हस्तबंध	10/3	12/1	12/2	
12.	पश्चिम बद्धहस्तासन		11/1	11/2	
13.	गोमुख हस्तमुद्रा	11/3, 4, 5	11/6	11/7, 9	11/9
14.	पश्चिम नैमस्कारासन	12/3	12/4	12/5	
15.	उत्तानासन				16/1 से 4
	उत्तानासन				17/1 से 6
	उत्तानासन				38/1,
	उत्तानासन				48/3
16.	अधोमुख श्वानासन				16/8, 18/6
17.	उत्थित एकपाद				25/1
	आकुंचनासन				37/1
उत्तिष्ठ वर्ग					
18.	उत्थित एकपाद भेकासन		25/3	25/3	
19.	पार्श्वहस्तपादासन				34/2
20.	उत्थित त्रिकोणासन				34/3
21.	वीरभद्रासन				34/4
22.	उत्थित पार्श्वकोणासन				35/4, 5
23.	अर्धचंद्रासन				35/6

* 3, 4, 5 और 6 कॉलम के आँकड़े अध्याय/चित्र के सूचक हैं।

52. अधोमुख वीरासन				44/3, 4
				47/10
53. जानुशीर्षासन				44/5,
				47/11
54. पश्चिमोत्तानासन				44/6, 7, 8
				47/1, 2
अधोमुख वर्ग				
55. चतुरंगासन			12/7 से 11	
56. एकपाद भेकासन			25/4	
57. अधोमुख शवासन				31/3
परिवृत्त वर्ग				
58. भरद्वाजासन		45/1, 2		13/1, 2
				33/7
59. उत्थित मरीच्यासन				13/3
				33/8
60. अर्धमत्स्येंद्रासन	45/3			
61. पाशासन		45/4, 5		
62. परिवृत्त जानुशीर्षासन	45/7			45/9
पूर्वप्रतन वर्ग				
63. मानेची पूर्वप्रतनक्रिया				14/1, 2
(बाक) दोरी				14/3, 4
64. ऊर्ध्वमुख श्वानासन				15/1, 2
ऊर्ध्वमुख श्वानासन				33/9
65. सालंब सेतुबंधासन				15/4
66. सालंब पूर्वोत्तानासन				42/5
67. द्विपाद विपरीत दंडासन				43/4 से 6
68. उष्ट्रासन				51/4, 5
विपरीत वर्ग				
69. सालंब सेतुबंध सर्वांगासन				43/1 से 3
70. अर्धहलासन				48/4, 8
71. सालंब सर्वांगासन				51/3
72. निरालंब सर्वांगासन				51/1, 2
73. विपरीत करणी				49/3 से 6
शिरोनेत्र पट्टबंध				
74. शिरोपट्टबंध			47/1, 2,	
शिरोपट्टबंध			3, 4	
75. नेत्रपट्टबंध			47/5, 6	
76. शिरोनेत्रपट्टबंध			47/7, 8	

□

परिशिष्ट-2

उपाय के तौर पर इस परिशिष्ट में जो आसन बताए गए हैं, वे केवल इसी पुस्तक से लिये गए हैं। इन आसनों के अलावा और भी कुछ आसन किए जा सकते हैं। इसके लिए मेरी 'आरोग्य-योग' और 'योगदीपिका' पुस्तकें देखें।

लेखों में जिन बीमारियों का जिक्र है, उन्हीं के संदर्भ में यह परिशिष्ट बनाया गया है। इसीलिए यहाँ सभी बीमारियों को शामिल नहीं किया गया है। इन बीमारियों में सहायक आसनों को तीन भागों में दिया गया है। हर भाग के आसन छह महीनों तक करने हैं। आगे प्रत्यक्ष मार्गदर्शन लेना बेहतर रहेगा।

उच्च रक्तचाप (High Blood Pressure)

आसन	चरण 1	चरण 2	चरण 3
शिरोनेत्र पट्टबंध		47/1 से 8	
उपाश्रयी शवासन	41/1	—	—
उपाश्रयी स्वस्तिकासन	41/2	—	—
उपाश्रयी वीरासन	41/3	—	—
उपाश्रयी बद्धकोणासन	41/4	—	—
पवनमुक्तासन	48/1 या 2	—	—
अधोमुख स्वस्तिकासन	44/1	47/9	—
अधोमुख वीरासन	44/3	47/10	—
जानुशीर्षासन	44/5	47/11	—
पश्चिमोत्तानासन	44/6, 7	47/12	—
उत्तानासन	38/1	17/5, 48/3	—
प्रसारित पादोत्तानासन	38/2	—	—
सुप्त एकपाद आकुंचनासन	23/3 तीन से चार	—	—
सुप्त पादांगुष्ठासन प्रकार –1	24/4 महीनों बाद	—	—
सालंब सर्वांगासन	—	51/3	—
निरालंब सर्वांगासन	—	—	51/2
अर्धहलासन	—	48/4	—
सेतुबंध सर्वांगासन	43/1	43/2	43/3
विपरीत करणी	—	—	49/4, 6
शवासन	51/6	—	—
निम्न रक्तचाप (एल. बी. पी.)			
उपाश्रयी शवासन	41/1	—	—
उपाश्रयी स्वस्तिकासन	41/2	—	—
उपाश्रयी वीरासन	41/3	—	—

आसन	चरण 1	चरण 2	चरण 3
उपाश्रयी बद्धकोणासन	41/4	—	—
सालंब पूर्वोत्तानासन	42/5	—	—
पवनमुक्तासन	39/1	—	—
उत्तानासन	38/1	16/2 ठुड्डी के बजाय माथा टेकें 17/3 सामने स्टूल रखकर हाथ और माथा उस पर टिकाकर रखें	—
प्रसारित पादोत्तानासन	38/2	—	—
अधोमुख श्वानासन	—	—	16/8
मानेची पूर्वप्रतनक्रिया	—	—	14/1 से 4
द्विपाद विपरीत दंडासन	—	43/4	43/5, 6
उष्ट्रासन	—	—	51/4
सालंब सर्वांगासन	—	41/3	—
अर्धहलासन	—	48/5	43/3
सेतुबंध सर्वांगासन	43/1	43/2	—
विपरीत करणी	—	49/4, 6	—
शवासन	29/1 बोझ न लें		
मधुमेह			
उपाश्रयी शवासन	41/1		
उपाश्रयी/सुप्त स्वस्तिकासन	41/2 या 42/1		
उपाश्रयी/सुप्त वीरासन	41/3 या 42/3		
उपाश्रयी बद्धकोणासन	41/4 या 42/2		
उत्तानासन	17/3 पीछे नहीं, आगे स्टूल रखकर उस पर हाथ और माथा टिकाएँ		
अधोमुख श्वानासन		16/8	
सालंब उत्कटासन	9/1 से 5		
दंडासन	28/6		
वीरासन		27/1 से 7 पैकी जे शक्य असेल ते	
बद्धकोणासन		28/2, 3	
पवनमुक्तासन	39/1		
परिवृत्त पवनमुक्ता	39/2		
अधोमुख स्वस्तिकासन	44/1, 2		

आसन	चरण 1	चरण 2	चरण 3
अधोमुख वीरासन	44/3, 4		
जानुशीर्षासन	44/5		
पश्चिमोत्तानासन	44/6		
मालासन		26/1, 2	
भरद्वाजासन	13/2, 33/7	45/1	
अर्धमत्स्येंद्रासन		45/3	45/4
पाशासन		45/5	45/6
सालंब पूर्वोत्तानासन	42/5		
ऊर्ध्वमुख श्वानासन		15/1, 2	33/9
गरदन की पूर्वप्रतन क्रिया		14/3, 4	
द्विपाद विपरीत दंडासन		43/4	43/5, 6
सालंब सर्वांगासन		51/3	
अर्धहलासन			48/8
सालंब सेतुबंध सर्वांगासन	43/1	43/2	43/3
विपरीत करनी			49/5, 6
शवासन	51/6		
मूत्रपिंड विकार			
पवनमुक्तासन	48/1, 2		
उत्तानासन	48/3	16/2, 17/3, 17/5 पीछे नहीं, आगे स्टूल रखकर उस पर हाथ और माथा टिकाएँ	
अधोमुख श्वानासन	16/8		
भरद्वाजासन	13/2, 33/7	45/1	45/2
उत्थित मरीच्यासन	13/3, 33/9	—	—
अर्धमत्स्येंद्रासन	—	45/3 पश्चिमाधरासे	—
पाशासन	—	45/4	45/5
परिवृत्त जानुशीर्षासन	—	—	45/7, 8, 9
सालंब पूर्वोत्तानासन	42/5	—	—
ऊर्ध्वमुख श्वानासन	—	—	33/9, 15/1, 2
मानेची पूर्वप्रतन क्रिया	—	14/3, 4	—
द्विपाद विपरीत दंडासन	—	43/4	43/5, 6
सेतुबंधासन	—	—	15/4
अधोमुख स्वस्तिकासन	44/1, 2	—	—
अधोमुख वीरासन	44/3, 4	—	—
जानुशीर्षासन	44/5	—	—
पश्चिमोत्तानासन	44/6, 7	44/8	—
मालासन	—	26/1, 2	—

आसन	चरण 1	चरण 2	चरण 3
बद्धकोणासन	28/2, 3	रस्सी के बगैर करें	—
दंडासन	—	28/6	—
उत्तान पवनमुक्तासन	—	—	39/3
सालंब सर्वांगासन	—	51/3	—
निरालंब सर्वांगासन	—	—	51/1, 2
सालंब सेतुबंध सर्वांगासन	43/1	43/2	43/3
विपरीत करणी	—	—	49/4, 6
शवासन	51/6	—	—
अल्सर ड्यूओडिनल			
भरद्वाजासन	13/2, 33/7	—	—
उत्थित मरीच्यासन	13/3, 33/8	—	—
सालंब पूर्वोत्तानासन	42/5	—	—
विपरीत दंडासन	—	43/5	43/6
उष्ट्रासन	—	51/4 व 5	—
परिवृत्त पवनमुक्तासन	39/2	—	—
भरद्वाजासन		45/1	45/2
अर्धमत्स्येंद्रासन	—	45/3 पश्चिमाधारा से	
पाशासन	—	45/5	45/5
उत्तासनासन	38/1	—	—
सालंब सर्वांगासन	—	51/2	—
अर्धहलासन	—	48/8	—
		पैर दोनों तरफ	
		फैलाएँ	
सालंब सेतुबंध सर्वांगासन	43/2	43/3	—
शवासन	51/6	—	—
अल्सर पेप्टिक			
उपाश्रयी शवासन	41/1	—	—
उपाश्रयी स्वस्तिकासन	41/2, 42/1	—	—
सुप्त स्वस्तिकासन	—	—	44/2
उपाश्रयी वीरासन/सुप्त वीरासन	41/3	—	42/3
उपाश्रयी बद्धकोणासन/	41/4	—	42/2
सुप्त बद्धकोणासन	—	—	—
पवनमुक्तासन	39/1	—	—
उत्तानासन	38/1	—	—
प्रसारित पादोत्तानासन	38/2	—	—
अधोमुख स्वस्तिकासन	44/1	—	—

आसन	चरण 1	चरण 2	चरण 3
अधोमुख वीरासन	44/3	—	—
जानुशीर्षासन	44/5	—	—
पश्चिमोत्तानासन	44/7	—	—
परिवृत्त जानुशीर्षासन	—	—	45/9
सालंब पूर्वोत्तानासन	42/5	—	—
द्विपाद विपरीत दंडासन	—	43/4	—
उष्ट्रासन	—	—	51/4, 5
सालंब सर्वांगासन	—	48/7	—
अर्धहलासन	48/8	—	—
सालंब सेतुबंध सर्वांगासन	43/1	—	43/3
दमा			
उपाश्रयी शवासन	41/1	—	
उपाश्रयी स्वस्तिकासन	41/2	समाश्रय	—
उपाश्रयी वीरासन	41/3	27/1 से 5 या 9/3 से 5	—
उपाश्रयी बद्धकोणासन	41/4	28/2, 3	—
सालंब पूर्वोत्तानासन	42/5	—	—
सुप्त बद्धकोणासन	—	—	42/2
सुप्त स्वस्तिकासन	—	—	42/1
सुप्त वीरासन	—	—	42/3
अधोमुख श्वानासन	—	—	16/8
उत्तानासन	38/1	17/3 पीछे नहीं, आगे स्टूल रखकर उस पर हाथ और माथा टिकाएँ।	48/3
प्रसारित पादोत्तानासन	38/2	—	—
ऊर्ध्वमुख श्वानासन	—	—	15/1, 2 33/8
द्विपाद विपरीत दंडासन	—	43/4	—
उष्ट्रासन	—	—	51/4
सालंब सर्वांगासन	—	51/3	—
निरालंब सर्वांगासन	—	—	51/1, 2
अर्धहलासन	—	—	48/4
सेतुबंध सर्वांगासन	43/1	43/2	43/3
विपरीत करणी	—	—	49/4, 6
शवासन	51/6	—	
मूळव्याध, भगंदर, भग-चीर			
उत्तानासन	17/1, 48/3	—	—

प्रसारित पादोत्तानासन	38/2	सामने स्टूल रखकर उस पर हाथ टिकाएँ	
पवनमुक्तासन	39/1	—	—
उपविष्ट कोणासनयुक्त	21/5	—	—
ऊर्ध्वप्रसारित पादासन		—	—
त्यातच बद्धकोणासन		—	—
सुप्त पादांगुष्ठासन प्रकार -2	24/5, 6	—	—
सुप्त स्वस्तिकासन	42/1	—	—
सुप्त बद्धकोणासन	42/2	—	—
सुप्त वीरासन	42/3	—	—
उत्थित हस्तपादासन	—	34/1	—
वीरभद्रासन	—	34/4	—
अर्धचंद्रासन	—	35/6	—
उत्थित पार्श्व हस्तपादांगुष्ठासन	—	37/3	37/4
द्विपाद विपरीत दंडासन	—	43/4	43/6
सालंब सर्वांगासन	—	48/4	—
अर्धहलासन (पावलांत अंतर)	48/8	—	—
सालंब सेतुबंध सर्वांगासन	43/1	—	—
विपरीत करणी	49/5	—	—
(बद्धकोणासनयुक्त)	—	—	—
शवासन	51/6	—	—
आसन	चरण 1	चरण 2	चरण 3

माहवारी : नियमावली में महिलाओं के लिए माहवारी के दौरान किए जाने योग्य आसन बताए गए हैं। कुछ महिलाओं को माहवारी में तकलीफ होती है। उनके लिए भी कुछ आसन यहाँ बताए गए हैं।

(अ) पोटदुखी, थकवा, जुकाम, खाँसी, गर्भाशय में दर्द, गर्भाशय छोटा हो तो

उपाश्रयी शवासन	41/1
उपाश्रयी स्वस्तिकासन	41/2
उपाश्रयी वीरासन	41/3
उपाश्रयी बद्धकोणासन	41/4
सुप्त पादांगुष्ठासन प्रकार-2	24/7
उत्थित त्रिकोणासन	34/3
वीरभद्रासन	34/4
उत्थित पार्श्वकोणासन	35/4, 5
अर्धचंद्रासन	35/6
सालंब सेतुबंध सर्वांगासन	43/2

(आ) उच्च रक्तचाप व माहवारी, पीठ दर्द, शरीर में भारीपन, कम खून निकलना आदि के लिए सभी आसन शिरोनेत्र पट्टबंध के साथ (47/1 से 8) करें

पवनमुक्तासन	48/1, 2
उत्तानासन	38/1, 48/3
प्रसारित पादोत्तानासन	38/2
उत्तानासन	17/5
अधोमुख स्वस्तिकासन	47/9
अधोमुख वीरासन	47/10
जानुशीर्षासन	47/11
पश्चिमोत्तानासन	47/12

(इ) **माहवारी में पैर दर्द**

वीरासन	27/1 से 7
बद्धकोणासन	28/3 रस्सी के बगैर करें
सुप्त पादांगुष्ठासन प्रकार–2	24/6

(ई) **खून का बहाव ज्यादा हो तो**

अर्धचंद्रासन	35/6
द्विपाद विपरीत दंडासन	43/4
(सिर के नीचे तकिया या गोल तकिया लें।)	
सालंब सेतुबंध सर्वांगासन	43/1

◻◻◻